家族といっしょに読める！
豊富なイラストで、よくわかる！

改訂2版 在宅医療が必要な子どものためのケアテキスト Q&A

監修 埼玉医科大学総合医療センター名誉教授
佐久大学客員教授
田村正徳

編著 株式会社スペースなる代表
梶原厚子

メディカ出版

本書にてご紹介しております医療機器・医療用製品の内容は、刊行当時の情報であり、使用にあたっては、医療従事者の指導のもと、ご使用くださいますようお願い申し上げます。

はじめに

　日本の赤ちゃんや子どもの医療は急速に発展し、死亡率は世界でも最も低い数字になっています（2021〔令和3〕年に出生した1,000人の赤ちゃんあたり1カ月以内の死亡数は0.8人、1歳未満の死亡数は1.7人です）。その結果として、新生児集中治療室（Neonatal Intensive Care Unit：以下、NICU）や小児集中治療室（Pediatric Intensive Care Unit：以下、PICU）で救命されて、人工呼吸管理や気管切開や経管栄養などの医療ケアを必要としたまま退院して在宅医療に移行する子どもたちが急速に増えています。こうした子どもたちを「医療的ケア児」といいますが、全国の「医療的ケア児」は、この10年間で約2倍に増えて2万人を超え、そのなかでも人工呼吸管理を必要とする「医療的ケア児」は約4倍に増えて5,200人を超えています（図1）[1]。

- 医療的ケア児数は、直近10年間で約2倍に増加している。
- 年齢階級別の医療的ケア児数及び人工呼吸器児数は、いずれも年齢階級も増加傾向にあり、しかも低年齢ほどその人数が多い。
- 人工呼吸器を必要とする児童数は、直近10年で4倍近くに増加している。0〜4歳が最も多く、経年での増えかたも大きい。

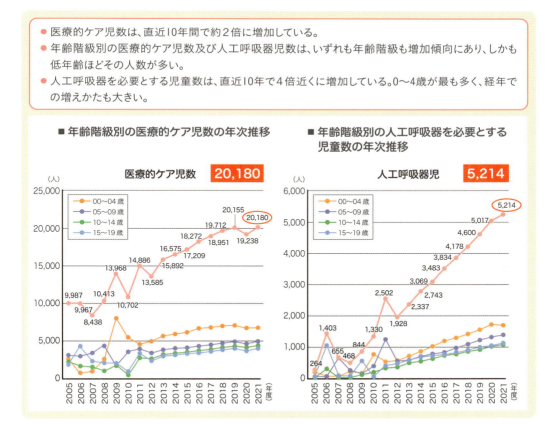

図1　年齢階級別の医療的ケア児数と人工呼吸器児数の推移[1]

在宅医療を必要とする子どもの場合は、成人を対象とした在宅療養診療所や訪問看護ステーションや福祉機関も、子どもの高度な医療ケアには慣れていないために敬遠されがちで、介護保険のケアマネジャーもいないために、家族の負担が非常に大きくなります。そこで国は、2016年に「障害者総合支援法」を改正して、医療的ケア児への支援を各省庁と地方自治体の努力義務としました。さらには、2021年に「医療的ケア児及びその家族に対する支援に関する法律」(以下、医療的ケア児支援法)を制定して、医療的ケア児と家族への支援を責務としました。医療的ケア児支援法の全体像は図2[2)]で示されています。医療的ケア児支援法が作成された目的は、医療的ケア児を育てる家族の負担を軽減し、医療的ケア児の健やかな成長を図るとともに、その家族の離職を防止することです。そうすることで、安心して子どもを生み育てることができる社会の実現に寄与することができます。自治体の具体的な責務の1つが保育所と学校(幼稚園、小学校、

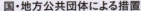

●医療的ケア児とは
日常生活及び社会生活を営むために恒常的に医療的ケア(人工呼吸器による呼吸管理、喀痰吸引その他の医療行為)を受けることが不可欠である児童(18歳以上の高校生等を含む。)

立法の目的
- 医療技術の進歩に伴い医療的ケア児が増加
- 医療的ケア児の心身の状況等に応じた適切な支援を受けられるようにすることが重要な課題となっている
  ⇒医療的ケア児の健やかな成長を図るとともに、その家族の離職の防止に資する
  ⇒安心して子どもを生み、育てることができる社会の実現に寄与する

基本理念
1. 医療的ケア児の日常生活・社会生活を社会全体で支援
2. 個々の医療的ケア児の状況に応じ、切れ目なく行われる支援
   →医療的ケア児が医療的ケア児でない児童等と共に教育を受けられるように最大限に配慮しつつ適切に行われる教育に係る支援等
3. 医療的ケア児でなくなった後にも配慮した支援
4. 医療的ケア児と保護者の意思を最大限に尊重した施策
5. 居住地域にかかわらず等しく適切な支援を受けられる施策

国・地方公共団体の責務 / **保育所の設置者、学校の設置者等の責務**

支援措置

国・地方公共団体による措置
- 医療的ケア児が在籍する保育所、学校等に対する支援
- 医療的ケア児及び家族の日常生活における支援
- 相談体制の整備　●情報の共有の促進
- 広報啓発　●支援を行う人材の確保
- 研究開発等の推進

保育所の設置者、学校の設置者等による措置
- 保育所における医療的ケアその他の支援
  →看護師等又は喀痰吸引等が可能な保育士の配置
- 学校における医療的ケアその他の支援
  →看護師等の配置

医療的ケア児支援センター(都道府県知事が社会福祉法人等を指定又は自ら行う)
- 医療的ケア児及びその家族の相談に応じ、又は情報の提供若しくは助言その他の支援を行う
- 医療、保健、福祉、教育、労働等に関する業務を行う関係機関等への情報の提供及び研修を行う　等

施行期日:公布日から起算して3月を経過した日
検討条項:法施行後3年を目途としてこの法律の実施状況等を勘案した検討
　　　　　医療的ケア児の実態把握のための具体的な方策／災害時における医療的ケア児に対する支援の在り方についての検討

図2　医療的ケア児及びその家族に対する支援に関する法律の全体像(令和3年6月11日成立)[2)]

中学校、義務教育学校、高等学校、中等教育学校および特別支援学校）での医療的ケア児の受け入れに向けて支援体制を拡充していくことで、各自治体は、医療的ケア児が家族の付き添いなしで希望する施設に通えるように、看護師等や喀痰吸引等を行うことができる保育士等を配置することが求められます。また、都道府県には「医療的ケア児支援センター」を設置することが求められており、初年度だけで42都道府県に設置されました。「医療的ケア児支援センター」は、医療的ケア児とその家族の相談に応じて情報の提供や助言、その他の支援をするほかに、支援活動を行う関係機関への情報提供や研修を行うことが主な任務とされています。医療的ケア児の家族はもちろんのこと、訪問看護ステーションの皆さんも何か困りごとがあった際には相談されてください。医療的ケア児支援法では、地方自治体が災害時の医療的ケア児とご家族の支援について検討することが求められています。具体的には市町村による要支援者名簿への記載や個別避難計画の作成などが該当すると考えられます。

　本書は、在宅医療を必要とするお子さんが安全にご家庭で医療ケアを受けられるように、家族の皆さんに医療ケアを修得していただくことを目的としました。そのために、できるだけ専門用語を避けてイラストを用いて医療ケアの方法をわかりやすく解説させていただきました。さらには、本来医療ケアを行う資格のある在宅療養診療所の医師、訪問看護ステーションや学校の看護師や医療訓練を受けた介護士たちが、積極的に子どもの在宅医療にも関わってくださり、子どもたちの安全と快適性を高め、家族の負担を少しでも減らしてくれることを期待しています。

2023年3月

埼玉医科大学総合医療センター名誉教授
佐久大学客員教授

田村正徳

● 参考文献

1）田村正徳 研究代表者．平成30年度厚生労働科学研究「医療的ケア児に対する実態調査と医療・福祉・保健・教育等の連携に関する研究：総括研究報告書 平成30年度．研究代表者総括．厚生労働科学研究費補助金（障害者政策総合研究事業）．（田村班）の推計方法による．
2）厚生労働省．「医療的ケア児及びその家族に対する支援に関する法律」について．厚生労働省社会・援護局障害保健福祉部障害福祉課 障害児・発達障害者支援室．https://www.mhlw.go.jp/content/12601000/000794739.pdf（3月23日参照）

Contents

はじめに………003

総論 医療依存度の高い子どものいのちと暮らしを在宅で支えるために

- ① 子どもの成長・発達と子どもの健康にかかわる基本知識………012
  - Column 親へのサポート………023
- ② 小さく早く生まれた子どもたちにかかわる基本知識………025
  - Column 小さく生まれた赤ちゃんへ訪問看護ができること………036

各論 子どもの在宅ケアQ&A

1章　呼吸ケア

- 考えかた
  - ① ケアする前におさえておきたい子どもの特徴………038
  - ② スピーチバルブについて………044
  - ③ 気管切開閉鎖の適応………049
- 手技
  - ① 気管切開管理………052
  - ② 吸引………065
  - ③ 侵襲的在宅人工換気療法………076
  - ④ 在宅非侵襲的陽圧換気療法………085
  - ⑤ ネーザルハイフロー………094
  - ⑥ 在宅酸素療法………100
  - ⑦ 吸入療法………108

2章　栄養ケア

- 考えかた
  - ケアする前におさえておきたい子どもの特徴………114
- 手技
  - ① 経管栄養（経鼻・経口）………122
  - ② 胃瘻………130
  - Column 新規格の栄養チューブについて………146

3章　排泄ケアとスキンケア

- **考えかた**
  - ① ケアする前におさえたい子どもの排泄の特徴………150
  - ② ケアする前におさえたい子どもの皮膚の構造と特徴………156
- **手技**
  - ① 在宅自己導尿………162
  - ② ストーマケア………167
  - ③ 便秘への対応………176
  - ④ スキンケア………183

4章　循環器ケア

- **考えかた**
  - 循環器ケア………192

5章　発達を促すケア

- **考えかた**
  - 在宅ケアでの早期療育………200
  - (Column) 小児科開業医・訪問看護師・行政との連携が
    うまくいっている国立市………208
- **手技**
  - ① 身体の起こしかた、立位のとりかた………209
  - ② 体位変換………215
  - ③ 移動、移乗のケア………218
  - ④ 入浴ケア
    - ・在宅で行う場合………224
    - ・通所施設の場合………230
  - ⑤ 人工呼吸器をしている子どもの着替え………236
  - ⑥ 口腔ケア………241
  - ⑦ 遊び………246
  - ⑧ 言葉の発達やコミュニケーションのとりかた………252
  - ⑨ 在宅訪問リハビリ：発達を促す環境づくり………258
  - (Column) 実際の座位保持支援〜子どもの成長や変化にあわせて
    装置をタイムリーに変えていく………264

6章 リハビリテーション

- **考えかた**
  - 子どものリハビリテーション………270
- **手技**
  - ① 手足や身体を柔らかく保つ………274
  - ② 姿勢援助と座位のとりかた………284
  - ③ 呼吸リハビリテーション………294
  - ④ 歩行の練習・靴の調整………301

7章 緊急対応と防災

- **考えかた**
  - 災害時の医療機器の電源確保と家庭での備え………310

付録

- ① 医療的ケア児を取り巻く福祉・社会制度………318
- ② 医療的ケア児支援センターの役割………326
- (Column)「ちるふぁ」が実践していること………330
- (Column) 資源が少ない地域でどう小児を支えるか………332

索引………335

編著者・著者一覧

●監修

田村正徳（たむらまさのり）　埼玉医科大学総合医療センター　名誉教授
　　　　　　　　　　　　　　佐久大学　客員教授

●編著者

梶原厚子（かじわらあつこ）　株式会社スペースなる　代表

●著者（五十音順）

石川悠加（いしかわゆか）　国立病院機構北海道医療センター 神経筋／成育センター長

伊藤百合香（いとうゆりか）　株式会社スペースなる Tama ステーション なる訪問看護事業　副所長

石戸博隆（いしどひろたか）　埼玉医科大学総合医療センター 小児科学教室小児循環器部門　准教授

稲田　穣（いなだみのる）　島田療育センター 医務部歯科診療科　科長

大谷聖信（おおたにきよのぶ）　島田療育センターはちおうじ 通所科　科長

岡﨑　薫（おかざきかおる）　東京都立小児総合医療センター 新生児科　部長

加藤真希（かとうまき）　島田療育センターはちおうじ リハビリテーション科　理学療法士

上條みどり（かみじょうみどり）　長野県立こども病院 看護部　副看護師長、皮膚・排泄ケア認定看護師

川島　瞳（かわしまひとみ）　株式会社スペースなる Tama ステーション なる訪問看護事業　理学療法士

川村健太郎（かわむらけんたろう）　医療法人稲生会生涯医療クリニックさっぽろ　院長

小泉恵子（こいずみけいこ）　埼玉医科大学総合医療センター　小児診療看護師

澁谷洋子（しぶやようこ）　長野県立こども病院 在宅支援病床第2病棟　看護師

須賀美央（すがみおう）　島田療育センターはちおうじ リハビリテーション科　理学療法士

菅沼雄一（すがぬまゆういち）　埼玉医大福祉会カルガモの家 リハビリテーション部　係長

鈴木　悠（すずきゆう）　東京女子医科大学附属足立医療センター 小児科　助教

泉名　諒（せんみょうりょう）　杏林大学医学部付属病院 小児病棟　副主任、小児アレルギーエデュケーター アレルギー疾患療養指導士

髙橋摩理（たかはしまり）　昭和大学歯学部 口腔衛生学講座　兼任講師

田中総一郎（たなかそういちろう）　医療法人財団はるたか会あおぞら診療所 ほっこり仙台　院長

辻　悦子（つじえつこ）　株式会社スペースなる Tama ステーションなる 訪問看護事業　理学療法士、なるのおいす屋さん

てらざわだいすけ 寺澤大祐	岐阜県総合医療センター 新生児内科　医長	
とおやまひろみ 遠山裕湖	宮城県医療的ケア児等相談支援センター「ちるふぁ」　センター長	
なかがわなおこ 中川尚子	元 医療法人財団はるたか会 訪問看護ステーションあおぞら　理学療法士	
ながしまふみあき 長島史明	医療法人財団はるたか会 訪問看護ステーションそら　理学療法士	
なかむらたつや 中村達也	島田療育センターはちおうじ リハビリテーション科　言語聴覚士	
なぐらみちあき 奈倉道明	埼玉医科大学総合医療センター 小児科講師	
はこざきかずたか 箱崎一隆	島田療育センターはちおうじ 医療福祉相談科	
ふたつばしみき 二ツ橋未来	杏林大学医学部付属病院 小児病棟　主任、皮膚・排泄ケア認定看護師	
ほりぐちあきよ 堀口亜貴代	株式会社スペースなる Tama ステーションなる 訪問看護事業　所長	
まきうちあきこ 牧内明子	社会福祉法人安曇野福祉協会多機能型事業所やまびこ学園　園長・看護師	
まつい あきら 松井　晃	KIDS CE ADVISORY　代表・神奈川県立こども医療センター新生児科（非常勤）臨床工学技士	
もりさだあつこ 森貞敦子	大原記念倉敷中央医療機構倉敷中央病院　小児看護専門看護師	
よこたますみ 横田益美	せたがや訪問看護ステーション　家族支援専門看護師	
わたべしんいち 渡部晋一	元 大原記念倉敷中央医療機構倉敷中央病院 総合周産期母子医療センター	

総論

医療依存度の高い子どもの
いのちと暮らしを
在宅で支えるために

総論 1 子どもの成長・発達と子どもの健康にかかわる基本知識

　医療に依存することなく生活している子どもでも、入院している子どもでも、医療的ケアを有しながら自宅で生活している子どもでも、子どもはすべて成長・発達をします。入院中は治療が優先されてつい忘れがちになりますが、自宅で生活するようになったら成長・発達を促していくように関われると良いでしょう。また、子どもをもつ家族には高齢者と暮らす家族とは違った配慮が必要です。家族機能は変化していくということを知っておく必要があります。そして看護師としては当然ですが、異常の早期発見ができることも求められます。そこでこの稿では、成長と発達の基本および家族看護、そして異常の早期発見方法について述べていきます。

成長と発達の基本

　「最初に4本足、次に2本足、最後に3本足。これ何だ」というスフィンクスの問いは有名です。最後の3本足は別にしても、人間は最初の半年ほどは仰向けで寝てばかりで過ごしていたのが、うつ伏せができるようになり、ハイハイができるようになり、つかまり立ちを経て二足歩行ができるようになります。さらに上手に走ることができるようになり、身体のバランスを必要とするスキップができるようになります。

　たぶん地球外生命体が見たら同じ種族とは思えないほど形態が変わってきます。これがすべて乳幼児期に起こります。また、形態の変化に合わせて、日常生活の方法や考えかたが変わってきます。こういった成長や発達に合わせて、より良い関わりかたが変わってくるので「子どもは苦手」と思われるかもしれません。しかし、成長と発達には原則があり、ある程度決まっているのです。言いかえれば「次にどう変化していくのか予想がつく」ということです。

✻ 成長の指標

　成長とは身体全体、あるいは部分の形態的・量的な増大のことです（表1）。つまり、身長・体重・頭囲・胸囲・歯の本数および骨の長さや太さなど測定できるものです。そして年齢において、どの程度成長するのかは標準的な数値が出ています。よく「乳児は成長発達が著しい」と言われ、それを指し示す表現として体重が出生後3カ月で2倍、1年で3倍になり、身長は1年で1.5倍になるといわれていますが、あまりピンときません。具体的に言い換えると、身長150cm、体重50kgの大人が3カ月後に体重100kgになり、1年後には身長225cm、体重150kgになるということです。また、出生から約半年までは胸囲より頭囲のほうが大きく、その後2歳までは頭囲と胸囲がほぼ同じ大きさです。これも大人で想像してみてください。体のバランスが悪いことがわかります。子どもがよく転んだり、柵から下をのぞきこんで頭の重さで転落しやすいはずです。

総論 医療依存度の高い子どものいのちと暮らしを在宅で支えるために

表1 成長の指標（形態的発達）

	出生	3カ月	6カ月	9カ月	1歳	2歳	3歳	4歳	5歳	6歳	9歳	11歳	12歳	14歳
体重	3kg	6kg			9kg	12kg		15kg	18kg			36kg		
体重比		2倍		3倍	4倍			5倍	6倍			12倍		
1日増加量	25～30g	20～25g	15～20g											
身長	50cm		70cm		75cm			100cm				150cm		
身長比	1				1.5	2								
頭囲	33cm	39.9cm	43cm	44.6cm	45cm	48cm	49cm	50cm	51cm	51cm				
大泉門	2.5cm×2.5cm		3.6cm×3.6cm	3.2cm×3.2cm	1.6Yで閉鎖									
小泉門	1～2M閉鎖													
胸囲	32cm	40cm	43cm	44.9cm	45.8cm	48.6cm	50.3cm	52cm	53.8cm	55.7cm		60cm		
胸郭		円柱状で前後径ほぼ等しい												
仮骨		手根骨などの数で評価。年齢数または年齢＋1								10個で完成		思春期をすぎると骨端線閉鎖		
歯		乳歯生え始める（月齢－6個が目安）				20本そろう			永久歯生え始める			14歳ぐらいまでに28本そろう		
身体発育評価[2)]				身体発育曲線で評価										
				やせおよび肥満の評価 （実測体重 kg －標準体重 kg）÷標準体重 kg × 100 乳幼児：肥満度±15％以内「ふつう」 学童以降：肥満度±20％以内「ふつう」										

✱ 子どもの成長は継続的に評価する

　身長・体重・頭囲は、横断的標準身長・体重曲線を使用します。簡易的なものは母子健康手帳にも記載してあります。「横断的」な曲線ということからわかるように、成長評価は今現在の一点を見るのではなく、継続して測定したもので判断します。ほかの子どもより身長が低かったり、体重が軽かったりする場合は、まず、この曲線をつけてみましょう。標準曲線より下回っている曲線になったとしても、ほぼ平行で描けていれば「その子なりに成長している」と判断できます（図1は体重曲線の例）。しかし、標準曲線に沿って経過していたのに急激にグラフが下がった場合は、治療が必要になる場合もあるので受診しましょう。

　1日体重量の測定は乳児健診のときなどに行われることが多い方法です。これも毎日、体重測定するわけではなく、1週間や1カ月といった長期の経過で判断します。ただし、排尿量が少なくなったり、泣いているのに涙が出ない、泣き声や手足の動きに活気がなくなったりしている場合は、水分量

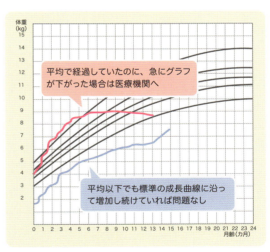

図1　成長評価の例
（横断的標準体重曲線〈0-24カ月〉2000年度版の体重評価抜粋）

が不足しているので早急に受診が必要です。

　歯は月齢年齢相当の本数が萌出しているかどうかで、成長を評価します（図2）。離乳食の形態を決める際の参考にもなります。

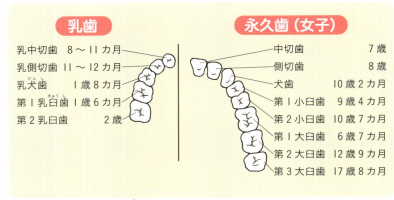

図2 乳歯・永久歯の萌出時期 （文献3をもとに作成）

✴ 発達の基本原則

発達とは精神、運動、生理などの機能が十分に育っていくことです。子どもが自らの経験を基にして、周囲の環境に働きかけ、環境との相互作用を通じ、豊かな心情、意欲、態度を身につけ、新たな能力を獲得する過程です。そして発達には進む順番があり、年齢において標準的な発達状況について表示されています。

また、子どもの発達には基本原則（表2）があり、そのなかでも、特に重要な項目について述べていきます。

一定の方向性

これは発達の大前提で、重症児にも適応されることです。人は首がすわったら、寝返りができるようになります。その後、ハイハイをしてつかまり立ちをして一人で歩けるようになります。つまり、首がすわっていないのに歩けるようにはなりません。また重力に逆らって腕を持ち上げられるようになり、手を使って遊ぶようになります。そして、物を手掌全体でつかんでいたのが、指先でつまめるようになります（図3・4）。乳幼児の事故で豆やおもちゃの誤嚥がありますが、それは口やのどより小さなものをつまめるようになってから起こります。

表2 発達の基本原則

1. 一定の方向性
2. 一定の順序性
3. 速度の多様性
4. 感受性（臨界期）
5. 分化と統合の過程
6. 相互作用
7. 個人差

速度の多様性

経験や環境因子にかかわらず、人としての遺伝的なものに基づいて個々の器官や身体が形態的・機能的に完成することを成熟といいます。図5（p.16）は臓器の成熟速度を示したスキャモンの発達・発育曲線です。米国の解剖学者であるスキャモンは、年齢別の臓器の重量を計測して、20歳を100としたときの臓器の重さを百分率で示しています。この曲線によると、次のことがよくわかります。

◎脳・神経などの器用さやリズム感を担う神経型：出生直後から急激に発達し、3歳ですでに成人の70％に達する。

◎身長・体重や肝臓・腎臓などの胸腹部臓器の発育を示す一般型：生後3〜4歳まで急激に増加し、その後は次第にゆるやかになり、思春期である12〜16歳で再び加速し急激に発達する。

脳神経が成熟する3歳までは快の刺激をたくさん与えたり、身長・体重などが成熟する時期には栄養環境を整えたりしましょう。

総論 医療依存度の高い子どものいのちと暮らしを在宅で支えるために

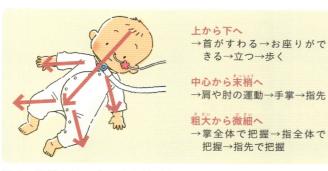

上から下へ
→首がすわる→お座りができる→立つ→歩く

中心から末梢へ
→肩や肘の運動→手掌→指先

粗大から微細へ
→掌全体で把握→指全体で把握→指先で把握

図3　発達には一定の方向性がある

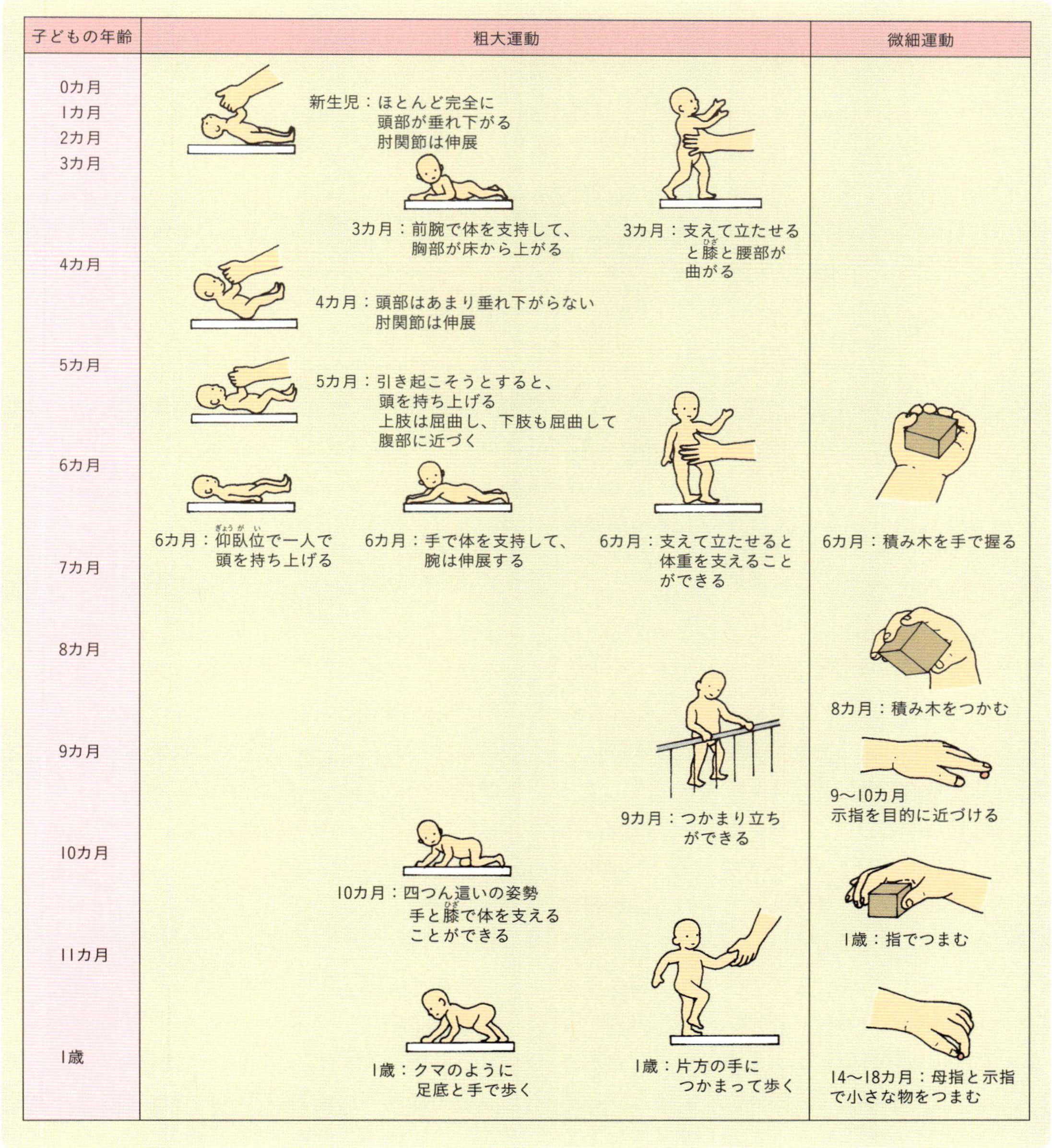

子どもの年齢	粗大運動		微細運動
0カ月 1カ月 2カ月 3カ月	新生児：ほとんど完全に頭部が垂れ下がる 肘関節は伸展 3カ月：前腕で体を支持して、胸部が床から上がる	3カ月：支えて立たせると膝と腰部が曲がる	
4カ月	4カ月：頭部はあまり垂れ下がらない 肘関節は伸展		
5カ月	5カ月：引き起こそうとすると、頭を持ち上げる 上肢は屈曲し、下肢も屈曲して腹部に近づく		
6カ月	6カ月：仰臥位で一人で頭を持ち上げる　6カ月：手で体を支持して、腕は伸展する	6カ月：支えて立たせると体重を支えることができる	6カ月：積み木を手で握る
7カ月			
8カ月			8カ月：積み木をつかむ
9カ月		9カ月：つかまり立ちができる	9～10カ月 示指を目的に近づける
10カ月	10カ月：四つん這いの姿勢 手と膝で体を支えることができる		1歳：指でつまむ
11カ月			
1歳	1歳：クマのように足底と手で歩く	1歳：片方の手につかまって歩く	14～18カ月：母指と示指で小さな物をつまむ

図4　運動機能の発達

（文献4より引用）

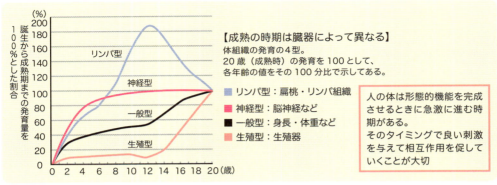

図5 スキャモンの発達・発育曲線　　　　　　　　　（文献3より引用、一部改変）

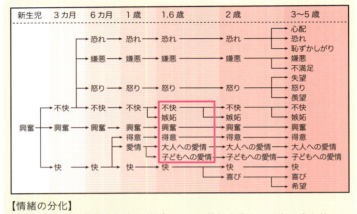

【情緒の分化】
2歳頃までに基本的な発達を遂げる。その後細分化し、5歳で成人並みになる。

図6 ブリッジスによる情緒の分化図　　　　　　　　（文献4より引用、一部改変）

分化と統合の過程

　ブリッジスによると3カ月くらいまでの子どもの感情は「快・不快」つまり泣くか泣かないかといった未分化な状態です。「何で泣いているかわからない」というときもありますが、基本的になんらかの不快な状況にあるというだけです。それが、だんだんと泣きかたにもバリエーションが出てきて、幼児期の終わりごろでは「怒り・恐れ・悲しみ・嫌悪・嫉妬・驚き・喜び」など、複雑な感情に分化します（図6）。しかし、それを表現する言葉が未熟なため、わかってもらえなくて癇癪を起こしますし、暴力に訴えることもします。「言葉で説明しなさい」というのは無理だと思ってください。「きっと今、こういう気持ちなんだね」と感情を言語化するのは大人の役目なのです。

　1.6歳ごろに愛情が「子どもへの愛情」と「大人への愛情」に分化し、自分よりも小さい子どもをかわいがるようになります。しかし、同時に嫉妬という感情も芽生えます。ちょうど、2年くらいあけて第2子を出産したりすると、弟や妹をかわいがるけれど、赤ちゃん返りしたり、弟や妹にいじわるをするのは当然のことであり、正常な発達だと思いましょう。

相互作用

　発達には相互作用が不可欠です（図7）。人生の基盤といわれる愛着形成も、相互作用で成り立ちます。ベビージムの場合、最初は「目の前にぶら下がっているものに偶然手が触れたら音が出た」ということから始まります。その後、その感覚を記憶し、繰り返し行うようになることで、

総論　医療依存度の高い子どものいのちと暮らしを在宅で支えるために

図7　相互作用の一例

表3　遊びと社会性（Parten）

乳児	ぼんやり	自分の身体で遊んでいる
2歳半〜	傍観遊び	ほかの子どもに興味を持ち始め、時に言葉かけをするが、遊びに積極的に関わらない
	一人遊び	周囲に子どもがいても無関心である。一人で熱中して遊ぶ
2、3歳〜	平行遊び	ほかの子どもの遊びを見ていて、自然に引き込まれ、自分もそれをやり始める。同じようにしているが、一緒に遊んでいない。お互いに関係なく遊ぶ
4歳〜	連合遊び	ほかの子どもと一緒に遊ぶ。役割分担ははっきりしていない
	協同、組織的遊び	ゲームを作ったり、何かを作ったり、共通の目的を持つ遊び。役割分担を作ったり、ルールを持って遊ぶ・3歳を過ぎると急に増える

いろいろな遊びかたに変化していきます。また、足しゃぶりは重力に逆らうことが可能だからできる行動です。そして自分の身体の末端や手足の位置を知ることができます。これは身体をスムーズに動かすために必要なことです。

また、声を出したり話をしたりするのも、喃語に返事をして相互作用を起こすことで促されます。第2子のほうが喃語も含めて発声や発語が盛んなはずです。さらに子ども同士で遊ぶことで我慢することや相手を思いやることを学びます。

子どもが相互作用を起こしやすい環境を作ることが発達を促すうえで最重要であると考えます。また、私たちも子どもにとって環境の一部です。相互作用を意識して子どもと関わりましょう。

✳ 遊びの発達

おもちゃや遊びかたも年齢に応じて変わっていきます。乳児期は音が出るものや触れて遊ぶような感覚運動遊びをおもしろがります。そのうちに絵本を読んでもらうなどの受容遊び、おままごとなどの象徴遊び、積み木やパズルなどの構成遊びと遊びの幅が広がっていきます（表3）。

しかし、医療依存度の高い子どもは、遊びの幅が狭くなりがちです。絵本や音楽など受け身で遊ぶ受容遊びをしていますが、こういう子どもたちこそ感覚遊びを行いましょう。生活の中で五感を刺激し、揺れたりはずんだりすることで前庭感覚を刺激します。呼吸器装着中の子どもがプールに入ったり、バーベキューに参加したり、泥遊びができるような環境を整えられる在宅療養生活支援者になりましょう。

✳ 情緒・社会性の発達

乳幼児心理学の重要な概念として「愛着」があります。これはボウルビィの提唱した概念です。「愛着」とは、ある特定の人間もしくは動物との間に形成される愛情のきずなのことをいいます。3カ月ごろまでは誰にでも笑顔を見せますが、6カ月ごろには特定の相手以外は嫌がり、抱っこもさせてくれません。人見知りの時期です。その後も特定の相手の後追いをし、視界からいなくなると不安で泣くようになります。

在宅療養生活支援者にとっては、一番関わりにくい時期といえますが、愛着対象とそうでない人を記憶できるようになっているという、素晴らしい能力があるからこそ起こる行動です。自分が子どもの愛着対象になるのを待ちましょう。

不快を快に変えてくれる人がいるという安心感が安全基地となって、子どもは活動を広げ

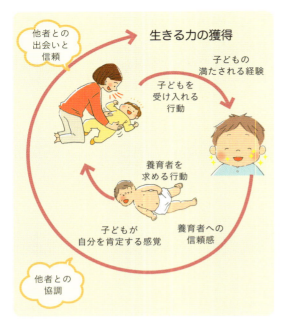

図8 愛着形成のイメージ

ことができます。つまり自律とアイデンティティの基盤にもなります（図8）。そしてこれには相互作用とスキンシップが必要不可欠です。動ける子どもは大人の腕の中に飛び込んできます。感情を表現できる子どもは大人が抱きしめます。

では、感情表現がわかりにくい重症心身障害児はどうでしょうか。ミルクも注入だと、授乳時の抱っこすらしてもらえません。入浴時以外にも抱っこして、抱きしめてあげましょう。

また、褒められることも快の感情につながります。「いいうんちが出たね」「胃に残ってるものがなくて消化が良かったね」と生理現象でもいいから褒める意識が必要です。

エリクソンは、人には発達の段階ごとに重要となる対人関係や心理的危機、経験すべきことを示しました。その発達段階で心理的危機を乗り越え、経験すべきことを行えていれば、次の段階にも対応しやすいのです。

そして、人生で最初の心理的危機に対処するために必要なものが信頼です。ボウルビィは、愛着を基盤に基本的信頼感が育まれると述べています。そして極端なことを言えば青年期の自我同一性を確立する基盤は、乳児期の信頼、つまり愛着形成にあるといえます。

✱ 発達評価

発達検査には、遠城寺式乳児分析的発達検査法、デンバーⅡ発達判定法のほか、新版K式発達検査法、WISC－Ⅴ、WPPSI－Ⅲなど多々あります。実施方法が細かく決まっていますが、子どもは眠かったり、知らない環境下だったりすると本領を発揮できません。そこでデンバーⅡには、自宅で家族が評価してよい項目もあります。いずれにせよ、発達検査の評価結果で一喜一憂しないよう家族に話しておく必要があります。人間だれしも得意・不得意があります。評価が低い所は全力を出せる環境下でなかったか、不得意な所です。どの子どももその子なりのスピードで発達していくので、不得意を少しでも克服できるような関わりかたを行っていくようにしましょう。

発達検査表のうち、遠城寺式乳幼児発達評価表やデンバーⅡ発達評価表は「年齢相当の発達は何か」という視点でも使いやすいです。たとえば、遠城寺式の移動運動とデンバーⅡの粗大運動は身体全体の動きがどう発達していくかがわかり、遠城寺式の手の運動とデンバーⅡの微細運動は物を握ったりつまんだりする動きがどのように発達していくのかがわかります。小児経験が少ない方は、これらの評価表を参考にすると、その子どもの得意・不得意がわかると思います。

✱ 成長発達に影響を与える因子

子どもの身長や体重が標準値以下の場合、一概に疾病が原因とは言いきれません。両親が小柄で遺伝の可能性もありますし、家庭の食事環境が原因かもしれません。子どもの成長発達を評価する際には、さまざまな背景について考慮しなければなりません。とくに発達は相互作用で促進されるため、環境因子の影響を受けやすいことを覚えておく必要があります。

子どもの健康を守る

✵ 乳幼児健診

　乳幼児健診は市町村が行うよう、母子保健法に規定されています。ただし、母子保健法に規定されているのは、「満一歳六か月を超え満二歳に達しない幼児」と「満三歳を超え満四歳に達しない幼児」のための健診で、いわゆる1歳6カ月児健診と3歳児健診のみです。ただし、これ以外の年齢で健診を行うかどうかについては市町村に裁量があるため、実際にはもっと多くの年齢で健診が行われています。

　近年は5歳児健診を行っている自治体もあります。これは集団などで「気になる子」として相談があった子どもに対して支援が必要かどうかを検討するもので、心身の発達障害を早期に発見する目的であるそれまでの乳幼児健診（1歳6カ月児健診、3歳児健診）とは意味合いが異なります[5]。

　4歳までの乳幼児健診は、日常診療では見つかりにくい先天性股関節脱臼や言葉の遅れ、広汎性発達障害の早期発見、予防接種や事故防止の啓発、基本的生活習慣の改善、親子関係を観察したり、服装や身体の汚れ、痣を観察することでの虐待防止を目的として行われています。しかし、子どものことだけでなく、親の話をじっくり聞いて育児能力の問題を発見したり、育児不安を解消したりする場としても重要です。

　重症心身障害児においては発育発達についての評価というよりも、育児不安軽減の目的が大きいと思います。ただし、健診の場では否が応でも他の子どもが見えてしまい、他と比べては不安がつのることもあり、受診したくないと思っている家族もいます。健診に行っていないからといってすぐに問題視するのではなく、その原因を確認することが必要です。

✵ 予防接種

　医療的ケアが必要な子ども（医療的ケア児）の予防接種は、ほかの健常児たちと同じように受けます。むしろ、感染して重篤化しないよう積極的に接種するべきです。しかし、入院が長引いて接種推奨時期を過ぎてしまったり、血液製剤や免疫製剤を使用したりすると一般的なスケジュール通りにはいかなくなります。かかりつけ病院に確認したり、インターネットなどで公開されている予防接種ガイドラインを見ると良いでしょう*。

　針刺しの痛みで筋緊張が増し、呼吸が抑制されたりすることもあるので、急変時の対応ができるようにしておくことが重要です。

*予防接種に関するサイト
- KNOW★VPD！（VPDを知って、子どもを守ろう。）：予防接種の基本ルールやスケジュールの組みかたがわかるサイト．http://www.know-vpd.jp/children/
- IDSC　国立感染症研究所感染症情報センター：流行情報がわかるサイト．http://idsc.nih.go.jp/vaccine/vaccine-j.html

✵ 事故防止

　子どもの死因の上位に「不慮の事故」があります。そして、死亡につながらなくても救急車を呼ぶような事故も多くあります。それは乳幼児期の身体バランスの悪さや成長・発達して、いままでできなかったことができるようになることも原因の1つです。子どもがどのような段階を踏んで発達するのかを知り、次に何ができるようになるのか予測することで事故防止につなげることができます。

　医療的ケア児の場合は、発達がゆっくりであることが多いため、予測が立てにくいです。事故には至らなくても、ヒヤリとしたことがあれば、大事故になる前に環境を整えましょう。また、自宅にはつまずく原因となるコード類が多く、消毒薬なども置いてあります。きょうだいの事故防止も考えて医療的ケア用品などを配置しましょう。

<生きる権利>
子どもたちは健康に生まれ、安全な水や十分な栄養を得て、健やかに成長する権利を持っている。

<守られる権利>
子どもたちは、あらゆる種類の差別や虐待、搾取から守られなければならない。紛争下の子ども、障害をもつ子ども、少数民族の子どもなどは特別に守られる権利を持っている。

<育つ権利>
子どもたちは教育を受ける権利を持っている。また、休んだり遊んだりすること、様々な情報を得、自分の考えや信じることが守られることも、自分らしく成長するためにとても重要である。

<参加する権利>
子どもたちは、自分に関係のある事柄について自由に意見を表したり、集まってグループを作ったり、活動することができる。そのときには、家族や地域社会の一員としてルールを守って行動する義務がある。

図9　子ども（児童）の権利に関する条約

✳ 子どもの権利を守る

　1947（昭和22）年に児童福祉法において18歳未満を児童と定義して、心身ともに健やかに生き、生活できることを保障する理念が提示されました。1951年に児童憲章が制定され、子どもを社会がどのように守り育てるべきかについて示されました。1959年に「国際連合・子どもの権利宣言」が採択されました。しかし、いずれも子どもの権利を守る法律ではありませんでした。国連総会では、1989年に「児童の権利に関する条約」が批准され、1994（平成6）年に日本でも批准されました。平成になってやっと、法律と等しい効力をもつものが締結されたのです。この条約は54条ありますが、大きく4つに分けられます（図9）。

　「育つ権利」には教育を受けたり遊ぶ権利が示されていますが、医療的ケア児では守られているでしょうか。就学年齢まで家から出ることなく、家庭内で決まった大人が同じような遊びを繰り返していませんか？　就学してからは家族の付き添いが必要であり、きょうだいの都合で学校を休まなければならないことはないですか？　新しい体験ができるはずの宿泊学習も「きょうだいがいて親が付き添えない」という理由から欠席することもあります。2021（令和3）年に施行された「医療的ケア児及びその家族に対する支援に関する法律」の基本理念には、医療的ケア児が教育を受けられるよう、最大限に配慮する旨が書かれています。私たちは、子どもがその子らしい生活を送れるよう、子どもの権利を守る努力をする必要があります。

異常の早期発見：「いつもと違う」が大事

　退院したばかりの医療的ケア児は体調管理が難しく、入退院を繰り返すことになります。重症化する前に受診してもらいたいので、視診・聴診・触診・打診などのフィジカルイグザミネーションを駆使し、一般的な基準値や状態と比較してアセスメントします。

　しかし、重症心身障害児は感染しても発熱しないこともあるため、正常と比較して判断するのは困難です。「心拍数がいつもより高い」「胃残が多い」「何かいつもと違う」といったその子どもの通常と比較して判断することが大切です。一般公開されているどんなデータよりも、家族が「いつもと違う」「この子なりの活気がない」という視診が大事なのです。訪問看護師は客観的データを収集できればベストですが、「いつもと違う」と思っている家族に対してどこがどのように違う

のか、具体的に言語化できるよう頭の中を整理できる役割を担うことができればよいでしょう。

最初の1年は大変ですが、育児日記をつける感覚で状態記載表を記入することをお勧めします。そして、1年を振り返り、「このくらいの時期に呼吸状態が悪くなったから今年もなるかもしれない」というように、次の年の予測を立てることに使えるとよいでしょう。

家族への支援

家族は夫婦2人の共同生活から始まります。そこへ子どもが生まれ、きょうだいが生まれ、親としての役割が出てきます。子どもたちが保育園・幼稚園・学校に行くようになれば、そのコミュニティでの役割が出てきます。そして子どもの独立で、また夫婦2人の生活に戻りますが、新婚のときとは違い社会的役割が大きくなっています。このように、家族はライフスタイルに応じて変化していきます。特に、子どもが生まれたときは初めての親役割に戸惑い、自分の親や周囲に助けられながら親として成長していきます。

医療的ケアが必要な子どもを授かった場合、親役割を遂行するだけでなく、病状の変化時に対応する看護師のような役割や、本人の代理として今後の治療方針などを判断する役割も担わなければなりません[6]。出産の喜びと今後の生活への期待を感じる間もなく、さまざまな役割を担わなければならない夫婦の負担を感じてください。

また、中途障害児の家族はある程度、家族機能ができあがっており「本人がもともと好きだったこと」もわかっています。子どもらしい生活を送らせてあげたいと強く思うこともあります。NICUにいる家族とは関わりかたが変わります。

いずれにしても、医療的ケアが必要な子どもと対面したとき、家族は受容するまでに気持ちが揺れ動きます。家族が障害の受け入れに戸惑っていたり、怒りっぽかったりしてもDrotarの段階説に示すような段階にいるのかもしれません（図10）。一場面だけでその家族を判断して否定的なレッテルを貼らないようにしましょう。また、中田の螺旋形モデルのように、障害を肯定して

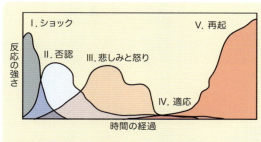

図10　Drotarの段階説　　（文献7より引用）

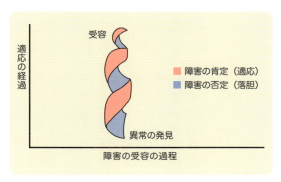

図11　中田の螺旋形モデル　　（文献8より引用）

受容したように見えても、否定したい気持ちが表出されることがあります（図11）。それでよいのだと受け止める姿勢が大事です。

老年期の家族は「ある程度人生を全うした」ととらえられますが、小児期の家族は「これから人生を歩んでいくのだから」と考えるため、医療者に求めるものが全く違います。

小児看護では困難感を感じることが多いですが、子どもの成長発達とともに家族機能や親の考えも変わってきます。その時々に応じて家族の

強みと限界を知って介入することが必要です。

> ### 遊園地へ連れて行けるぐらいの生活支援者になろう！
>
> 　家族は疲労と不安から気がたっていることがあると思います。しかし、子どもは遊びや相互作用によって発達していきます。医療的ケアにとらわれるのではなく「子どもが日々どうしたら楽しく過ごせるか」を考えて関われるとよいと思います。子どもが楽しそうであれば家族も笑顔が出ます。ただし、危険と隣り合わせだったり、感染のリスクもあるような遊びもあるでしょう。そういったことを受け入れられない家族は、まだ心の準備ができていないと考えて、無理強いすることなく、でも子どもの遊ぶ権利や成長発達を促す環境の一員である自分の存在を信念にもち、根気強く関わっていきましょう。
>
> 　遊園地に行くには福祉資源のことや急変時の対応も知っておく必要があります。そこまでできれば、かなり上級の小児在宅支援者といえるでしょう。すべては「子どもが楽しく過ごすために！」です。

（小泉恵子）

● 参考文献

1）奈良間美保ほか．小児看護学概論．小児臨床看護総論．2007，医学書院，504p．
2）厚生労働省．成育疾患克服等次世代育成基盤研究事業．"3 やせ及び肥満の評価"．乳幼児身体発育評価マニュアル 令和3年3月改訂．39-40．
3）松尾ミヨ子ほか編．"成長発達に伴うアセスメント"．ヘルスアセスメント．第4版．メディカ出版，2014，203，（ナーシング・グラフィカ基礎看護学②）．
4）中野綾美編．"子どもの成長・発達と看護"．小児の発達と看護．第5版．メディカ出版，2015，89，（ナーシング・グラフィカ小児看護学①）．
5）金原洋治．5歳児健診，5歳児発達相談．小児内科．45（3），2013，506．
6）紅谷浩之．"家族ケア"．在宅医療テキスト．第3版．公益財団法人在宅医療助成勇美記念財団，2015，32-3，37．
7）Drotar, D. et al. The adaptation of parents to the birth of an infant with a congenital malformation：A hypothetical model Pediatrics. 56, 1975, 710-7.
8）中田洋二郎．親の障害の認識と受容に関する考察：受容の段階説と慢性的悲哀．早稲田心理学年報．27，1995，83-92．
9）原寿郎ほか編．標準小児科学．第8版．内山聖監修．医学書院，2013，776p．

column

親へのサポート

家族がもつ力を見つけられる伴走者になろう

　「この子をかわいいと思えない」。ベッド周りはいつもきれいでかわいく整えられ、熱心に子どもの世話をしているお母さんからこんな言葉が聞かれたら、どのように思いますか。

　在宅医療が必要な子どもとの暮らしを、妊娠前から望んでいた親は1人もいないでしょう。思い描いていたものとは全く違う現実に戸惑い、時には希望を失うこともあるかもしれません。ダウン症の息子さんをもつ、アメリカの作家・社会活動家のエミリー・パール・キングズレイさんが、1987年に書かれた『オランダへようこそ』[1]という詩をご存じでしょうか。エミリーさんは障がいのある子どもを育てる経験を、楽しみに準備を重ねていたイタリア旅行が、予期せず言葉も地理もわからないオランダ旅行になってしまった状況に例えています。「イタリアに行くはずだったのに」という思い、夢を失った心の痛みは決して消えることはないと、読み手に語りかけます。このような気持ちを抱えたお父さん、お母さんに、どのような支援ができるでしょうか。

　小児を専門とする訪問看護師が「家でみるのは大変とわかりながら、子どもを連れて帰ってきただけで素晴らしい！　だから、どの家族にもマイナス点は絶対つかない」と、家族支援で大切にしていることを語ってくれたことがあります。「この人には弱みを見せてもいいかな」と思える相手でなければ、心の痛みや自責感、ましてや現実の子育てへのネガティブな思いを、人は簡単に打ち明けることはできません。献身的に子どものケアに専心する、いつもピリピリしている、子どもに関心がないように振舞うなど、苦しみの表現型は人によってさまざまです。まずは、見知らぬオランダの地で旅を続ける決心をしたこと、それだけで素晴らしい！　と、お父さん、お母さんに温かい眼差しを向けてみましょう。言葉にしなくても、ちょっとした態度からメッセージは伝わります。抱えている重い荷物を1つずつ下ろしていくことができたとき、旅人は顔を上げて、オランダの景色に目を向けることができるのではないでしょうか。

　また、家族支援で忘れがちなのが、「子どもも家族メンバーの1人」ということです。在宅医療を必要とする子どもは、感情や訴えを表現することが難しい場合も少なくありません。「この子はどんなかかわりかたをすると落ち着くのか？」、「何（誰）が好き

で、何が嫌い？」など、子どもの声を五感でキャッチしてみましょう。気づいたことを、お父さん、お母さんにフィードバックしてみるのも良いと思います。「この子はどんな子？」がわかってくると、"誰かに守られるだけの存在"ではない、子どもがもつ力への信頼が生まれます。そうして生活のなかの緊張感がやわらぐと、子どもと外出したり、子どもを預けたりする自信も芽生えてくるでしょう。オランダでの過ごしかたのコツを、いっしょに探していくプロセスといえるかもしれません。

　文化の異なる家族のなかで育った2人が夫婦となり、「新しい家族」になります。夫婦間の文化や価値観の違いを乗り越えて、"わが家"のルールをつくり、新たな家族メンバーを迎え入れ、さまざまな出来事に向き合いながら家族は発達し、成熟していきます。第1子が誕生した時期の家族は、人間に例えるとヨチヨチ歩きの子どもに近いでしょう。子どもは何度も転びながら、立ち上がり、歩き、そして上手な転びかたを獲得していきます。もしその子どもの行く手に大きな障害物があったとしたら、どのような支援が子どもの自立を支える力になるでしょうか。この問いへの答えは、家族へのサポートについて大きなヒントを与えてくれると思います。

　冒頭の子どもをかわいいと思えないお母さんの話に戻ります。「かわいいと思えないのに、こんなに大事にお世話していて、十分すぎるがんばりだと思いますよ。どれくらいなら、このままがんばれそうですか」と尋ねると、お母さんは「5年くらいなら」と答えました。そして、子どもの5歳の誕生日が過ぎたある日、「今でもこの子がかわいいと言い切る自信はないけれど、この子を産まなければ良かったとはもう思っていません」と、オランダの魅力に気づいたことを教えてくれました。

　家族の旅の物語を紡ぐためには、良い聴き手としての第三者が必要です。家族がもつ力を信じて伴走する誰かがいることは、家族にとってさらなる力となることでしょう。ユニークで素敵な旅の物語が、1つでも多く紡がれていきますように。

（横田益美）

🔴 参考文献

1）エミリー・パール・キングズレイ．オランダへようこそ．佐橋由利衣訳．1987．
　　日本ダウン症協会子育て手帳＋Happy しあわせのたね．https://jdss.or.jp/plus-happy/（4月6日参照）

総論 2 小さく早く生まれた子どもたちにかかわる基本知識

　日本で出生する新生児のうち、約5.5％は在胎37週未満の早産児です。そして、早産児の多くは出生体重2,500g未満の低出生体重児です。現在、低出生体重児は約10人に1人の割合で出生し、さらに出生体重1,500g未満の極低出生体重児は約100人に1人となっており決して少なくありません（図1）。また、妊娠高血圧症や子宮内感染症などにより胎児の発育が制限される子宮内胎児発育遅延（fetal growth retardation；FGR）では、満期産であっても1,500g未満で出生することがあります。

　これらの早産児や低出生体重児は、入院中だけではなく退院後もその成長・発達は、早く生まれるほど・小さく生まれるほど注意が必要です。極低出生体重児では脳性まひなどの運動障害が5～10％、認知・行動・注意・社会性などの認知障害が25～50％に見られます。さらに、超低出生体重児ではこれらの障害は50％以上に見られます。このように、その主な神経発達障害は"大きな運動障害のない認知障害"です。デイヴィット・バーカーは、早産児は成人期へと成長する過程でいくつかの問題を抱えるため、成人病は胎児起源であるとする「バーカー仮説」を提唱しました。その後、多くの研究から低出生体重児は心疾患や糖尿病などの成人病だけでなく、若年成人での死亡リスクが高いこともわかってきました（図2）[1～3]。

　また、早産や低出生体重で出生した子どもの体組成は、満期産で出生した子どもよりも皮下脂肪が少ないにもかかわらず、内臓脂肪が有意に高く、総体脂肪率が高くなっています。つまり痩せていても内臓脂肪が蓄積しており、見た目ではわかりにくい状況といえます[4,5]。また、通常5～6歳ぐらいで体格指数（BMI）が増加するアディポシティ・リバウンドという現象が、極低出生体重児や不当軽量児では3歳までの早期に来ることがあり、将来の肥満と関連しているとする報告もあります[6]。

　このように早産児は、退院後も神経発達症や生活習慣病などの慢性疾患に注意しなければなりません[7]。しかし現在、これらの疾患の発症や進行、早期死亡を回避するための長期的な医学的フォローアップに関するガイドラインはありません。

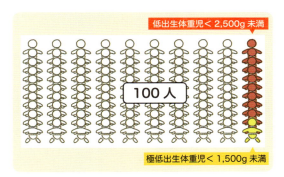

図1　極低出生体重児は100人に1人

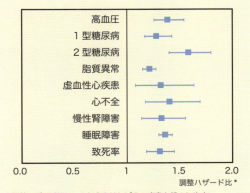

＊調整ハザード比：1より大きければその疾患を起こしやすい
・18～45歳での疾患の罹患状況
・早産児と満期産児で比較すると、高血圧、糖尿病、虚血性心疾患などすべての疾患で、早産児のほうが罹患しやすい

図2　早産児が罹患しやすい疾患
（文献2より引用、一部改変）

早産児が慢性疾患を若くして発症する理由

　胎児は、妊娠40週の満期に向かって持続的に成熟・発達しますが、早産児の場合は妊娠を中断されるため、その成長・発達に重要な時期を出生後に迎えることになります（図3）[8]。しかし、早産の原因である感染症や臍帯血流異常、子宮内外の酸素分圧の違い（子宮内10～20mmHg、出生後80～100mmHg）、強い傷害をもたらす活性酸素の過剰産生など、環境の変化が出生後の細胞や組織の分化・成長に影響を与えます。そのため、通常の成長・発達が得られない可能性があります。

　さらに、早産児はさまざまな医療サポートを受けながら、本来使用される予定ではない未熟な状態の臓器を、生命維持のため使用しなければなりません。人工呼吸器による肺の機械的傷害、また肺炎や敗血症などの過剰な炎症による臓器障害を受ける場合が多いのです。呼吸や循環動態が不安定であれば、虚血や低酸素、炎症、高濃度酸素などのストレスによる影響もあります。

　以上から、早産児の臓器は、必ずしも正期産児と同じ成長・発達を遂げることができず、最終的に十分な臓器機能を得ることができない可能性があります。これらは子宮内から出生後の環境変化による影響が、将来の成人期の疾病発症にかかわるとするDevelopmental Origin of Health and Disease（DOHaD）学説として注目されています（表1）。

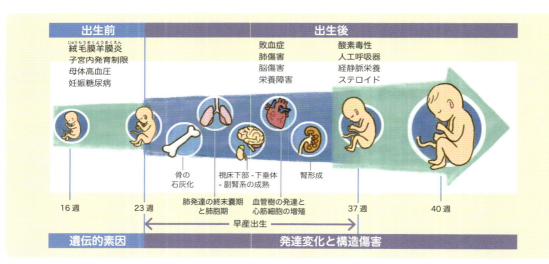

図3　出生前の胎児への影響と出生後の早産児への影響
（文献8を参考に作成）

表1　DOHaDの10原則

1. 発達過程には脆弱性の臨界期がある。急速に分裂する細胞集団は最も危険である
2. プログラミング*は、子どもの年齢に応じて、病気のかかりやすさに影響する反応を変えるような永久的な効果がある
3. 胎児期の発達は連続した過程にある。各段階は、次の段階のための条件を確立する
4. プログラミングは臓器の構造変化をもたらす（細胞数／受容体など）
5. 胎盤の機能で胎児をプログラムできる
6. 有害事象の補償は、発達段階を逃すため代償を伴う
7. 出生後にプログラミングの結果を元に戻そうとすると、望ましくない結果が生じることがある
8. 胎児の細胞反応は、成人の反応とは異なる場合がある
9. プログラミングの影響は世代を超えて受け継がれる可能性がある
10. プログラミングは、多くの場合、男女の胎児に異なる影響を与える

＊プログラミングとは、胎児期や新生児期のストレスが遺伝子レベルの変化などを引き起こし、体質を変化させることです。

退院直後は本人の成長と発達により、低下した臓器機能がカバーされていきますが、年齢とともに、臓器の負担が大きくなり許容範囲を超えると、臓器機能が低下または不全となり、糖尿病や高血圧、腎不全などの臓器障害を発症します。このように早産児では、器官系の形態学的および機能的変化をもたらし、慢性疾患早期発症のリスクを高めます（図4）[7]。

日本では現在、24週で出生した早産児の80%以上は生存退院し、そしてその多くが成人期に入ります[9]。これら子どもたちの成長過程を見守り続け、早産児の各臓器の特徴を知り、疾病予防につなげていくことは、今後の重要な課題です。

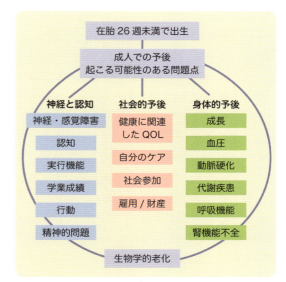

図4 超早産で生まれた成人を対象に研究された起こる可能性のある問題点

（文献7より引用、一部改変）

＊肺への影響

胎児肺の形成は、腺様期（胎齢6～16週）、管状期（胎齢16～26週）、終末嚢期（胎齢26週～出生）、肺胞期（胎齢32週～8歳）の4期に分けられます。22～26週の胎児は、肺胞期に至らず気管支分岐が未熟な状態にあります（図5）[10]。そのため、この分岐途中の肺を持って出生した早産児だと十分な換気が得られず、人工呼吸器や酸素投与、ステロイドなど薬物のサポートを必要とします。

しかし、人工呼吸器が肺を強くまたは大きく広げることで物理的な肺損傷を起こします。そして、子宮内感染や肺炎は強い炎症による肺障害を起こし、高濃度酸素の吸入は活性酸素による組織傷害を起こす、といったように、早産児の肺は破壊・線維化のリスクに常にさらされているのです。もし強い障害を受けるとそれが成人期まで影響し、ときに永続的な肺障害、慢性肺疾患（chronic lung disease；CLD）または気管支肺異形成症（bronchopulmonary dysplasia；BPD）などになります（図6）[11]。

近年は、肺に圧をかけ過ぎない・膨らませ過ぎない・優しい人工呼吸器管理の実施や、感染の予防、高濃度酸素の使用制限などを行うことで、入院管理が改善しています。しかしそれでもまだ発症率は減少していません。それは、医療の進歩により、さらに早く生まれ、小さく生まれる赤ちゃんの救命率が上昇していることが理由の1つです。

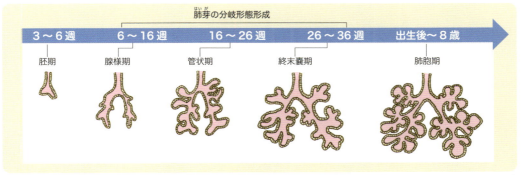

図5 胚期から肺胞化までの肺形成段階の模式図

（文献10を参考に作成）

そして、より早く小さく出生した赤ちゃんの肺が、より未熟な解剖学的構造を持っていることも大きな理由です。在胎26週以下の早産児の肺は、終末嚢期も終了しておらず、出生後の呼吸障害に対して強いサポートを必要とします。炎症やステロイド投与、栄養不足は、正常な肺胞や肺血管の発達を中断し、肺胞数が減少しそれを補うため一つひとつの肺胞拡大が起こります（図7）[12]。これまでの環境やストレスによる肺障害とは異なり、肺の解剖学的発達停止とそれに関連した新しいタイプの慢性肺疾患です（図8）[13]。解剖学的な問題に起因しているため、出生後の治療で改善することは困難です。

早産で生まれた子が成人すると、気道の空気の流れが、中枢よりも末梢で制限されます。そのため、1秒間の強制呼気量（FEV1）および強制肺活量（FVC）が満期で出生した成人よりも低値になります（図9）[14]。また、重度の慢性肺疾患の早産児の多くは経鼻酸素などの酸素投与だけで退院します。これは、慢性肺疾患児の肺胞ではガス拡散能力が低下しており、拡散係数の高い二酸化炭素は貯留しにくく、拡散係数の低い酸素を取り込みにくいからです。在宅酸素療法をもって退院した早産児も多くは、約1〜2年で酸素療法を中止できます。ただし、これは治癒したわけではなく、肺機能が20歳代のピークに向かって生理的に上昇し、一時的に改善したことが理由です。

そのため、ピークを過ぎ加齢により生理的に呼吸機能が低下すると、満期産児よりも早く、70歳までには呼吸症状を発症する可能性が高くなっています（図10）[15]。そのため、早産児は、慢性肺疾患の有無にかかわらず、喫煙をしないなど生涯にわたり自分の肺を大切にする必要があります。さらに、早産は肺血管の発達も低下させるため、肺高血圧症が成人期に見られることもあります[16]。

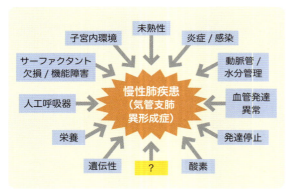

図6 慢性肺疾患（気管支肺異形成症）の原因
（文献11より引用、改変）

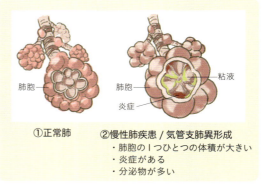

図7 慢性肺疾患（気管支肺異形成症）の解剖学的特徴
（文献12を参考に作成）

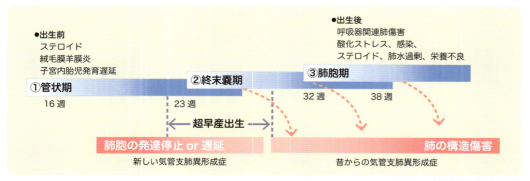

図8 肺の発達ステージと起こる問題
（文献13を参考に作成）

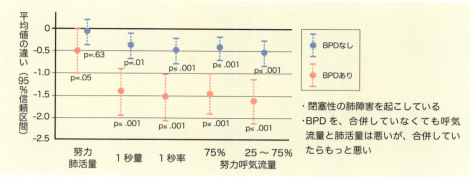

図9　1,500g未満で出生した子どもの20歳時点での呼吸機能
（文献14より引用、一部改変）

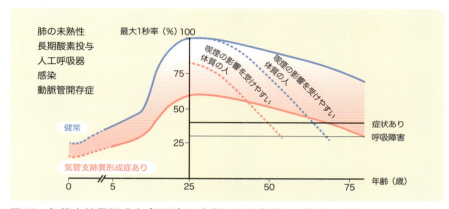

図10　気管支肺異形成症（BPD）を合併した早産児の1秒率の変化
（文献15より引用、一部改変）

✳ 心臓への影響

　早産で生まれた若年成人の心臓は、左右の心室の質量増加と容積減少が見られます（p.30 図11）[17～19]。とくに右心室の収縮機能と拡張機能の障害は左心室よりも顕著で、長期間の人工呼吸器管理による右心室の肺への血液流出への負荷の関連が示唆されています。さらに、構造的な大血管の変化、特に大動脈の狭小化、動脈血管壁のエラスチン減少による動脈硬化、末梢動脈の血管径狭小化による血管抵抗増大が見られます。

　実際、早産で出生した児は、小児期から青年期にかけて安静時の収縮期血圧・拡張期血圧および24時間歩行後の収縮期血圧が高い[20,21]、極低出生体重児で出生した成人は、収縮期血圧が3.4mmHg、拡張期血圧が2.1mmHgが満期産児より高い[22]、収縮期血圧と在胎週数は逆相関の関係にある[20]、など高血圧や心疾患を発症しやすいことが知られています（p.30 図12）[23]。

　その結果、早産児は心血管疾患による若年成人期の死亡リスクが満期産児より7％高く、脳血管疾患の危険性は約2倍増加しています[24,25]。

　また、早産で生まれた女性は、妊娠高血圧症、子癇前症、および慢性高血圧症のリスクが50％増加するため、その妊娠管理には注意が必要です[26]。このように早産児はすでに幼小児期から高血圧のリスクが高く、アメリカやカナダの小児科学会は、早産児は3歳またはそれ未満でも定期的に血圧を測定することを推奨しています（p.30 図13）[27,28]。3歳の血圧測定は難しいこともありますが、早産児の健康管理を行ううえでは重要です。

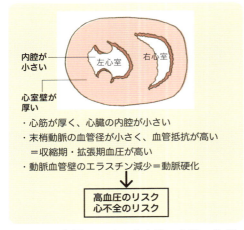

図11 早産児における成人期の心臓の特徴
（文献17を元に作成）

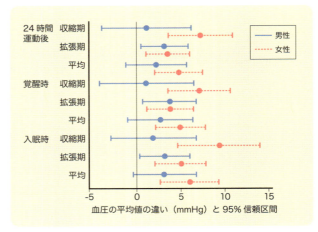

図12 超低出生体重児と満期産児が25歳になったときの血圧の差
（文献23より引用、一部改変）

小児の年代別・性別の高血圧基準
（高血圧治療ガイドライン2019より）

		収縮期血圧 (mmHg)	拡張期血圧 (mmHg)
幼児		≧120	≧70
小学校	低学年	≧130	≧80
	高学年	≧135	≧80
中学校	男子	≧140	≧85
	女子	≧135	≧80
高等学校		≧140	≧85

3歳未満でも血圧を定期的に測定すべき状況
（米国の小児高血圧ガイドラインから抜粋）

- 早産児、低出生体重、その他NICU管理の既住
- 先天性心疾患
- 反復性の尿路感染症、血尿、蛋白尿
- 腎疾患あるいは泌尿器の異常
- 先天性腎疾患の家族歴
- 固形臓器の移植後
- 悪性疾患、骨髄移植
- 血圧上昇作用のある薬剤による治療
- その他の高血圧と関連する全身疾患
  - neurofibromatosis
  - 結節性硬化
  - Williams症候群、など
- 頭蓋内圧亢進の徴候がある場合

図13 小児の高血圧と血圧測定
（文献27を元に作成）

＊腎臓への影響

　早産児は、ネフロン数が少ないうえに、出生前から出生後にかけて多くの腎障害のリスク因子に曝露されます。そのため小児や思春期における慢性腎臓病、ときには末期腎不全のリスクが高くなります。

　ネフロンは腎臓で尿を生成する「糸球体・ボウマン嚢・尿細管を含む組織」で、1つの腎臓に約100万個以上存在します。そのネフロンの数は妊娠中期から末期にかけて著しく増加し、妊娠末期までに約60％以上が形成されます（図14）[29,30]。そのため、早く出生するほど出生時のネフロン数は少なく、腎機能は未熟です。さらに、早産児ではネフロン形成は生後40日までしか続きません。この時期は、さまざまな腎毒性のある薬物の使用や低血圧など腎臓への負担・影響が大きくネフロンの形成に影響を及ぼします。

　また、出生後に形成されたネフロンも早々に成熟して働く必要があります。その結果、尿を産生しつづけ、なおかつ低血圧や活性酸素、アミノグリコシド系抗菌薬やインドメタシンなどの腎毒性薬物に曝露されます。すると、腎臓への負担・影響が大きくなり、ネフロンの形成（数や機

能）に影響を及ぼすのです（図15）[30]。実際、早産児はNICUで急性腎障害を発症しやすく、退院後も高血圧、タンパク尿、慢性腎臓病のリスクが高くなっています。また、腎機能を表す推定糸球体濾過量も生涯低いままで、年齢を重ねても追いつきません。成長による腎臓への負担増加は、ネフロン数が少ないためオーバーワークとなり、糸球体過剰濾過、ときに肥大による二次性巣状糸球体硬化症をきたします。このように早産で出生した成人は、少ないネフロンで成長による負担を支えなければならず、腎疾患を合併しやすくなっています。また、子宮内発育制限があった早産児もネフロン数が少なく、腎疾患のリスクが高くなっています。

出生直後の入院中から腎臓への影響を認識し、さらなる損傷を回避しながら、長期フォローアップする必要があります。子宮内または出生後の成長障害（子宮内発育制限や不当軽量児、栄養不良など）、または逆に過剰に体重増加した早産児は、肥満のリスクが高く、小児肥満は早産児の腎疾患のリスクをさらに高めます。塩分摂取量やその他のメタボリックシンドロームの危険因子などライフスタイルに関して家族と共有し、健康的なライフスタイルを維持するためのカウンセリングは、腎疾患を含めた成人での慢性疾患のリスクの予防として重要な戦略です。

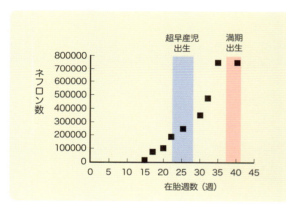

図14　在胎週数別の胎児ネフロン数の推移

（文献29・30より引用、一部改変）

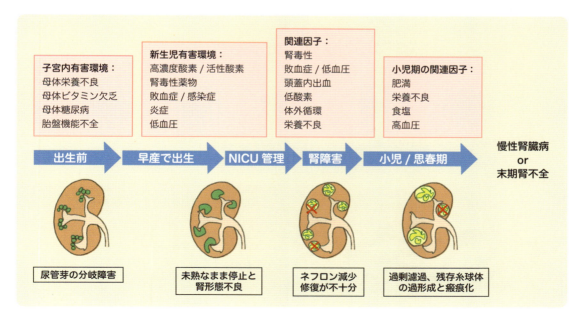

図15　腎臓への曝露因子

（文献30より引用改変）

✻ 脳（発達）への影響

　大脳は妊娠28週から40週にかけて最大の成長期を迎え、その容積は約4倍に増加します。それに並行して大脳皮質の表面積と脳回形成も劇的に増加します。これらは、中枢神経系の細胞がこの時期に急速に分化・増殖を繰り返すことを現わしており、脳の発達にとって重要な時期です（図16）[31]。しかし早産で胎児期が強制的に終わることになると、この重要な時期を出生後に迎えることになり、他の臓器と同様に、出生後、特に生後早期の虚血や低酸素（呼吸障害、低血圧、動脈管開存症など）、炎症（感染）、活性酸素（高濃度酸素）などの大きなストレスの影響を受けます。

　しかも、急速に分化・増殖を繰り返す時期の細胞は、これらのストレスに脆弱です。早産児の大脳は、神経細胞・組織を破壊され（破壊性障害）、それに関連した髄鞘化の遅れや皮質・視床などの障害（びまん性障害）を受けやすくなっています。破壊性障害は主に大脳白質の損傷により発症する嚢胞性脳室周囲白質軟化症（cystic periventricular leukomalacia；cPVL）です。白質深部に嚢胞を形成し、すべての細胞要素を失う「限局性壊死」であり、小児脳性麻痺の最大の原因として知られています。PVLは白質容量の低下とも関連しており、びまん性障害の原因にもなります。びまん性障害では主に中枢神経系で髄鞘形成を担う希突起膠細胞とその分化前の細胞が傷害を受け、髄鞘化遅延や軸索損傷を引き起こし大脳の発達を阻害します（図17）[31]。実際は、この2つの障害は複雑に融合して早産児に神経発達障害を引き起こします。

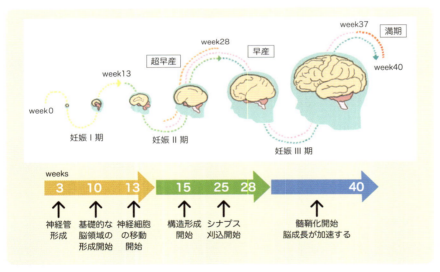

図16　妊娠中のステージと脳の発達

（文献31を参考に作成）

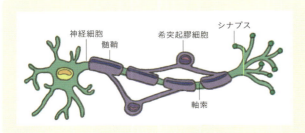

図17　神経細胞の発達

（文献31より引用改変）

びまん性障害は認知障害と関連しています。早産児の小児期、思春期、成人期で継続する大脳容量(とくに頭頂後頭葉、側頭葉、感覚運動野、前運動野、海馬)も認知障害と関連しています。しかし、小さい cPVL やびまん性障害は退院時の頭部MRIではわからないことがあります。そのため MRI に異常がなくても発達に問題がないとは言えません。認知障害の原因に NICU の環境も関連があるかもしれません。胎児期や満期出生後の新生児と比べると、NICU 入院中の早産児は、聞こえる音のほとんどが言葉や音楽よりも圧倒的にアラーム音であることや多くの時間を明るい環境に晒されることなど、その環境は大きく異なります(図18)[31]。また、子宮内の胎児や出生後に抱っこされる新生児のように体を丸くする時間はなく、ほとんど水平な保育器の上で横になっています。これらの環境による早産児の神経運動発達への影響は懸念されます。

早産は脳の長期的発達への影響もあり、退院後も長期的なフォローアップやサポートが重要です。より早い、より小さい出生は認知障害のリスクが高くなり、加えて親の教育水準や兄弟姉妹の多さも、早産児の認知障害と関連しています[32,33]。これらは、環境が変われば改善する可能性を示唆しています。実際、1日2時間以上のスマートホンやテレビなどのスクリーンタイムは、極低出生体重児の認知機能を悪化させます[34,35]。読み聞かせも、長期的な神経発達、情緒、処理速度、語彙獲得の改善に影響したとする報告もあります。現在も、早産児の神経発達症に対する多くの介入研究が行われており、今後の研究成果が期待されます。

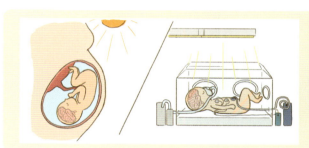

早産児は、環境からさまざまな種類の感覚入力(音、光、触覚)を経験します。それらの環境は胎内にいるときに比べると脳を傷つける可能性があります。

図18 脳の発達の過程における「胎児と早産児が生活する環境」の比較

(文献 31 より引用、一部改変)

✱ まとめ

周産期医療の発達により、超早産児や超低出生体重児の生命予後が向上し、自宅へ退院することができるようになってきました。現在、すべての出生のうち100人に約1人が極低出生体重児です。体質的に慢性疾患に罹患しやすく、神経発達にはしっかりとしたサポートが必要となります。退院した早産児、とくに超早産児のご家族は、大きな不安をもって自宅で過ごされ、呼吸状態、哺乳不良など、ちょっとしたことがとても心配になります。

育児における相談相手は通常いわゆるママ友や祖父母、地域の保健師ですが、超早産児の育児経験や知識がなければうまく相談に乗れないことも少なくありません。NICU 入院中に仲良くなったママ友は同じ境遇であり、よき相談相手ですが、これらのママ友も多くは超早産児においては新人ママです。病院が適切に関与してサポートすることが望ましいですが、すべてに対応することは現実的には困難であり、地域の保健師や訪問看護師に期待しています。

またサポートは、新人ママだけではなく、早産児本人も求めているようです。早産で出生した子が大人になり、自分が他人とは何かが違うと感じていたり、困っていたりすることが多いと

いう結果があります。たとえば、在胎32週未満で出生した子どもたちが成人した際に行ったアンケートでは、「身体能力が低い」「病気になりやすい」という身体面の問題だけでなく、「長期のサポートが欲しかった」「なぜうまくいかないのか」と心理的にも困惑しているコメントが見られます（図19）[36]。

早産で出生した子どもは、成長するにつれて、よりサポートを必要としていることがありますが、それは外からはわかりにくいのです。だからこそ、医療者側からの積極的なアプローチが必要だと考えます。早産児の健常な成長・発達を促すためには、地域社会全体での長期的なフォローアップシステムの構築が望まれます。

自分で身体的問題で感じていることは？		
身体能力が低い	7	35%
基礎エネルギーが低い	6	30%
病気になりやすい	5	25%
睡眠障害	3	15%
体感覚がない	2	10%

診断されている精神疾患はありますか？		
うつ病	5	25%
調節障害	2	10%
不安障害	1	5%
燃え尽き症候群	1	5%
心的外傷	1	5%

・「退院後も長期のサポートが欲しかった」
・「なぜうまくいかないのか」…という声

図19 32週未満で出生した成人へのアンケート（n=20）

（文献36より引用改変）

（岡崎　薫）

● 引用・参考文献

1) Baker, DJ. et al. The maternal and fetal origins of cardiovascular disease. J Epidemiol Community Health. 1992, 46(1), 8-11.
2) Crump, C. An overview of adult health outcomes after preterm birth. Early Hum Dev. 150, 2020, 105187.
3) Crump, C. et al. Gestational age at birth and mortality in young adulthood. JAMA. 306(11), 2011, 1233-40.
4) Uthaya, S. Altered adiposity after extremely preterm birth. Pediatr Res. 57(12), 2005, 211-5.
5) Johnson, MJ. et al. Preterm birth and body composition at term equivalent age: a systematic review and meta-analysis. Pediatrics. 130(3), 2012, e640-9.
6) Castro, PAS. et al. Nephrogenic diabetes insipidus: a comprehensive overview. J Pediatr Endocrinol Metab. 35(1). 2021, 105-8.
7) Haward, MF. Personalized support of parents of extremely preterm infants before, during and after birth. Semin Fetal Neonatal Med. 2022, 27(3), 101365.
8) Luu, TM. et al. Preterm birth: risk factor for early-onset chronic diseases. CMAJ. 188(10), 2016, 736-46.
9) Helenius, K. et al. Survival in Very Preterm Infants: An International Comparison of 10 National Neonatal Networks. Pediatrics. 140(6), 2017, e20171264.
10) Thebaud, B. et al. Bronchopulmonary dysplasia. Nat Rev Dis Primers. 5(1), 2019. 78.
11) Gien, J. et al. Pathogenesis and treatment of bronchopulmonary dysplasia. Curr Opin Pediatr. 23, 2011, 305-13.
12) https://www.nationwidechildrens.org/conditions/bronchopulmonary-dysplasia-bpd（2023.05.17）
13) Davidson, LM. Bronchopulmonary Dysplasia: Chronic Lung Disease of Infancy and Long-Term Pulmonary Outcomes. J Clin Med. 6(1), 2017, doi:10.3390/jcm6010004.
14) Saarenpää, HK. Lung Function in Very Low Birth Weight Adults. Pediatrics. 136(4), 2015, 642-50.
15) Baraldi, E. et al. Chronic lung disease after premature birth. N Engl J Med. 357(19), 2007, 1946-55.
16) Bhat, R. et al. Prospective analysis of pulmonary hypertension in extremely low birth weight infants. Pediatrics. 129(3), 2012, e682-9.
17) Le, B. et al. Maladaptive structural remodelling of the heart following preterm birth. Curr Opin Physiol. 1. 2018, 89-94.
18) Norman, M. Preterm Birth and the Shape of the Heart. Circulation. 127, 2013, 197-206.
19) Lewandowski, AJ. et al. Right ventricular systolic dysfunction in young adults born preterm. Circulation. 128(7), 2013, 713-20.
20) Boivin, A. et al. Pregnancy complications among women born preterm. CMAJ. 184(16), 2012, 1777-84.

21）Haikerwal, A. et al. High Blood Pressure in Young Adult Survivors Born Extremely Preterm or Extremely Low Birthweight in the Post Surfactant Era. Hypertension. 75（1）, 2020, 211-7.
22）Hovi, P. et al. Blood Pressure in Young Adults Born at Very Low Birth Weight: Adults Born Preterm International Collaboration. Hypertension. 68（4）, 2016, 880-7.
23）Boivin, A. et al. Pregnancy complications among women born preterm. CMAJ. 184（16）, 2012, 1777-84.
24）Crump, C. et al. Gestational age at birth and mortality in young adulthood. JAMA. 306（11）, 2011, 1233-40.
25）Ueda, P. et al. Cerebrovascular and ischemic heart disease in young adults born preterm: a population-based Swedish cohort study. Eur J Epidemiol. 29（4）, 2014, 253-60.
26）Boivin, A. et al. Pregnancy complications among women born preterm. CMAJ. 184（16）, 2012, 1777-84.
27）Flynn, JT. et al. Clinical Practice Guideline for Screening and Management of High Blood Pressure in Children and Adolescents. Pediatrics. 140（3）, 2017, e20171904.
28）Saini, P. et al. Paediatric hypertension for the primary care provider: What you need to know. Paediatrics & Child Health. 26, 2021, 93-8.
29）Hinchliffe, SA. et al. Human intrauterine renal growth expressed in absolute number of glomeruli assessed by the disector method and Cavalieri principle. Lab Invest. 64（6）, 1991, 777-84.
30）Harer, MW. et al. Preterm birth and neonatal acute kidney injury: implications on adolescent and adult outcomes. J Perinatol. 40（9）, 2020, 1286-95.
31）Clough, S. Hilverman, C. HAND GESTURES AND HOW THEY HELP CHILDREN LEARN. Front Young Minds. 6, 2018, 29.
32）Linsell, L. et al. Prognostic Factors for Poor Cognitive Development in Children Born Very Preterm or With Very Low Birth Weight: A Systematic Review. JAMA Pediatr. 169（12）, 2015, 1162-72.
33）Beaino, G. et al. Predictors of the risk of cognitive deficiency in very preterm infants: the EPIPAGE prospective cohort. Acta Paediatr. 100（3）, 2011, 370-8.
34）COUNCIL ON COMMUNICATIONS AND MEDIA. Media Use in School-Aged Children and Adolescents. Pediatrics. 138（5）, 2016, e20162592.
35）Vohr, BR. et al. Association of High Screen-Time Use With School-age Cognitive, Executive Function, and Behavior Outcomes in Extremely Preterm Children. JAMA Pediatr. 175（10）, 2021, 1025-34.
36）Perez, A. et al. Lost in Transition: Health Care Experiences of Adults Born Very Preterm-A Qualitative Approach. Front Public Healt. 8, 2020, 605149.

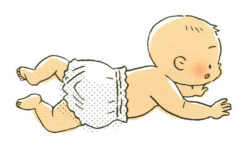

column

小さく生まれた赤ちゃんへ訪問看護ができること

最近、1,000g以下と小さく早く生まれた赤ちゃんでもデバイスなく、NICU・GCUを退院することが多くなってきました。では、この子たちは予定週数を過ぎて体重も3kgを超えたら、普通に育っていくものなのでしょうか？

退院したものの、わが子がなんとなく弱々しい、泣き声が小さい、おっぱいを吸う力が弱い、体重増加がゆるやか、抱っこしていないと泣く、反り返るので抱っこしにくい、お風呂が苦手など、過敏や低緊張により、なんとなく育てにくい感覚を両親は感じていることがあります（表）。でも初めてのお子さんほど、ほかの子と比べることもできず、普通の育児がどんなものか、わからないというご両親も多くいらっしゃいます。

表　デバイスのない小さく生まれた乳幼児を訪問していてよく受ける相談内容

- うなって寝ない
- 吐いたけど、母乳（ミルク）は足したほうがいいのかどうか
- お腹がパンパンで母乳（ミルク）を飲まない
- うんちがゆるい
- うんちが出ない、便秘なのか
- 体重が増えているのか不安
- 肌にボツボツ湿疹が出ていてどうしたらいいのか
- 離乳食は正期産児の子と同じように進めていいのか
- 普通に発達していくのか
- 子どもとの遊びかたがわからない

表を見ていただくと、小さく生まれたからこその悩みと、通常の育児でもよく聞かれる悩みが混在しています。また、退院時にご両親は、「感染に注意してください。人混みは避けてください」と言われます。でも、いつまで注意すればよいのでしょう。おうちの中だけでは子どもは育ちません。

そこで、小さく早く生まれた子の支援として、デバイスがなくても、訪問看護やリハビリは受けられることを活用してもらいたいです。育児・発達支援のためにもぜひ、NICU・GCU退院時から訪問看護を紹介していただき、一緒に子どもの成長を喜び楽しむ仲間につないでほしいと思います。訪問看護では、体調や親子のキャラクターに合わせながら、公園や親子広場デビューの後押しもしていきます。就園就学時には本人・家族の相談にのり、地域連携をしながら細く長く家族を丸ごと支援していきます。

まず退院してすぐは、体調を整えるために、排便ケア、哺乳や離乳食などの栄養、皮膚ケアを大切にします。また、子どもが落ち着く抱っこのコツや姿勢については、親子の睡眠にも影響しますし、コミュニケーション（愛着形成）にも繋がっていくので、通常の育児と少し気を付けなければならない点をあわせて訪問看護で支援していきます。

そうして適切な支援を行っていけば、子ども自身の困り感は確実に少なくなり、結果として、親の困りごとも解決していくと思います。

（伊藤百合香）

各論

子どもの在宅ケア
Q & A

1章 呼吸ケア 考えかた 1
ケアする前におさえておきたい子どもの特徴

✳ 肺や気道の成長

新生児期から、乳児・幼児期、学童期から成人期にわたって、肺や気道のおもな解剖学的・生理学的特徴を表1で述べます。

胎児期〜新生児期にかけて、肺・気道の発育は5段階に分かれています（右図）。肺容量、肺胞表面の面積と肺胞の数は、在胎期間と頭殿長（頭からお尻までの長さ）が増加するのと同時に、急激に増加します。満期、すなわち、在胎40週で生まれた赤ちゃんでも、ようやく右図の5段階目の肺胞期に差しかかったところで生まれますので、非常に未熟な状態で生まれるといえます。

出生後も肺や気道は年齢に応じて成長していきます（表2）。解剖学的に肺胞の数、気道の数が成人とほぼ同等になるのは8歳くらいです。しかし、実際のガス交換の機能は、8歳ではまだ成人の半分以下です。肺や気道の機能は20歳代をピークに下がっていきます。加齢に伴う呼吸数（回／分）の変化は表3の通りです。

表1 新生児期から成人期の肺・気道の解剖学的・生理学的特徴

解剖学的・生理学的特徴	新生児	乳児・幼児	学童	成人	問題点
肺・気道の成長（p.39 図・表2）					子どもは低年齢ほど、肺・気道の数が少ない
呼吸数（表3）（回／分）	40	30〜22	22〜15		低年齢ほど、呼吸障害があると呼吸が追いつかない
サーファクタント不足	早産児				肺がつぶれやすく、呼吸をするのに大きな力が必要
酸素解離曲線は左に偏位（p.40 上図）					同じSpO$_2$でも、実際の酸素分圧は低い
Hypoxic depression					高炭酸ガス・低酸素で呼吸をしなくなる
鼻呼吸					鼻閉により呼吸困難となる
気道の広さ・舌の大きさ	狭・大			広・小	感染などの浮腫で容易に気道狭窄・閉塞が起こる
肋骨の椎体に対する角度（p.40 下図）	狭・大			角度顕著	1回の呼吸で得られる換気量が、低年齢になるほど少ない
代謝が活発	活発				呼吸障害があると、呼吸努力が追いつかなくなる
呼吸筋の I 型筋原線維	少			多	低年齢では呼吸筋疲労を起こしやすい
咽頭受容体反射（p.41 上図）	強		弱		口の中の吸引をしすぎると、呼吸が抑制される
気道のつぶれやすさ（p.42 上図）	容易			難しい	気道軟化症による狭窄、閉塞
扁桃肥大（p.41 下図）			最大		閉塞型無呼吸になりやすい。扁桃腺炎を繰り返す
気管感染（p.42 下図）					入退院を繰り返す原因となる
気道の肉芽（p.43 上図）					気管からの出血、気道の狭窄・閉塞を来す
胃食道逆流症（p.43 中図）					飲食物の気管への垂れ込み・誤嚥・肺炎
嚥下協調障害	少―――――→多				唾液の気管への垂れ込み・食物の気管への誤嚥・肺炎
脊椎の彎曲（p.43 下図）	少―――――→多				気管の圧迫
腕頭動脈瘻	少―――――→多				気管内への致死的な動脈性出血

各論・I章 呼吸ケア

肺と気道の発達（胎児期から新生児期）

	胚芽期	腺様期（せんよう）	管状期	終末嚢期（のう）	肺胞期
在胎週数	0 → 5	6 → 16	17 → 24	25 → 37	37+
気道の分岐数	0　1　2	7 8 9 10 …… 20	21 → 23	24　25　26　27	

（文献 1 より引用，改変）

表2　出生後の肺の発育（新生児期〜成人期）

月齢・年齢	肺胞の数（×10⁶）	気道の数（×10⁶）	ガス交換面（m㎡）	体表面積（m²）
出生時	24	1.5	2.8	0.21
3カ月	77	2.5	7.2	0.29
7カ月	112	3.7	8.4	0.38
13カ月	129	4.5	12.2	0.45
4歳	257	7.9	22.2	0.67
8歳	280	14.0	32.0	0.92
成人	296	14.0	75.0	1.90
出生時から成人までの増加率	10倍	10倍	27倍	9倍

（文献2をもとに作成）

表3　加齢に伴う呼吸数の変化

年齢	呼吸数
出生時	40回／分
1歳	30回／分
幼児期	22回／分
成人	15〜20回／分

✳ 新生児の呼吸の特徴

　新生児期のヘモグロビン（HbF）の酸素解離曲線は左に偏位します。そのため、同じ SpO_2 でも実際の動脈血の酸素分圧は成人に比べ低いことがあります（p.40の上図）。要するに新生児では、SpO_2 がまだ高いから大丈夫と思っていたら、実際は思いのほか、低酸素血症になっていたということがあるので注意が必要です。

　呼吸の調節は、延髄（中枢性）と頸動脈小体（末梢性）という2つの場所が担当しています。延髄は血液中の二酸化炭素分圧を指標に調節を行い、頸動脈小体は二酸化炭素分圧と酸素分圧を指標に調節を行っています。特に大切なのは二酸化炭素による調節です。成人・小児では、血液中の二酸化炭素の値が高くなると呼吸を早く大きくし、二酸化炭素の値が低くなると呼吸をゆっくり小さくするように調節します。

　しかし、新生児や早産児では二酸化炭素の値が高くなると、かえって呼吸をサボるような働きをします。同じく、出生直後は血液中の酸素の値が低くなると、かえって呼吸をしなくなります。これを hypoxic depression といいます。要するに、新生児では呼吸がしんどくなると、ますます呼吸をしなくなるのです。新生児は、鼻汁などで気道抵抗が高くなっても口を開けて呼吸をするということも知らず、鼻呼吸にこだわるために、鼻閉により簡単に呼吸困難に陥ります。

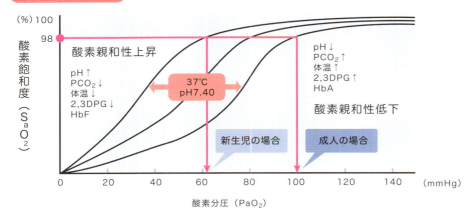

酸素解離曲線

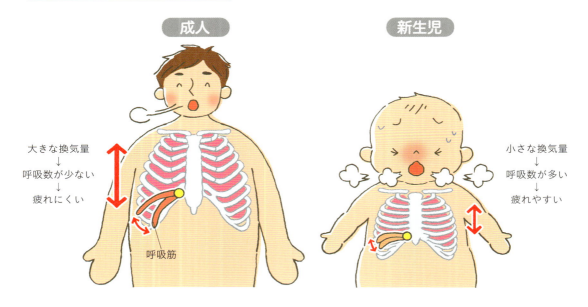

呼吸運動における肋骨の動き

＊呼吸運動における肋骨や呼吸筋の動き

　成人では、肋骨は脊椎に対して角度がついています。そのため、1回の呼吸で肋骨が大きく上下し、大きな換気量を得ることができます（上図）。

　新生児では、肋骨は脊椎に対して水平についています。そのため、1回の呼吸で上下する幅が少なく、小さな換気量しか得られないので、呼吸の数を増やして対応します。その分、呼吸に大きなエネルギーを必要とします。

　筋肉にはⅠ型筋原線維とⅡ型筋原線維があります。Ⅰ型は瞬発力は弱いのですが、マラソンランナーのように持久力のある筋原線維です。一方、Ⅱ型は100m走ランナーのように、瞬発力はあるのですが、持久力が弱い筋原線維です。成人を100％とすると新生児の横隔膜のⅠ型筋原線維は50％、肋間筋は25％しかありません。Ⅰ型筋原線維が少ないということは、持久力・耐久性が弱いことを意味します。よって、多呼吸、呼吸障害があるとすぐに呼吸筋疲労を起こしてしまいます。

各論・I章 呼吸ケア

考えかた

✱ 咽頭受容体反射

咽頭（いわゆる、のど）の奥には咽頭受容体があります。この受容体が強く刺激されると、呼吸が抑制されます。この呼吸抑制は早産児などで、特に強く起こります。口の中を吸引するときに、あまり奥まで吸引してしまうと、呼吸を抑制してしまことがあるので注意が必要です。

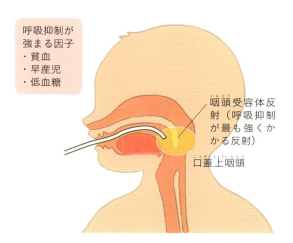

新生児期〜乳児期

呼吸抑制が強まる因子
・貧血
・早産児
・低血糖

咽頭受容体反射（呼吸抑制が最も強くかかる反射）

口蓋上咽頭

✱ 子どもの扁桃腺

扁桃腺はリンパ組織の1つで、口内に侵入してくる病原体に対する免疫組織として働いています。扁桃腺には、口蓋扁桃と、咽頭扁桃（アデノイド）、舌扁桃などがあります。このうち、口蓋扁桃はいわゆる扁桃腺といわれ、口内の舌根部の両側に位置します。成長過程において、口蓋扁桃は4歳頃から増大し8歳頃に最大となり、その後は縮小して、成人ではほとんど見えないほどの大きさとなります。

扁桃腺の位置

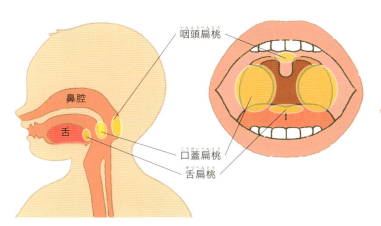

4〜8歳頃の扁桃腺

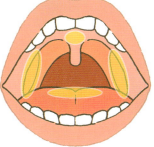

成人の扁桃腺

041

✳ 気道がつぶれやすい

気管・気管支軟化症による狭窄、閉塞が起こります。

気管・気管支は硬い軟骨部と薄い平滑筋からなる柔らかい膜性部から構成され、その比率は4〜5：1です。呼気時に胸腔内圧が上がっても軟骨部が多いため、気管・気管支は内腔を保つことができます。小児では、この膜性部：軟骨部の比率が大きいため、胸腔内圧が上がると容易に気管がつぶれ、狭窄・閉塞が起こります。これを気管・気管支軟化症と呼びます。

気管・気管支軟化症

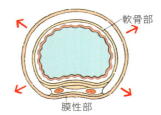
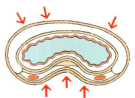

✳ 医療的ケアを受けている子どもに要注意の症状

①気管支炎

気管支炎（喘息性気管支炎）では、喘鳴（ゼイゼイ）、呼吸困難、多呼吸、肩呼吸（肩で息をするような呼吸）などが見られます（下図）。風邪のウイルスによる感染が原因です。細気管支炎は気管支炎よりもさらに末梢の気管支に起こるものです。細気管支炎の中でも最も気をつけなければならないRSウイルスには、ほとんどの小児が2歳未満で感染します。特に在宅酸素療法や、人工呼吸器などの医療的ケアを受けているお子さんがかかると重症化します。おもにウイルス感染による炎症のために、気管支・細気管支の細胞の浮腫や脱落、あるいは分泌物が増加することにより気管支・細気管支の狭窄・閉塞を来します。特に乳・幼児は、咳嗽反射が弱く、喀痰の排出も乏しい、気道・肺胞壁が厚い、気道内径が細く、炎症による腫脹や分泌物の増加で狭窄・閉塞が起こりやすい、気道の粘液分泌腺が過形成を来しやすい、線毛運動による排出が弱いなどの理由で重症化しやすいといわれます。

乳幼児〜学童期の気管支炎

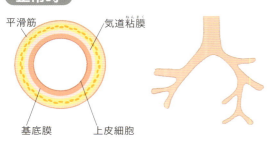
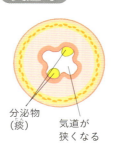
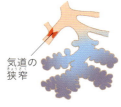

②気管の肉芽

気管の入り口部と、気管内部に肉芽ができやすいです。気管入り口部にできるものは、下左図のように気管カニューレの位置が時計の6時、12時の位置（入り口部の上下）で肉芽ができやすいです。また、下右図のように気管内部で、カニューレ出口や気管背側に肉芽ができやすくなります。これは、吸引カテーテルを深く挿入しすぎると起こりやすくなります。

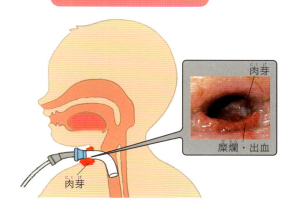

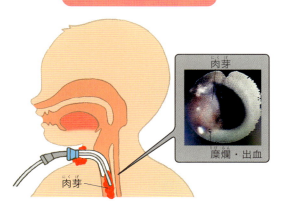

③胃食道逆流症

胃内容の食道への逆流に喘鳴・咳嗽・体重増加不良などの症状を伴うことを、胃食道逆流症（gastroesophageal reflux disease；GERD）といいます。筋緊張亢進、脊椎彎曲、腹圧上昇、食道裂孔ヘルニア合併などによりGERDが起こりやすくなります。胃内容の気道への垂れ込みで、喘鳴・呼吸障害を引き起こし、筋緊張がさらに強くなるといった悪循環となります。

④脊椎の彎曲

脊椎が前方・側方に曲がることで気管や気管支が、脊椎と大血管に挟まれます。特に重症心身障害児（者）では、痩せて胸郭が扁平なことが多いため、血管と脊椎に挟まれた気管や気管支は逃げ場がなくなり、つぶれやすくなります。

（渡部晋一）

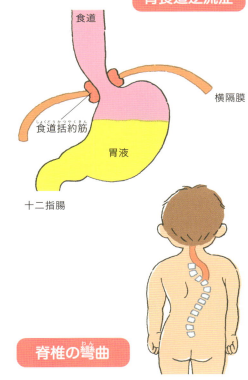

●参考・引用文献

1) Burri, PH. Fetal and postnatal development of the lung. Annu. Rev. Physiol. 46, 1984, 617-8.
2) Avery, ME. & Fletcher, BD. The lung and its disorders in the newborn infant. 4th ed. Philadelphia, 1981.
3) Keens, G. et al. Journal of Applied Physiology. Published 1 June, 44 (6), 1978, 909-13.

1章 呼吸ケア 考えかた 2　スピーチバルブについて

✱ 気管切開と声（言葉）の関係とは？

気管切開をすると声が出なくなるのはなぜでしょう。

私たちは、胸の中で作った空気を上に押し出し、声帯を震わせ、喉・口や鼻を通して調節することで「声（言葉）」を出すことができます（下図）。気管切開すると、声帯よりも下に空気の通り道ができるため、吐いた息は声帯を通らず声が出せないことになります（右図）。声を作る通り道の機能にすべて問題がなければ、気管切開チューブを通して吐いている息を、声帯側に通すことができれば声が出ることになります。これを可能にするのがスピーチバルブ（SV）またはスピーチカニューレ（SC）といわれるものです。

気管切開例

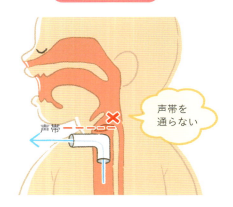

声帯を通らない

声が出る仕組み

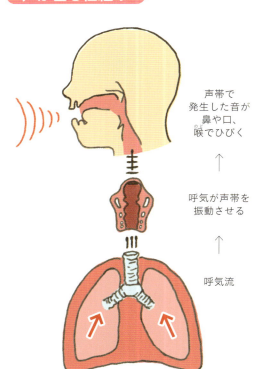

声帯で発生した音が鼻や口、喉でひびく
↑
呼気が声帯を振動させる
↑
呼気流

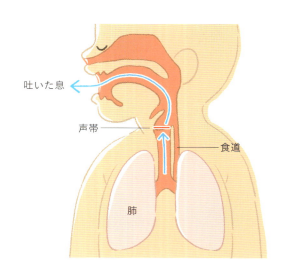

吐いた息／声帯／食道／肺

✳ SV と SC の違い

SV は一方向弁で、気管切開カニューレの上に装着するものです。吸気時には弁が開き空気を通しますが、呼気時には弁が閉じて吐く息が SV を通して気管切開カニューレから出ないようにする構造になっています。カフなしの気管切開カニューレに装着して、SV を使用する場合は、吐く息は気管とカニューレの間を通り、声帯から口腔・鼻腔を経て出るため「音」を作り出すことが可能となります。SV は既存のカニューレに直接接続するタイプと、カニューレの上部に小さい側孔が開いているチューブとセットで使用するものがあります。側孔の位置はオーダーで変更が可能です。

カフありチューブを使用している場合には、カニューレと気管の間がカフで閉じられているので、SV を装着すると息が吐けないため禁忌です。

SC にはいくつかのタイプがありますが、基本の構造はカニューレの上側に孔（側孔）が開いており、これとセットで一方向弁をカニューレに装着します。息を吐くときにカニューレの上に空いた側孔から息を吐く構造です。最近はカフ付きのものもあり、口から分泌物が多量にある場合なども使用可能です。欠点としては側孔が大きく、小児では息を吸うときにこの穴に気管の一部がくっつくことで肉芽ができやすい、チューブの内腔が狭く閉塞のリスクがあるなどが挙げられ、当院では推奨していません。

SV、SC いずれを使用する場合でも、息を吐くときの道（気管切開孔よりも上側）がきちんと通っているのかを確認することが必要です。

SV、SC ともに気管切開を管理している病院で処方するものであり、個人で購入などはできません。

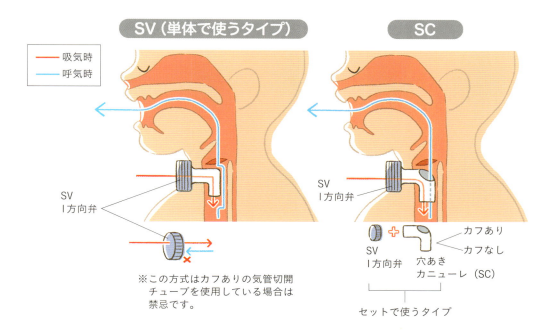

SV と SC の違い

✸ SV のメリットとデメリット[1)]

メリット
- 発声が可能
- 分泌物が減る（吸引回数の減少）
- 嚥下しやすくなる（誤嚥が減る）
- 肺が膨らみやすく呼吸器から離脱できる可能性がある
- 使用していない上気道を育てる（気管切開をしていると、気管切開孔から上の空気の通り道を使わないで生活することになる）
- 臭いを感じやすくなる（気管切開をしていると、鼻から息を吸わないため臭いを感じにくいことが知られている。SVを装着すると吐いた息が鼻の中を通るため、SV装着後に嗅覚が戻ったという報告が多い）

デメリット
- 誤った装着により窒息のリスクがある
- 気道乾燥（これによるチューブ窒息や感染症など）

✸ SV 使用時の注意点[2)]

SV では気道乾燥に注意

普段私たちが息を吸うときは、吸った空気が鼻・口・喉を通ることで、空気は温められ、加湿されて肺に入ります。しかし、気管切開をすると吸った空気が鼻・口・喉を通らないため、乾いた空気が直接肺に入ることになり、痰が固くなったり感染の原因となったりします。このため気管切開している場合は、どのように空気を加湿するのかが非常に重要です。

入眠時は人工鼻か呼吸器へ

通常は「人工鼻」というものを装着するか人工呼吸器をつなぐことで加湿を行います。

SVを装着した場合、SVにはフィルターがなく、加湿が全くできません。フィルターがないため、水分などが入りやすいという欠点もあります。

このため、人によっては定期的に吸入したり、一定時間人工鼻・呼吸器にしたりするなど工夫が必要な場合があります。また、入眠時は気道乾燥のリスクが高く、入浴時は気道内への水分流入のリスクがあるため、必ず人工鼻または呼吸器にする必要があります。

✸ はじめての SV 装着の流れ

1) 装着可能な気道の状態かをあらかじめ評価する
2) 自発呼吸が安定していることを確認する
3) 本人の呼吸状態が落ち着いているときにつけてみる
4) 開始後数分は、チューブの上にある分泌物が上に上がることでむせ込んだり、咳が出たり、酸素の値がふらついたりすることがある。5分前後で落ち着いてくることが多いので、場合によっては酸素なども併用しながら様子をみる
5) はじめは数分程度の短時間で開始し、徐々に時間を伸ばしていく（SVを使用して息を吐くのは、気管切開のない状態で吐くよりも狭いところを通して息を吐くために腹筋の力が必要）

つけ始めは苦しくていやがることも多いため、なるべくつけることと楽しいことがいっしょになるように（つけたらテレビをつける、つけたら抱っこ、などなど）して気をそらしましょう。

SV上部の膜が息を吸ったときも吐いたときも盛り上がって戻らない、開始後数分経っても慣れずに泣き続けるような場合には一度休憩しましょう。

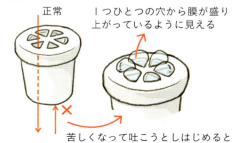
正常　　　1つひとつの穴から膜が盛り上がっているように見える
苦しくなって吐こうとしはじめると

各論・I章 呼吸ケア

＊やってはいけないこと

- SV 上部をテープなどで塞ぐ
  窒息の可能性が高いため行わない（気管切開閉鎖の章 p.49 １章考えかた③参照、医師から指示されるなどの場合を除く）
- 入浴中の装着
- 睡眠時の装着
- SV が取れないようにテープなどで強く固定する（咳のときや、吐く息が何らかの理由で上に抜けなくなった場合には外れるようにできている）

こんなときどうする？

Q 苦しがって全くつけられないときは、どうしたらよいですか？

A もともと使用している場合には、SV のシートが濡れたり痰がついたりしてないかチェックしましょう。
気管切開孔より上の空気の通り道が狭い場合には、呼気をすべて出すのが大変な場合があります。どうしても難しい場合には、SV に孔を開けたり、特注の穴あきの SV を使用したりして、少し圧を逃がしてあげるとつけられるようになることがあります。

Q かぜをひいたときは？

A 痰が多いときは、痰が SV に付着すると膜の動きが悪くなるため、しっかり吸引してから使いましょう。つけると本人が苦しがる場合には一度お休みしましょう。

Q 泣いたりすると SV が飛んで行って落ちてしまいます。

A 携帯電話のストラップのようなもの（100 円ショップなどで購入可能）やおもちゃホルダーなどを用いて身体に固定しておくと、外れても飛んでいかないため安心です。

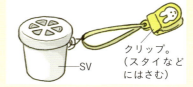

クリップ。
（スタイなどにはさむ）
SV

Q SV をつけなくても声が出るので、つけなくてもよいですか？

A SV をつけなくても声が出るのは、通常のカニューレを入れていても吐いた息がカニューレと気管の間を抜けて声帯に届いていることで起こります。しかし、SV を装着してない状況だと、吐いた息のすべてが上に抜けることはなく、声量が出ない（風船を膨らませたりリコーダーを吹いたりが難しい）こと、SV を使用していないと、上気道が使われず育たないといったことがあります。短時間からでも SV をつけて声を出す練習をしていきましょう。

SV をつけると痰が固くなってしまうのですが、どうしたらよいですか？

　SVには人工鼻のような加湿フィルターがついていないため、外の空気が直接気管内に入ることになります。このため外気の加湿状況が大きく影響します。自宅にいるときには、部屋の加湿をしっかりしていただくことが、気管切開していてもしていなくても重要です。他の加湿方法として、スタイを濡らしておく（効果小）、生理食塩水の吸入（1回2mL程度）、一定時間人工鼻へ変更する、一定時間呼吸器を装着するなどがあります。

　人工鼻への変更に関しては、気管軟化症があるなど呼吸器から全く離脱ができない患者さんでは他の方法を選択します。他の方法に関しては、そのお子さんの活動状況や気道の状況によってさまざまなので、実際には間隔を変えて試していくことになります。一般的には吸入は2〜3回／日、人工鼻と呼吸器では1回1時間程度が多い印象です。

（鈴木 悠）

● 参考文献

1) O'Connor, L.R. et al. Physiological and clinical outcomes associated with use of one-way speaking valves on tracheostomised patients: A systematic review. Heart and lung. 48（4），2019，356-64.
2) 長谷川久弥. 小児の気管切開. 日本重症心身障害学会誌. 43（1），2018，57-61.

気管切開閉鎖の適応

1章 呼吸ケア 考えかた 3

✲ はじめに

　気管切開となった原因は、お子さん一人ひとり違います。お友だちが早く抜けたり、気管切開をしないで生活している姿を見ると、「早く抜きたい！」と希望される家族が多くいらっしゃいます。抜いた後に突然状態が悪化したりすることがないように、自己判断せずに主治医としっかり話し合って時期を決めることが大切です。

　本来は気管切開カニューレが入っている、いないに関わらず、生活できる周囲の環境づくりが求められるのが理想です。しかし現状では、自治体によっては就学時にクラスが変わったり、親の待機が求められたり、通学バスに乗れないなどさまざまな弊害があります。当院では、気管切開をしているお子さんに対してできる限り4歳までの発声、就学前の抜管（ばっかん）を目指して検査・治療を行っています。

✲ 気管切開と発語の関係

　「言葉を話す」というと簡単なようですが、実はその過程は複雑です。この一連の流れのどの過程が障害されても「言葉を話す」ことは困難です。

　音（のど）を調節するためには多くの音を聞き、音を出したことによるフィードバック（コミュニケーション）が必要です。気管切開をした子どもの場合、吐く息が喉（のど）側に抜けず声帯を通らないために、音の元が作れません。また、私たちがこの過程を学ぶのは胎内〜乳幼児期であり、早期に気管切開を行った子どもでは、音を作り出しコントロールする練習が十分できないこと、養育者と声のコミュニケーション（例：喃語（なんご）を発しそれを親がまねするのを聞いて学ぶ、音を発することで周囲が反応するなど）が難しくなることなどから、適切に介入しないと発語が遅れたり構音障害が残ったりする可能性が指摘されています。乳幼児に声を発さなくとも、視線や動きでさまざまなコミュニケーションをとっていることがわかっており、このころの行動が言葉の発達の基礎となることが知られています[1]。気管切開をしている、していないに関わらず、本人が「音」「言葉」を発さなくとも、積極的に話し掛けコミュニケーショ

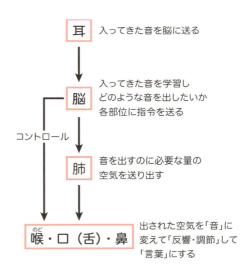

気管切開と発語の関係[2]

耳　入ってきた音を脳に送る

脳　入ってきた音を学習しどのような音を出したいか各部位に指令を送る

コントロール

肺　音を出すのに必要な量の空気を送り出す

喉（のど）・口（舌）・鼻　出された空気を「音」に変えて「反響・調節」して「言葉」にする

ンをとってあげましょう。可能になったら、早期にSVを試して音を出す練習をしましょう。

　また、状況によってSVが装着できない場合には、「声を出す」以外のコミュニケーションも積極的に取り入れていきましょう（例：手話やカードコミュニケーションなど）。子どもの言語発達は、1歳半過ぎから急速に進むといわれています。本人が表出したいことがある時期に、表出

る手段があること、表出したことを他者が受け止めてくれることがその後の言語発達にも有用とされています。「4歳前後でSVを開始して長期的には会話可能となったが、構音障害が残る可能性がある[3)]」との報告もあり、言葉が出てきても不明瞭な場合であれば、言語訓練なども併用します。

✻ 言葉が出ない

　言葉が出ない原因はさまざまで、必ずしも原因が判明するとは限りません。他の報告にもあるように、気管切開自体で言葉の発達が遅れるということはなく、p.49の図「気管切開と発語の関係」にある、どこかの過程に他の阻害要因がないかを検索することが重要です。気管切開していない子どもと同様に、聴力検査、発達検査などを行います。声を出すためには、声帯を空気が通る必要があるため、SVを開始していないのであればなるべく早期にSVを開始して発声の練習を行います。

　SVをつけるのが難しい、つけられるけど発語が出ないケースでは、まずはコミュニケーションをとるということを重視して、手話やカードなどの代替コミュニケーションから試すことが有用かもしれません。ジェスチャーや手話が言語発達を促進することは多く報告されています。そして、これらができるようになったから発語しないということはないことがわかっています。

✻ 当院での気管切開閉鎖の手順

❶ 気管切開チューブ離脱のタイミング

　以下の条件がそろった場合、気管切開チューブからの離脱を検討します。
1) 自発呼吸が安定しており、自力で咳をすることができる
2) 誤嚥がない
3) 日中は、SV装着で長時間過ごすことができる
4) 喉頭気管気管支ファイバー検査にて、鼻腔から気管支レベルまで閉塞・狭窄機転がない（例：アデノイド・扁桃肥大があった場合は事前切除、気管切開チューブ上肉芽がある場合にはレーザー焼灼術など）
5) 感染機会が少ない周囲の環境
6) 数年以内に予定されている手術がない（挿管を伴う手技の予定がない）
　　＊抜去前にチューブを細くしたり、SVを塞いだりすることは不要

❷ 抜去時

　抜去は、感冒罹患機会の多い冬には原則行いません。入院の上、心電図、SpO$_2$モニターを装着し、下記の手順で行います。
1) 気管切開チューブを抜去し、絆創膏などで仮閉鎖する
　10分程度心拍数（HR）上昇、SpO$_2$低下などがないかを確認する
2) 帰室しベッド上安静、一晩モニター管理
3) 抜去翌日：頸部レントゲン検査にて、気管径＞5 mmであれば退院。以後、絆創膏で閉鎖を継続、感染予防継続（5 mm以下の場合、夜間呼吸苦などなければ絆創膏閉鎖を継続するが、感冒罹患時には呼吸状態急変のリスクがあるため注意）
4) 退院後1カ月は、チューブが入っていた部位の気道線毛が戻らず、感冒罹患による悪化のリスクが高いため、集団に入ることを禁止（学校や幼稚園は休んでもらう）

　1年間はこの状態で、感冒時や運動時などに問題がないか、いびきが出現しないかなどを観察します。孔はどんどん小さくなりますが、完全に閉じてしまうことはないため、お風呂で首までつかる、シャワーで孔をめがけて水をかけるなどはできません。一方で孔が小さくなるため、ここからの吸引はできなくなりますので、自分で咳をし

各論・I章 呼吸ケア

て痰を出す必要があります。呼吸状態が悪化した場合には、この孔から再度チューブを挿入して気道を確保します。

❸気管切開孔閉鎖

以下の条件が揃ったら、気管切開孔閉鎖を外科または耳鼻科に依頼します。

1) 抜去後：感冒罹患時に、喘鳴や呼吸状態の悪化がなく経過
2) 夜間いびきなどがない

> こんなときどうする？

閉鎖の前にSVを使わないようにテープで塞いで訓練したほうがいいですか？

A　訓練の必要はありません。
気管切開チューブが入っている状態でSVを塞ぐと、通常よりも狭い場所（気管とSVの間）から息を吸わなければなりません。このため強く吸い込む必要が生じ、場合によっては強い吸気努力から軟化症などが生じる可能性がありますのでやめましょう。自然な気道（気管切開が入っていない状態）よりも、SV下ではすでに息を吐くときに負荷がかかっています。うまく吐けずに苦しくなると、SVは自然に外れるように設計されていますが、息を吸うときには外れません。SVの上部を塞ぎ、息が吸えないようにすることは、窒息や呼吸状態悪化を招きますので、特別な医師の指示のない限り行わないでください。

気管切開チューブを抜いた孔がテープでかぶれてしまいます。何も貼らなくてもよいですか？

A　テープの形を工夫したり、貼りかたを工夫して、なるべくかぶれないように、ステロイド外用薬なども併用しましょう。孔からは分泌物が出てくることもあるので、中央にはガーゼ部分があるもののほうが適しています。孔をそのままにしておくと、水分や異物が入ってしまうことがあるため、やめましょう。

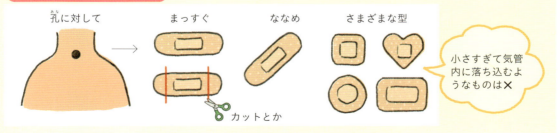

気切孔の絆創膏管理

（鈴木 悠）

● 参考文献

1) 新美成二．"No.15 音声・言語"．21世紀耳鼻咽喉科 領域の臨床：CLIENT 21．野村恭也 総編集．中山書店，2001，372p．
2) 今泉 敏編．言語聴覚士のための基礎知識：音声学・言語学．医学書院，2009，290p．
3) 今富摂子ほか．気管切開言語外来を受診した症例の発話の問題．埼玉小児医療センター医学誌．25(1)，2009，24-9．

手技1 気管切開管理

気管切開管理に必要な物品

　気管切開をしている子どもには多様性があります。呼吸の管理方法1つとっても、人工呼吸器の装着が必要な子ども、酸素吸入が必要な子ども、人工鼻の装着のみの子どもがいます。また、寝たきりの子ども、手足を動かせる子ども、寝返りはできる子ども、運動機能に問題のない子どもなど運動機能にも大きな違いがあります。食事についても、経口摂取から経管栄養までその子どもによって幅があります。

　しかし、残念ながら子どもたちの多様性に社会がついていけていないという現状があります。そのために、支援を必要としながらも受けることができない「制度の狭間」におかれている子どもたちがいます。また、市町村主体で運用されている制度が多く、地域の格差も生じています。同じように、病院により方法の違いというものも少なからず存在していますが、ここで紹介している方法や考えかたは、別の方法を否定するものではありません。1つの考えかたとして、少しでも参考になれば幸いです。

＊「日常生活用具給付」の対象物品と「在宅療養指導管理料」で支給される消耗品

　在宅における子どもの呼吸関連の医療的ケアにおいて、「日常生活用具給付」の対象となる物品（表1）と「在宅療養指導管理料」により支給される消耗品（p.54 表2）があります。日常生活用具給付とは、市町村が行う地域生活支援事業の必須事業です。障害者等の日常生活がより円滑に行われるための用具を給付または貸与することで、福祉の増進に資することを目的としています。

　一方、「在宅療養指導管理料」とは診療報酬で定められたもので、1カ月単位で医師（医療機関）が行う医療的な指導・管理を評価したもので、患者や患者の看護にあたるものに医師の指導管理に応じて、必要かつ十分な量の衛生材料または保険医療材料を支給した場合にのみ算定できるものです。いずれも各市町村、病院により違いがあります。これらのほかに自費購入の可能性が高いもの（p.55 表3）があります。

ここに注意！

Q 日常生活用具給付の対象となるものは？

A 呼吸関連の日常生活用具給付が受けられるのは、身体障害者手帳を持つ人（呼吸器機能障害3級以上と同程度の身体障害者と認められる者）もしくは小児慢性特定疾病の認定を受けている人です。重複して給付は受けられないので、どちらの制度で申請するかは年齢や状態をふまえて、各病院で相談してください。身体障害者手帳では「呼吸器機能障害」で条件を満たす場合、小児慢性特定疾患では呼吸器機能に障害のあるものと定められています。いずれも事前に市町村での申請および審査が必要です。物品給付ではなく、購入の補助となり、世帯の所得に合わせて補助金が出ます。その際、医師の診断書や意見書が必要です。日常生活用具給付は、一度受けると基準年限内は同じ品目の給付が受けられないという決まりがあります。

表1 日常生活用具給付の対象となる物品　※詳しくはお住まいの市町村にお問い合わせください。

物品名	選ぶ際の注意点
電動式吸引器 電動式　　　電動式 （写真提供：新鋭工業株式会社）	● お子さんに合わせた吸引機能があるか：吸引流量・吸引圧といった吸引のパワー、連続作動時間の長さ・分泌物を溜める吸引器のタンクの大きさ。 ● 持ち運びに適しているか：吸引器自体の大きさ（バギーに乗るか）、重さ、充電方法、充電時間、外部バッテリーがあるか。 ● 性能によって価格も変わるので、使い勝手の良いものを選ぶ。体調が悪いときには吸引回数が増えることも考慮して選ぶとよい。 ● 吸引器と吸入器が一体型になっている機種も販売されている。
パルスオキシメータ （酸素飽和度測定器）  （写真提供：コヴィディエンジャパン株式会社）	● 据え置き型のものとハンディサイズのものがある。据え置き型のものは病院でよく使用され、高価でもあるため人工呼吸器療法や酸素療法と合わせて支給されるものが多い。センサーは指を挟むタイプと、テープを巻くタイプがあるが、長時間の測定や乳幼児はテープタイプが一般的。移動時も測定が必要な場合は、見やすい位置に設置できるものを選択する。 ● 近年簡易式のものが多く販売されているが、長時間測定には向かず、安価なものは測定値の誤差が生じる可能性がある。
ネブライザー（吸入器） 超音波式　　メッシュ式 ネブライザー　ネブライザー （写真提供：オムロンヘルスケア株式会社） ジェット式 ネブライザー （写真提供：村中医療器株式会社）	● 痰がねばっこく、吸引しづらいときには吸入が有効な場合がある。在宅では季節によって大きく気温、湿度が変化する。 ● 子どもの気管カニューレにはカフがないため、気管内が乾燥しやすく吸入が必要になることがある。 ● 吸入薬は処方で、機器によっては使用できない吸入薬がある。 ● メッシュ式：機械も作動音も小さく、携帯しやすい。部品が細かい。 ● ジェット式：空気を圧縮して薬液を霧状にする。よく使用され、使用できる吸入薬も多い。家での使用に適している。機械も作動音が大きめ。 ● 超音波式：機械は大型のものが多いがその分パワーがあり、長時間使用できる。手入れが少し煩雑。

ここに注意!

Q 手動式吸引器や足踏み式吸引器は必要ですか？

A 何らかのトラブル（災害などの長期停電、故障）で、電動式吸引器が使用できないと痰詰まりのリスクがあります。緊急時に備えて、手動式や足踏み式の吸引器を持っておくと安心です。足踏み式は疲れにくく、手動式はコンパクトでちょっとした外出などにも対応ができる手軽さがあります。日常生活用具給付具で高価な電動式吸引器を購入し、自費で手動式吸引器や足踏み式吸引器、安価な市販の吸引器を購入するのが一般的です。

足踏み式　　　手動式

（写真提供：ブルークロス株式会社）

表2 在宅療養指導管理料により支給される消耗品

消耗品名	選ぶ際の注意点
気管カニューレ 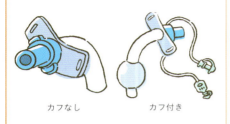 カフなし　カフ付き	**材質・形・サイズ**：子どもの特徴に合わせて医師が決定する。子どもの場合、成長によるサイズアップだけでなく、呼吸状態や体の変形、肉芽のできやすさなどに合わせて気管カニューレの形（カーブの角度や太さ、長さ、）や素材（固さや材質）で選ぶ。挿入の長さが調整できるものや、押しつぶされないようにらせんの入ったもの、二重構造のものや、声を出すための穴があるものなどもある。 **カフの有無**：子どもに使用する気管カニューレの多くにはカフがなく、抜けやすいので注意が必要。最近では、子どもでも使用できるカフ付きカニューレも販売されている。唾液の流れ込みが多い場合や人工呼吸器を使用していて空気の漏れが多い場合などはカフ付きのカニューレを使用する。カフがある場合、定期的にカフの空気量を確認する。カフ付きカニューレはカフなしよりも挿入しにくさがある。カフの上部の吸引ができる吸引管つきカニューレもある。
吸引カテーテル 	**種類**：病院により採用している種類が異なる。先端の目盛りの有無、硬さ、先端の形、吸引圧のかけかたなどに違いがある。 **保管方法**：消毒液に漬け置く方法と、乾燥したまま保管する方法があり、最近は乾燥したまま保管する方法が主流となっている。消毒液に漬け置く場合は濃度に注意し、吸引前に水を通す。気管内の吸引は口や鼻の吸引よりも清潔度を高く保つ必要がある。 **交換頻度**：施設により異なる。気管内の吸引カテーテルのほうが交換頻度（清潔度）が高い。
Y字ガーゼ 	カニューレが直接皮膚に当たることでの皮膚トラブルの防止のために使用。ガーゼの厚みにより気管カニューレの深さを調整する場合もある。在宅で生活できる子どもの場合、滅菌ガーゼである必要はない。1日1回の交換が原則だが、皮膚トラブルを避けるために汚れたら交換が望ましい。施設によってガーゼの種類は異なる。ガーゼ使用によりカニューレ抜去に気づきにくいため使用しない施設もある。
カニューレバンド 	**種類**：支給かどうかは施設によって異なる。小児用のバンドは市販されているが、自分で作成もできる。いずれも、子どもの体格に合わせた調整や加工が必要。バンドではなく紐でカニューレを固定する施設もある。どのようなバンドも、カニューレの予定外抜去を予防することが重要であり、確実に固定が行えるものを選択する。 **交換頻度**：子どもは新陳代謝がよく、1日1回の交換が基本。急な交換が必要になる場合があるので常に予備を持っておくとよい。 **固定方法**：活発な子どもは動きによってバンドが外れやすくなる。マジックテープは徐々にくっつきが悪くなるため、早めに新しいものに交換しないと危険。成長に合わせてバンドの大きさも変えていく。カニューレバンドは常時皮膚に密着しているので、綿などの肌に優しい素材、伸縮しにくい素材、通気性のいい素材で作成する（p.61参照）。

消耗品名	選ぶ際の注意点
人工鼻	**役割**：気管切開部からの異物の侵入を防ぎ、感染予防や気管内の加湿をする働きがある。自発呼吸がしっかりある場合、カニューレに直接装着する。人工鼻にはフィルターがついており、痰や水濡れによる詰まりに気をつける。人工呼吸器の場合、回路に装着する人工鼻もあるが、加温加湿器との併用はフィルターが詰まるリスクがあるので禁忌。 **サイズや種類**：自発呼吸用の人工鼻は、装着したまま吸引できるタイプや、直接チューブを装着し酸素吸入ができるタイプなどがあり、形もメーカーによって異なる。人工呼吸器回路に組み込む人工鼻は、換気量によって選択する。 **交換頻度**：自発呼吸用の人工鼻は1日1個が望ましいとされているが、施設により考えかたは異なる。汚染や目詰まりをすれば交換が必要だが、高価なので、支給数は施設により大きく異なる。

表3 自費購入の可能性が高いもの

物品	選ぶ際の注意点
アルコール綿 （チューブ拭き取り用）	製品としてのアルコール綿を支給する施設や、消毒液のみ支給して綿は自費購入など施設によりばらつきがある。気管内吸引は使用時にアルコール綿での拭き取りを行うことが望ましいが、口鼻腔吸引の場合は、消毒の必要はなくウェットティッシュなどでも代用可能。
潤滑剤（カニューレ交換用）	気管カニューレはそのまま挿入しようとすると入りにくいことがあり、カフ付きカニューレはさらに入りにくい。潤滑剤があるとスムーズに挿入できる。市販のゼリータイプの潤滑剤がべたつきにくく使用しやすいため、支給する施設もある。
綿棒やお尻拭き、皮膚洗浄剤など （皮膚ケア用）	退院する頃の気管切開孔周囲の皮膚は、傷ではなく普通の皮膚と考えるので消毒は不要。皮膚の赤みや肉芽がある場合は、軟膏が処方されることもある。痰やバンドの擦れなどでもトラブルが生じやすいので、汚れは速やかに取り除き、皮膚の清潔を保つことが重要。筆者の施設では、お尻拭き（アルコールの入っていないもの）を気管切開専用として通常のお尻拭きとは分けて使用している。
吸引器のホース	各吸引器の純正のものが販売されているが、同じ太さのビニールチューブをホームセンターなどで購入している家族もいる。汚れが目立ってきたら交換する。
軟膏などを塗る綿棒	気管切開孔に近い皮膚に軟膏を塗る場合も滅菌綿棒である必要はなく、市販のものを使用する。

Q 在宅療養指導管理料の対象となるものは？

A 気管切開に関連する在宅療養指導管理料には、気管切開管理料、人工呼吸器管理料などがあり、加算には気管切開患者用人工鼻加算があります。在宅療養指導管理料による支給を受けるためには、月に1回以上の受診が必要になります。在宅療養指導管理料により支給される物品や数は、施設によって差があります。

ガーゼとカニューレバンド交換

＊ケアのすすめかた

❶準備物品

- 交換用のカニューレバンド（固定がしっかりできることを確認）
- Yガーゼ（必要枚数）
- アルコールの入っていないウェットティッシュやお尻拭き（気切孔周辺や首を拭くもの）
- ナイロン袋（ごみを入れるもの）
- 必要時：軟膏、綿棒、手が出たり暴れたりするとき用のバスタオル
- 肩枕用のタオル
- 吸引準備：吸引器・吸引カテーテル・吸い上げ用の水・消毒類

Y字ガーゼ / 軟膏 / 綿棒 / タオル / お尻拭き / 肩枕用の丸めたタオル / カニューレバンド / ナイロン袋

これらに加えて吸引に必要な物品を揃える。

❷手を洗う・物品の確認

手を洗い、物品が揃っているか、片手でもすぐに取り出せるかを確認しましょう。子どもに声を掛け、痰がたまっていないかを確認します。痰がありそうなら吸引をしましょう。

Q ガーゼ交換のタイミングは？

A 基本的に1日1回の交換ですが、痰などで汚れた場合はその都度交換をしましょう。できるだけ食後は避け、子どもの機嫌が良いときが望ましいです。入浴をする場合は、入浴後に行います。

各論・I章 呼吸ケア　手技

❸体位を整える・雰囲気づくり

ガーゼ交換をしやすい体位に整えます。寝た状態で、肩枕として丸めたタオルなどを首の下に敷き、首の部分が伸びて、気管切開の部分が見やすい姿勢をとります。

じっとしているのが苦手なお子さんの場合は、すべての準備が整ってから姿勢をとってもらい、短時間で終えられるようにしましょう。手が出てしまって危ないような場合は、バスタオルでくるむなどの方法もあります。ガーゼ交換やバンド交換が「嫌なこと」にならないように、しっかり話しかけてあげながら行いましょう。

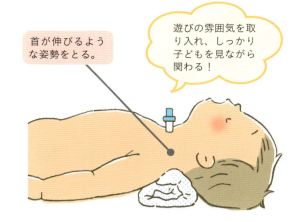

首が伸びるような姿勢をとる。

遊びの雰囲気を取り入れ、しっかり子どもを見ながら関わる！

❹バンドを外し、観察する

気管カニューレ（以下、カニューレ）が動かないように手で固定し、カニューレバンドの片方の固定を外します。カニューレが抜けないように気をつけながら、バンドのあたっていた皮膚を観察して拭きます。古いバンドと新しいバンドを反対側に送り込みます。反対側から古いバンドを引き抜きます。反対側の皮膚も同様に観察し、拭きます。体位を整えるときに、先に新しいカニューレバンドを下に敷いておく方法もあります。

ここに注意！

Q ガーゼ交換をスムーズに行うコツは何ですか？

A すべての物品を片手で取り出すことができるよう準備をしましょう。入浴後の交換が多いと思いますが、できるだけ子どもが機嫌良く行えるようしっかりあやしながら行うことが大事です。気を紛らわすことが有効な場合もありますので、好きなおもちゃ（邪魔にならないもの）やDVDなどの力も借ります。大人が緊張すると、子どもも緊張します。交換予定のバンドもきちんと固定ができるかなど事前に確認しておきましょう。

❺ゆっくりとガーゼを抜く

Yガーゼを抜く際、カニューレが動かないように注意します。動きやすい場合は片方だけを抜いて、皮膚を拭き、新しいガーゼを半分差しこんで込んでから、もう片方を抜くという方法もあります。カニューレが動くと咳が出やすかったり、吐きそうになったりします。

Yガーゼを抜いたら、皮膚の状態を観察しましょう。軟膏の指示があれば皮膚を拭いた後に綿棒などで塗ります。子どもが嫌がったり、暴れたりするなら、軟膏を塗るのはYガーゼを入れる前にバンドで固定した後でもかまいません。

暴れる場合は、Yガーゼを先にカニューレバンドで固定しましょう。ガーゼ交換時にカニューレが抜けないように注意しましょう。

※イラストは手袋着用で行っています。家族が行う場合は、基本的に手袋は不要です。

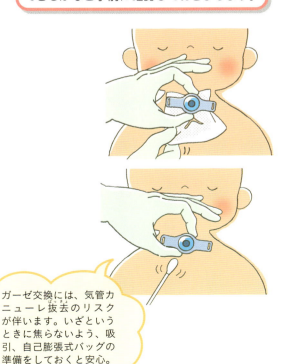

ガーゼ交換には、気管カニューレ抜去のリスクが伴います。いざというときに焦らないよう、吸引、自己膨張式バッグの準備をしておくと安心。

❻新しいガーゼを入れる

　カニューレを手で固定したまま、新しいY字ガーゼを差し込みます。子どもによって切り込みが上の場合、下の場合があります。

> ガーゼを触って抜いてしまう子どもの場合は、右図とは反対で、ガーゼの切り込みが下向きのほうがよいかもしれません。
> 空気の漏れなどを防ぐために、後から切り込みをふさぐようにテープで止めることもあります。

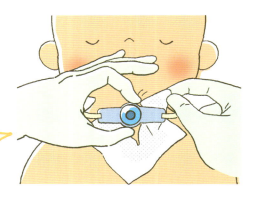

❼新しいカニューレバンドで固定する

　カニューレバンドの締め具合は、指1本がバンドと首の間に入る程度とし、固定は左右に偏りがないようにしましょう。固定がきつすぎると、苦痛や皮膚トラブルの原因になります。

呼吸器とつないだところ

❽子どもをねぎらう

　交換が終わったことを告げ、子どもをねぎらいましょう。子どもの顔色や、呼吸状態を観察し、痰があれば吸引します。そして、使用後のガーゼは、痰や血液の汚染がないか、汚染範囲の広さ、痰の色の変化がないかを確認しましょう。
　Yガーゼが湿ったり、汚れたりした場合は、その日の交換が終わっていてもガーゼだけでも交換し、皮膚のトラブルを予防しましょう。

> 子どもが泣いたり、動いたりする場合は先に固定を行い、後から皮膚の観察や拭き取りを行う。まずは安全に、安心して交換できるように。

よくがんばったね

気をつけたいケアポイント

ガーゼ交換は複数で行う
やむを得ないときは仕方ありませんが、動いてしまう子どもの場合は、できるだけ2人で行います。じっとできる子どもでも慣れない間はできるだけ2人で行うほうが安心です。ガーゼ交換は気管カニューレが抜けてしまう危険性がある行為ですので、大人も子どもも負担なく行いましょう。

観察は必ず1日1回は行う
気管切開部は普段ガーゼに隠れてなかなかじっくり見る機会がありません。せめて1日1回は、しっかり観察しましょう。気管切開部と同様、首もバンドなどに覆われています。皮膚が弱い子どもには、お風呂とは別にオムツなどを首の下に敷いて洗浄をするなど工夫をすることができます。

常時バンドなどと接触している首は蒸れやすく、なかなかきれいに洗うことができませんので、人手があるときに拭き取りだけでなく洗浄をするとよいでしょう。一度、首に傷や潰瘍を作ってしまうと、治るまで苦労する場合があります。

首回りには、拭き取り不要の洗浄剤（リモイス® クレンズやシルティ® 水のいらないもち泡洗浄など）も汚れをとるだけでなく保湿もしてくれるので便利です。

子どもに負担のない方法を選ぶ
バンド交換の方法は複数あります。①古いバンドの固定を外してから新しいバンドを挿入する方法、②古いバンドを引き抜きながら新しいバンドを挿入する方法、③あらかじめ先に新しいバンドを敷いておく方法、④バンドの固定をすべて外してからY字ガーゼを挿入する方法、⑤バンドの固定をしたままY字ガーゼを挿入する方法などがあります。

どれが正しいというものではなく、危険なくバンドの交換ができればいいという視点で子どもの動き、首周りの状態により介助者のやりやすい方法、子どもに負担のない方法を選びましょう。ここでは②と④とを併せた方法を説明しています。

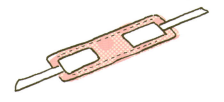

カニューレ交換

✳ ケアのすすめかた

カニューレ交換は、ガーゼ交換よりもさらに難易度の高い処置となります。基本的に2人で行うことが望ましいでしょう。カニューレが予定外に抜けてしまうなどの緊急時に備えて、子どものそばにいる人は、1人でもカニューレの挿入や交換ができるように手技を習得しておくと安心です。

❶準備物品

気管カニューレ（種類・サイズの確認）、カフ付きカニューレを使用する場合は確認用の注射器1本。カフは事前に注射器で空気を入れて、左右均等に膨らむか確認します。潤滑剤（市販のゼリーなど）、Y字ガーゼ（枚数を確認）、カニューレバンド（固定ができるか確認）、首や気管切開孔周辺を拭くためのタオル（アルコールが入っていなければお尻拭きなどでも可）、汚物を入れるナイロン袋1枚、肩枕用のタオル、手が出たり暴れたりするとき用のバスタオル（必要時）、軟膏（綿棒を使用する場合は綿棒も）、吸引に必要な吸引器・吸引カテーテル・吸い上げ用の水・消毒類。人工呼吸器を装着している場合は、呼吸状態を確認するためのパルスオキシメータ。

緊急時に備え自己膨張式バッグを準備しておくと安心。
吸引に必要な物品も用意する。

新しいカニューレは、種類・サイズを確認し、清潔に開封する。片手で操作できるよう潤滑剤（ゼリーなど）を先端に塗っておく。

❷〜❹までは、「ガーゼとカニューレバンド交換」（p.56〜57）に同じ。すべての物品が片手で取り出せるように準備をしておく。

❺使用中のカニューレを引き抜く

準備が整っていることを確認し、子どもに声を掛けながら、ゆっくりとカニューレをガーゼごと引き抜きます（カフ付きのカニューレを使用する場合は、カニューレを抜く前にカフの空気を抜きましょう）。カニューレが見えにくい場合は、先にガーゼを取ってからカニューレを抜きます。カニューレを抜いたとき、いっしょに痰も上がってくる場合があるので、介助者が吸引をします。

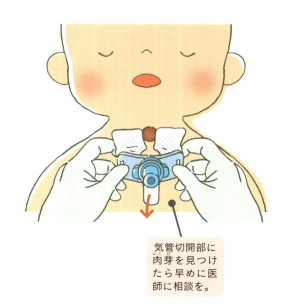

気管切開部に肉芽を見つけたら早めに医師に相談を。

❻気管切開孔周囲の観察と軟膏塗布

使用中のカニューレを抜いたら、速やかに新しいカニューレを挿入しましょう。その際、痰で気管切開孔が見えなければ吸引や拭き取りを行います。カニューレ交換で泣いてしまう子どもが多く、また筋緊張の亢進などで気管切開孔が狭くなり、通常のカニューレの挿入が困難となる場合があります。リスクの高い子どもの場合は、予備として病院から1サイズ細いカニューレをもらっておきましょう。

カニューレを抜いたときには気管切開部の肉芽や皮膚のトラブルなどの異常がないか観察をします。ただし、カニューレを抜いているときに呼吸ができない、苦しくなる子どもの場合は速やかな交換を優先しましょう。気管切開の部分に異常があれば医師に相談しましょう。カニューレ挿入後はすぐに人工呼吸器や酸素を装着します。カフ付きカニューレの場合は、カフに空気を入れましょう。カニューレ交換後には、呼吸の状態や出血がないか（ガーゼの血の汚れ、吸引のときに血が混じらないか）を気にかけておく必要があります。

気管切開孔に軟膏塗布の指示があれば、綿棒などで塗布しましょう。その際、カニューレが抜けないよう気をつけましょう。

❼と❽は「ガーゼとカニューレバンド交換」に同じ（p.58）。

❾カニューレの確認

使用後のカニューレは、痰や血液の汚染がないか、内筒の閉塞はないか、痰の色の変化がないかを確認してから捨てましょう。

Q カニューレ交換のタイミングは？

A 子どもの呼吸状態に合わせ、交換頻度が変わります。在宅では可能であれば2週間に1回以下の交換が望ましいですが、痰の粘度により季節によって間隔を変える場合もあります。定期の交換日でなくても、カニューレの閉塞（痰詰まり）が考えられたときは速やかに交換が必要です。

カニューレバンドの作りかた

❶材料と道具をそろえる

布：首に直接あたるため、肌触りがよく吸湿性の良いもの。伸縮性が良すぎると細部が変わってしまうので、たとえば、ダブルガーゼや綿素材、ガーゼハンカチなどがよいです。布が薄い場合は3つ折りにするか、キルト芯を挟みます。

マジックテープ：どちらの面もくっつくものだと、面を考えずに使用できて便利です。フックのほうをカニューレに通しますので、カニューレの穴に通る細さにカットします。マジックテープが大きいほど固定がしっかりします。長すぎると交換のときに首の後ろまで固定しなくてはなりません。外すときも大変ですので、お子さんを寝かした状態で着脱できる長さにします。

裁縫道具：はさみ、糸、針（ミシンを使っても可）。

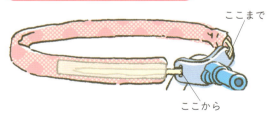

バンドの長さの測りかた

❷子どもの首の長さを測る

具体的には、カニューレの穴〜首周り〜もう片方の穴までです。ちょうどいいサイズのバンドがすでにあれば、それを型紙代わりにできます。

マジックテープで固定するときのあそびを考えて、出来上がりサイズは首周りよりも1〜3cm 短かめにします。

❸土台を作る

糸が出ないように、布を折り込む、もしくはかがり縫いをして土台を作ります。

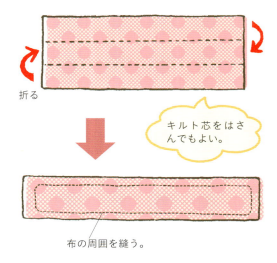

折る

キルト芯をはさんでもよい。

布の周囲を縫う。

❹マジックテープを縫い付ける

固定用のマジックテープを縫い付けます。右は外側から見た図です。お子さんの動きに合わせてひもで固定するタイプのものも作れます。
※紹介の方法は一例であり、子どもの状態に応じてバンドの作りかたは変更してください。

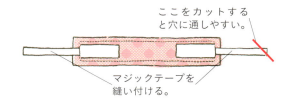

ここをカットすると穴に通しやすい。

マジックテープを縫い付ける。

ここに注意！

Q 皮膚トラブルは、どうしたらよいですか？

A 気管切開部に肉芽（にくげ）ができた場合は、カニューレの挿入が困難になったり出血の原因になったりします。早めに医師に相談しましょう。カニューレバンドに接触する部分が赤いときは、可能であれば1日1回の洗浄を行いましょう。難しい場合は皮膚をこすらないように押さえ拭きできれいにします。医師に相談すると、状態に応じ軟膏を処方してくれることもあります。あまりに皮膚の状態が悪くなると、褥瘡（じょくそう）のようになり相応のケアが必要となります。

子どもの皮膚は繊細なため、バンドをあまり強く締めつけすぎない工夫も必要です。バンドとの接触部以外に、カニューレの翼や上部（は）があたることで、皮膚が赤くなったり皮が剥がれたりすることがあります。Yガーゼを大きくしたり、カニューレバンドの長さを調節したりして、カニューレが皮膚に直接こすれないように工夫をしましょう。人工呼吸器を装着した寝たきりのお子さんであれば、顎（あご）と

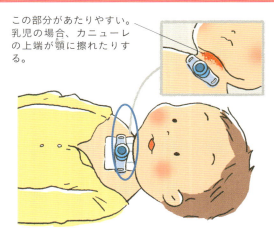

この部分があたりやすい。乳児の場合、カニューレの上端が顎に擦れたりする。

乳児など年少の子どもは首が短く、カニューレの軸の部分と皮膚が接触して赤くなることがある。大きめのYガーゼを用いるなど、皮膚との接触を避ける工夫が必要。

カニューレとの間に化粧パフなどを挟んで、カニューレや呼吸器の回路と皮膚がこすれないようにしましょう。

気をつけたいケアポイント

安静を保ち、慌てない

　カニューレ交換時に最も注意が必要なのは、挿入が困難だったときです。特に泣いてしまって気管切開孔（こう）が小さくなってしまい、挿入が困難になることがあります。そのような場合は、慌てず指で皮膚を伸展するようにして挿入します。

気管切開孔（こう）の観察

　気管内部に肉芽（にくげ）ができていてもなかなか見つけることは困難ですが、気管切開孔（こう）に肉芽（にくげ）ができているとカニューレ交換時に気づくことがあります。そのような場合は、カニューレの挿入に困難を伴わなくても医師に相談してください。

予備のカニューレを常に用意する

　臨時で交換した場合は医師に報告をしてください。予備のカニューレがなくなったら、受診する必要があります。

方法は1つではない

　カニューレ交換には、カニューレにガーゼもつけて挿入するやりかたと、カニューレを挿入してからガーゼを挟むやりかたとがあります。どれが正しいというものではなく、子どもの体動の状態、首周りの状態により介助者のやりやすい方法、子どもに負担のない方法を選びましょう。

緊急時の準備

　ガーゼ交換にはカニューレ抜去（ばっきょ）のリスクが伴います。いざというときに焦らないように、近くに吸引の道具、自己膨張式バッグなどを準備しておきましょう。

家族に伝えたいポイント

☑ **管理はシンプルに、楽しく**

　自宅は病院ではありません。病院ほど多くの病原菌もないので、感染するリスクもぐっと減ります。同時に、子どもに関わる人も減りますので、方法はできるだけシンプルにしましょう。モニターの数値よりもまずお子さんの顔色、状態をしっかり見るようにしてください。

　病院では多くの患者さんに対し、同じような管理を行いますが、自宅ではその子に合わせたスペシャルなケアができます。たとえば、100円均一ショップで便利グッズを探したり、かわいくアレンジをしたり、生活のしやすさ・楽しさを大切にしてください。

☑ **その滅菌や消毒、本当に必要ですか？**

　Y字ガーゼは滅菌である必要はありません。汚れたときに速やかに汚れを拭き取り、ガーゼ交換をするほうが気管切開部を清潔に保つことができます。吸引時に吸い上げる水も滅菌蒸留水（精製水）である必要はありません。

　汚染されやすい滅菌蒸留水よりも、塩素などで水質管理をされている水道水のほうが細菌の繁殖は防ぎやすいと考えます。塩素は微量であり、水道水で気管内の粘膜（ねんまく）に影響を与えるとも考えにくいです。細菌の繁殖を防ぐには、こまめに水を交換したほうが効果的です。

　吸引チューブを拭くのに使用するアルコール綿も効果は一時的であり、必ずしもアルコール綿にこだわる必要はありません。アルコールで拭き取った後にコップにためていた水を吸い上げると、その時点で何らかの細菌は付着すると考えられます。汚れが気になれば、流水で洗浄します。気になるなら吸引直前にチューブをアルコール綿で拭くという方法があります。

Q ガーゼ交換、気管カニューレ交換で子どもが泣いてしまったら？

A できるだけ、泣かせないことが大切です。実際、ガーゼや気管カニューレの交換は、子どもたちにとっては怖かったり苦しかったりする機会になります。子どもが泣く・動く⇒交換する人が焦る⇒怖い雰囲気になる⇒さらに子どもが泣く⇒交換しにくくなり余計に時間がかかる、という悪循環にならないよう、雰囲気作り・準備をしっかり行いましょう。

Q 気管カニューレが抜けてしまったら？

A すぐにカニューレを入れ直しましょう。新しいカニューレが近くにあってもすぐに取り出せないときは、抜けたカニューレを挿入します（明らかに汚染しているときは新しいもの、もしくは水洗いをして使用します）。まずは速やかに気道の確保をすることが大切です。その後、落ち着いてから新しいカニューレに入れ直しましょう。ガーゼ交換時のみならず、突然の事態に備えて、常に予備のカニューレと交換のセットを持ち歩く習慣をつけましょう。泣くと気管切開部が狭くなり、カニューレが入りづらくなります。そのため緊急用に1サイズ小さいカニューレを支給する病院もあります。

Q 人工呼吸器を使用中、空気が漏れるときは？

A ガーゼの位置、カニューレバンドの留め具合を確認しましょう。ゆるんでいることがあります。ガーゼとバンドに異常がなければ、回路の破損など別の原因を考えます。いずれも子どもの状態を最優先に、呼吸状態の悪化、苦しさがないかを常に確認しながら原因を探します。

（森貞敦子）

手技 2 吸引

口鼻腔内吸引

✱ ケアのすすめかた

❶準備物品
- 吸引カテーテル（小児は 6.5Fr～10Fr 前後）は体格に合ったもの。
- 電動式吸引器
- 吸引カテーテルをきれいにするための水と容器
- 吸引カテーテルを保管する容器
  消毒液に漬け置く場合……病院の指示に沿った種類・濃度の消毒液と容器
  乾燥して保管する場合……保管用容器、ウェットティッシュなど
- 必要時には、体位を整えるクッション、手が出たり暴れたりするとき用のバスタオル、手指消毒液や使い捨て手袋

（図：吸引カテーテル、電動式吸引器、枕やクッション、コップと水道水、カテーテルの保管容器（上）消毒液と容器、（下）何も入っていない容器、アルコール綿、ウェットティッシュ）

❷手を洗う
外出先などで手が洗えない場合は手指消毒で代用します。目に見える汚れがある場合は手指消毒だけでなく、ウェットティッシュなどで拭く、使い捨ての手袋をはめるなどの対応をします。

❸物品の確認
必要な物が揃っているか確認し、片手でも取り出せるよう準備します。

❹子どもに説明する
子どもにこれから吸引をすることを説明し、吸引しやすいように体位を整えましょう。

> **ここに注意！**
> **Q 吸引のタイミングは？**
> **A** 体調やその子の特徴（自力で痰が出せるかどうかなど）によってタイミングは変わります。基本的には、唾液や鼻水がたまっているとき、痰が絡んで咳が多いときなどです。ミルクを飲んだ（栄養剤の注入）後や入浴後は痰が増えやすいので、事前に吸引しておいたほうがいいこともあります。吸引は負担をかける処置なので、漫然と決まった時間に行うのではなく、痰がたまったタイミングで行いましょう。

❺圧を確認する

吸引器のスイッチを入れ、ホースの先端を指で塞ぎ、圧がかかるか、吸引圧が正しいか確認します。吸引圧は基本的に13〜21Kpaもしくは100〜180mmHg前後で行います。

※イラストは手袋着用で行っています。家族が行う場合は、基本的に手袋は不要です。

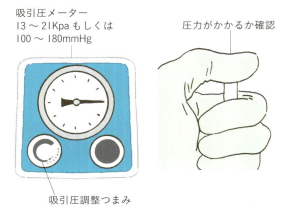

吸引圧メーター
13〜21Kpaもしくは
100〜180mmHg

圧力がかかるか確認

吸引圧調整つまみ

❻吸引カテーテルで水を吸い上げる

ホースに吸引カテーテルを接続し、水道水を吸い上げます。水道水を通すことでカテーテルの滑りをよくしたり、圧のかかり具合の最終確認ができたりします。

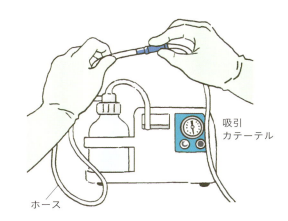

吸引カテーテル

ホース

❼鼻にカテーテルを入れる

吸引圧をかけない状態にして、鼻にゆっくりカテーテルを入れます。入れる角度は鼻腔の底に添わせるように水平にし、入れる長さは鼻から耳までを最大とします。入れるときに突っかかりを感じたら、無理をせず一旦抜いて、呼吸を整えてもう一度行いましょう。

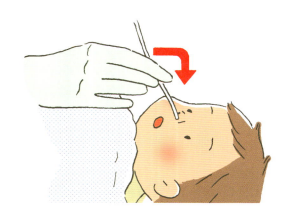

ここに注意！

Q 吸引の注意点は？

A 食後は吸引の刺激で嘔吐しやすくなってしまいます。なので、できるだけ食後の吸引は避けますが、咳が止まらない、呼吸が苦しそうな場合は、嘔吐を念頭に置き、軽めに吸引を行うなど、子どもにとって一番楽な状態になるようにしましょう。

❽吸引する

痰がたまっている部分までカテーテルを入れたら、吸引圧をかけて指でねじるように、痰を吸いながらゆっくり抜きます。1回の吸引時間は10秒前後としましょう。

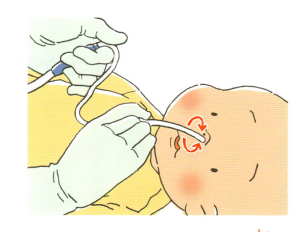

❾もう一方の鼻の穴も吸引する

もう片方の鼻の穴も同じように吸引します。吸引中、頑張っている子どもに声を掛けましょう。連続で吸引をせず、呼吸が苦しくならないよう、顔色や子どもの反応を見ながら吸引を行います。

Q 1回の吸引で痰が取りきれなかった場合は？

A 呼吸状態や顔色の改善を待って再度吸引します。その時にカテーテルの周囲に痰がついていればアルコール綿やウェットティッシュなどで拭き取りましょう。カテーテルが痰で充満していれば、1回水道水を吸ってカテーテルを開通させましょう。吸引した痰の色や性状、量を見ます。

❿口の中を吸引する

鼻の吸引が終わったら（状態により、どちらを先に吸引してもよい）口の中にたまっている唾液を吸引します。口や鼻の吸引の刺激で咳が出て痰が上がってくることもありますので、タイミングを逃さず吸引しましょう。逆に、咳の反射が弱い場合は、痰がたまっているようなサインが出ていなくても、喉の奥に唾液がたまっている場合があります。

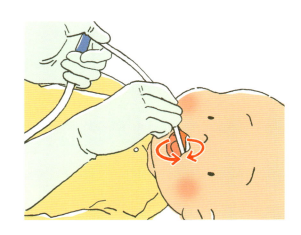

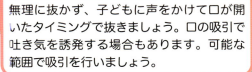

Q 子どもがカテーテルを噛んだ場合は？

A 無理に抜かず、子どもに声をかけて口が開いたタイミングで抜きましょう。口の吸引で吐き気を誘発する場合もあります。可能な範囲で吸引を行いましょう。

⓫カテーテルをきれいにする

　吸引後、カテーテル周囲に汚れがあればアルコール綿やウェットティッシュなどで拭き取り、水道水を吸って吸引カテーテルの中をきれいに流し終了とします。カテーテルを乾燥して保管する場合は、容器に入れたり、すぐ取り出せる場所に干したりして、しっかり乾燥させます。消毒液漬け置きで保管する場合は、病院から指示された消毒液に浸し保管します。

　吸引後、子どもに吸引が終わったことを伝え、頑張りをねぎらいましょう。

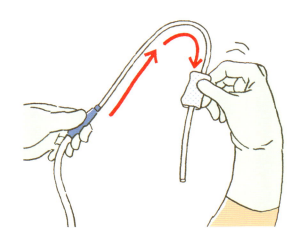

こんなときどうする？

Q 普段から分泌物が多い子どもを吸引する場合、注意点はありますか？

A　白色〜透明でゲル状の分泌物がたくさん吸引できる子がいます。取れるものはティッシュなどで拭き取ってから吸引しましょう。吸引は不快な処置です。たくさんあるからと、むやみに吸引圧を上げるのは粘膜損傷のリスクがあります。市販のオリーブ管を使用すると、奥まで挿入することがないので子どもの負担を減らせるかもしれません。ただ、鼻の奥の分泌物は吸引できないので、子どもの状態に合わせて選択が必要です。口からの分泌物が多い場合は、低圧持続吸引器で持続吸引を行うなどの方法もあります。

　長時間使用することが多く、吸引力やモーター音、移動時の使いやすさが吸引器を選ぶポイントとなります。持続吸引器の購入は自己負担となりますが、従来の電動式たん吸引器よりは安価です。電動式たん吸引器を持続吸引に使用するのはやめましょう。高圧になるリスク、故障した場合の代替がなく危険です。

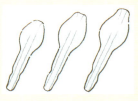

オリーブ管

Q 出血した場合は？

A　吸引はカテーテルという異物を挿入するため、粘膜に傷がつくリスクが常にあります。可能であれば少し吸引を休憩します。やむを得ない場合は、吸引圧を下げ、普段よりカテーテルの挿入の深さを浅くします。出血しやすい、血が止まりにくい場合は主治医に相談してください。カテーテルによっては先端が丸いものもあります。

各論・I章 呼吸ケア　手技

こんなときどうする？

Q 暴れる子どもには、どう対応したら良いですか？

A 吸引は子どもにとって苦しい行為です。年少であったり、よく動く子どもは、頭を振ったりして効果的に吸引ができなかったり、粘膜に傷がついてしまったりする場合があります。可能であれば2人で行い、1人が頭部や手を固定しましょう。その際、子どもの恐怖心をあおることのないよう不必要に押さえつけない、終わったらすぐに抱っこする、頑張りを認めるなど、子どもの気持ちに配慮したケアを行います。1人で行うときは、バスタオルなどでくるんで手が出ないようにする方法もあります。いずれにしても自由に動けないこと自体が、子どもにとって不快な体験ですので、終わったら速やかに拘束を解除し区切りをつけること、子どもの頑張りをねぎらうことを心掛けましょう。

Q 挿入しにくいときのコツはありますか？

A 鼻腔（びくう）の形は、人それぞれ違います。特に子どもの鼻は小さく、挿入しにくく感じるかもしれません。入らないと思ったら、一旦抜いて仕切り直します。また、鼻腔（びくう）の形態から右の鼻の穴はカテーテルが入りやすいけど左はカテーテルが入りにくい、ということはよくあります。両鼻ともにカテーテルが入りにくい場合は、痰（たん）の性状を吸入や加湿、内服などで取れやすくする工夫やカテーテルを細くするなどの対処方法があります。片鼻が入りにくい場合は無理をせず、入るところで吸引をしましょう。

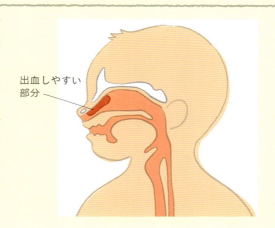

出血しやすい部分

Q 痰（たん）の色や性状が変わりました。どういうサインですか？

A 痰（たん）の性状は基本的に白色から透明です。緑色や黄色になってきたら、風邪などの体調不良のサインである場合があります。後で熱が出てきたり、一気に痰（たん）が増えたりすることがありますので、より気をつけて様子を見てください。

気管内吸引

❶準備物品

- 吸引カテーテル（メモリがないカテーテルの場合は、ナイロンテープなどに挿入する長さを書いておくとわかりやすい）。カテーテルのサイズは体格に合ったもの
- 電動式吸引器
- 吸引カテーテルをきれいにするための水と容器
- 吸引カテーテルを保管する容器
  消毒液に漬けおく場合：病院の指示に沿った種類・濃度の消毒液と容器
  乾燥して保管する場合：保管用容器、アルコール綿など
- 必要時には、体位を整えるクッション、手が出たり暴れたりするとき用のバスタオル、手指消毒液や使い捨て手袋、自己膨張式バック

❷～❹までは、口鼻腔内吸引と同じ（p.65）。

❺圧を確認する

吸引器のスイッチを入れ、ホースの先端を指で塞ぎ、圧がかかるか、吸引圧が正しいか確認します。吸引圧は基本的に13～20Kpa、もしくは100～150mmHgが推奨されています。

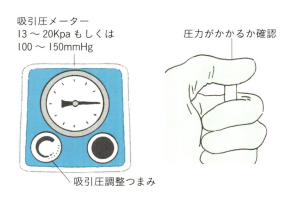

❻吸引カテーテルを接続する

吸引カテーテルを接続します。吸引カテーテルは、挿入する長さよりも上の部分を持ち、清潔に保持しましょう。消毒液にカテーテルを漬けていた場合は水道水を通します。乾燥して保管していた場合は、吸引前に一度、アルコール綿でカテーテルを拭きます。

❼吸引カテーテルを挿入する

人工鼻もしくは人工呼吸器の回路を外し、吸引カテーテルに圧をかけない状態で、気管カニューレ内に入れます。入れる長さは、病院で決められた長さを守りましょう。

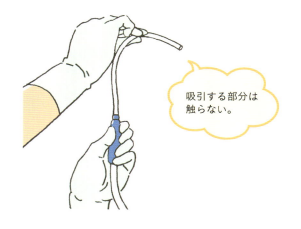

❽吸引する

指定された長さまで吸引カテーテルを入れたら、吸引カテーテルに陰圧をかけ、左右にねじるようにして痰を吸いながらゆっくり抜きます。1回の吸引時間は10秒前後とします。もし、痰がたくさん吸引できる箇所があったら、そこで少し止めて痰を取りましょう。時間が長くなりそうなら、一旦吸引をやめましょう。人工呼吸器を装着する、自己膨張式バッグで加圧するなど呼吸を整えます。頑張っている子どもに声も掛けましょう。心拍数や顔色が安定してから再度吸引を行います。

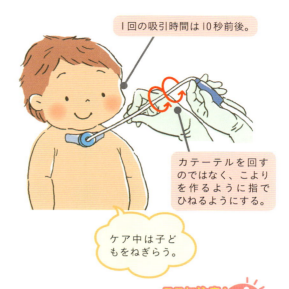

1回の吸引時間は10秒前後。

カテーテルを回すのではなく、こよりを作るように指でひねるようにする。

ケア中は子どもをねぎらう。

❾全身と痰の観察

吸引が終了したら、病院の指示に従い呼吸の維持（人工呼吸器を装着する、自己膨張式バッグで加圧する、酸素吸入など呼吸を整える方法）をし、吸引後の呼吸の変化・全身状態の変化がないか確認しましょう。また、痰の色や量、性状、さらに血液・ミルクの混入などがないか、普段との変化を確認します。

❿吸引カテーテルを保管する

消毒漬け置きで保管する場合：吸引後、カテーテル周囲に汚れがあればアルコール綿やウェットティッシュなどで拭き取り、水道水を吸って吸引カテーテルの中をきれいに流します。最後に消毒液を少量吸い上げ、保管容器の中にカテーテルを漬けて終了とします。

乾燥で保管する場合：吸引後、カテーテル周囲に汚れがあればアルコール綿で拭き取り、水道水を吸って吸引カテーテル内をきれいに流します。最後にアルコール綿でカテーテルを拭き、保管容器に保管します。

ここに注意！
Q 吸引のタイミングは？

A 酸素飽和度が低下したとき、呼吸が苦しそうなとき、咳が多いとき、人工呼吸器の換気量の低下、呼吸音がゴロゴロするときや、胸に触れると痰の振動が感じられるとき、気管カニューレから痰などの分泌物がたくさん出るときなどに行います。体位変換が必要な子どもの場合、痰がたまっていることがあり、体位変換の前に吸引が必要なことが多くあります。ミルクの前や入浴前にも吸引を行いましょう。
気管内吸引と口鼻腔内吸引の両方が必要な場合、口鼻腔内からの痰の垂れ込みを防いだり、痰の喀出を促すために先に口鼻腔内吸引を行った後に気管内吸引を行います。その際、連続で行うのではなく、呼吸の安定を図ってから次の吸引に移ります。また、気管内吸引の方が清潔度が高いため、途中で手指消毒を行うとよいでしょう。気管内吸引後に再び口鼻腔に痰が上がってくることがありますので、適宜吸引を行います。カテーテルの長さの指示は必ず医師から出ます。気管内を傷つけない、肉芽の予防のための指示ですので必ず守りましょう。

Q 気管内の痰に血が混じるときはどうしたらよいですか？

A 気管内の出血は緊急事態のこともあり、明らかに鮮血のもの、痰よりも血のほうが多い場合などは速やかに受診しましょう。大量に出血する場合は、生命にかかわる状態のため救急車を呼びましょう。出血の多くは気管内が傷ついたこと、肉芽からの出血です。吸引の長さを必ず守るようにしましょう。また、吸引圧が高すぎないかも確認します。

Q 痰が乾いていて、塊のようなものが吸引されるときは？

A 加湿不足が考えられます。季節の変わり目や暖房・冷房などの影響で、痰の性状は変化します。水分の補給、部屋の湿度の調整、こまめな吸引が必要です。人工呼吸器装着中であれば、加温加湿器の導入や温度設定の変更を考慮しましょう。

Q カニューレから変な音がする、吸引カテーテル挿入に抵抗がある、呼吸が苦しそうなときはどうしたらよいですか？

A カニューレが痰で閉塞している可能性があります。人工呼吸器装着中の場合は、換気量が低下します。おかしいと思ったら、カニューレ交換を行いましょう。カニューレ交換をしてもカテーテルが突っかかるような感じがあれば、一度受診しましょう。

Q 手袋を装着して行うのと手指消毒だけの場合のメリットとデメリット、注意点は何ですか？

A 手指消毒は短時間で手軽に行うことができ、効果は手洗いよりも高いとされています。ただし、目に見えるような汚れの付着があるときは有効に消毒ができませんので、手洗いが必要です。

一方で、消毒が手荒れの原因となることがあります。手袋は外出時など近くに水道がないときにもすぐに装着できます。汚染から手を守るという意味では、手に傷があるときにも有効です。手袋装着における清潔度は、手指消毒よりも下がります。在宅で家族が処置を行う場合、基本的に手袋は不要で、手指消毒や手洗いで十分です。

気をつけたいケアポイント

吸引器の器械トラブルには、おもに以下のようなものがあります。

吸引圧がかからない（動作音はする）

電源が入っているか、充電がなくなっていないかを確認しましょう。密閉状態になっていないと吸引圧がかかりません。吸引瓶のふたがきちんと閉まっているか、フロートの位置は適切か、吸引カテーテルの接続状態、吸引器とホースとの接続のゆるみがないかを確認しましょう。吸引圧の調整もしてみます。吸引瓶の中身が半分以上溜まると吸引が上手くかからなくなることがありますので、今一度確認してみましょう。

吸引圧が下がらない

吸引カテーテルやホース、吸引瓶のふたなどのつなぎ目の部分に異物や汚れが詰まっている場合があります。部品が適切な位置にない場合もあるので、もう一度排液ボトルを組み立て直しましょう。

家族に伝えたいNGケア・リスクポイント

☑ 「おかしいな」と思ったら早めに相談

気管切開をしている子どもは、直接気管切開部より呼吸をしているため、気管支炎や肺炎といった呼吸器感染症のリスクが高いといわれています。また、感染を起こすと痰が一気に増え、数分おきの吸引が必要な状態にもなるため、お子さんも家族も疲弊してしまいます。いつもと違う場合は、早めに受診や医療者への相談をしましょう。

☑ 声が出ないからこその注意点

気管切開をしていると、基本的には声が出ません（例外もありますが）。子どもによっては、泣き声も出せないため悲鳴にも気づけないというリスクがあります。子どもが目の届くところにいればいいですが、家事などをしていて異常に気がつかないことがあります。また、眠っているときに異常に気づけないことがあります。目を離すときにはモニターの力を借りるなど、異常に気づけるように工夫しましょう。

☑ 人工鼻（じんこうばな）の必要性

人工鼻を自分で外す子どもがいます。息苦しさがあって外す場合もあれば、大人の気を引きたくて外す子どももいます。イタチごっこになってしまって、家族が疲れてしまうこともあるかもしれません。人工鼻を隠すスタイやバンダナの使用、簡単に外れないようにカバーを作製することも効果的です。ただし、人工鼻を引っ張ったときにカニューレもいっしょに引っ張ってしまうようでしたら、かえって気管切開部分が傷ついてしまう可能性もありますので、子どもの動きに合わせてカバーの使用を検討しましょう。

人工鼻を外すことが構ってほしいサインや、遊びになっていることがありますので、大人が過剰に反応せず、淡々と対応することが効果的な場合もあります。人工鼻は気管の粘膜を保護するのに有効ですし、気管の中が乾燥すると痰がとりにくくなります。眠っているときなどは、確実に装着することが大切です。

スタイやバンダナで人工鼻を隠します。

☑ 人工鼻使用時の注意点

人工鼻に用いられているフィルターは、水に濡れると閉塞する恐れがあります。

痰が多いと、その痰でフィルターが詰まってしまうことがあるので注意が必要です。吸入もフィルターを詰まらせる原因となる可能性があるので、人工鼻を付けたまま吸入をしてはいけません。

☑ 口腔ケアの必要性

気管切開をしていると、呼吸としての空気は口や鼻を通ることなく、口の中は乾燥しやすい状態になります。また、経管栄養を行っていれば、さらに唾液の分泌も抑制されて口の中に細菌が繁殖しやすくなります。口の中の細菌が気管の中に流れ込んでしまい肺炎を起こしてしまうことが問題にもなっています。毎日歯ブラシやスポンジブラシなどを用いて、口の中の清潔を保つとともに乾燥を防ぎましょう。人工唾液や保湿剤などもあります。

気管切開をしているお子さんは、お口から管が入っていた不快な経験や、口から食べる経験が乏しいことから、口周囲を触られることを極端に嫌がる子もいます。少しずつでいいので、触れることや歯みがきに慣れてもらいましょう。がんばったときにはしっかり褒め、機嫌のいいときに口周囲のマッサージなどを行ってみましょう。

☑ 在宅での吸引セットを作っておきましょう

外出する際や災害時に、すぐ持ち出せるように吸引セットをまとめておくとよいです。どんな形でもよいですが、たとえば、保冷バッグのような軽くて濡れてもよいしっかりした入れ物に、それぞれ口鼻腔内吸引のセット、気管内吸引のセットと分けて入れておくと使いやすく便利です。

☑ カテーテルの保管

自宅でも簡単に、ペットボトルを利用したカテーテルの保管容器が作れます。100円均一ショップなどで売っている、ペットボトル用のストローホルダーのストローの代わりにカテーテルを入れるなど、安くて使いやすいものがあります。カテーテルを乾燥させて保管する場合は、水道水以外のものは不要なため、コンパクトかつ軽量で持ち運べます。

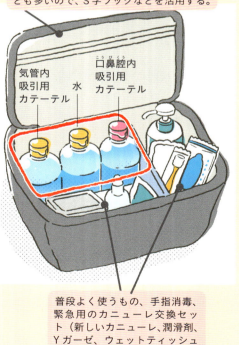

小さめで、中身が安定するようなしっかりした入れ物で軽い物が良い。推奨としては、保冷バッグなどが、汚れても内部を拭きやすく、管理しやすい。吸引セットはバギーやベビーカーの取っ手につりさげることも多いので、S字フックなどを活用する。

気管内吸引用カテーテル　水　口鼻腔内吸引用カテーテル

バッグのふたは閉まるほうがよいです（異物の侵入や濡れるのを防ぐため）。

普段よく使うもの、手指消毒、緊急用のカニューレ交換セット（新しいカニューレ、潤滑剤、Yガーゼ、ウェットティッシュなどを防水ポーチに入れる）。

（森貞敦子）

● 参考文献

1) 橘倉尚美. 気管切開をしている子どものケアとよくあるトラブル. 小児看護. 37 (10), 2014, 1266-71.
2) 福岡県小児等在宅医療推進事業在宅支援マニュアル（福岡県版）
   http://www.pref.fukuoka.lg.jp/uploaded/life/171542_51677859_misc.pdf（10月12日参照）
3) 中本さおり. 在宅療養をしている子どもの看護；訪問看護師の立場から. 小児看護. 37 (10), 2014, 1280-6.
4) 戸谷剛. "気管カニューレにはどんな種類がある？　どう使い分ける？". NICUから始める退院調整＆在宅ケアガイドブック：疾患・障害を持つ赤ちゃんがお家へ帰るための52のQ&A. Neonatal Care 秋季増刊. 2013, 118-27.
5) 倉敷地区重症児の在宅医療を考える会 在宅医療ケアの統一化に関する小児科合同委員会. 重症心身障害児の在宅ケア 冊子版およびDVD版. 2016年.
6) 厚生労働省：小児慢性特定疾患児等疾患対策の基本資料. http://www.mhlw.go.jp/file/05-Shingikai-12601000-Seisakutoukatsukan-Sanjikanshitsu_Shakaihoshoutantou/0000022423.pdf（11月21日参照）
7) 厚生労働省：補装具と日常生活用具. http://www.mhlw.go.jp/bunya/shougaihoken/yogu/dl/kanousei_02.pdf（11月21日参照）

手技 3 侵襲的在宅人工換気療法

✻ ケアのすすめかた

❶準備

表1　重度心身障がい児の在宅物品一覧（呼吸器に関する物品）

物品	制度	所有形態	手配依頼先	備考
人工呼吸器（加温加湿器等の関連物品も含む）	診療報酬	医療機関からの処方	医療機関と契約している医療専門商社	医療機器は医療機関と医療専門商社がレンタル契約、消耗品は医療機関から処方
在宅酸素療法関連物品（酸素濃縮器・ボンベなど）	診療報酬	医療機関からの処方	医療機関と契約している医療専門商社	医療機器は医療機関と医療専門商社がレンタル契約、消耗品は医療機関から処方
気管切開関連物品（カニューレ・人工鼻なども含む）	診療報酬	医療機関からの処方	医療機関と契約している医療専門商社	医療機関と医療専門商社が契約、消耗品は医療機関から処方 医療機関の処方を受けて消耗品を薬局が出す場合もある
パルスオキシメータ（ディスポセンサーも含む）	なし	購入もしくはレンタル	医療機関と契約している医療専門商社	医療機器は医療機関と医療専門商社がレンタル契約、消耗品は医療専門商社が出す ・単品でのレンタルはなく、人工呼吸器または酸素濃縮器とセットでのレンタル ・医療機関によっては医療専門商社とレンタル契約を行っていない場合もある
電動式たん吸引器	日常生活用具給付事業	助成を受けて患者が購入	福祉用具専門事業所または医療専門商社	・障がいの内容と年齢によって対象か対象でないかが決まる ・医療機関によっては無償レンタルを行っているところもある
ネブライザー	日常生活用具給付事業	助成を受けて患者が購入	福祉用具専門事業所または医療専門商社	・障がいの内容と年齢によって対象か対象でないかが決まる ・医療機関によっては無償レンタルを行っているところもある
たん吸引関連物品（カテーテル等の消耗品）	診療報酬	医療機関からの処方		医療機関と契約している医療専門商社と契約、消耗品は医療機関からの処方 医療機関からの処方を受けて薬局が出す場合もある
自己膨張式バッグ	診療報酬	医療機関からの処方	医療機関と契約している医療専門商社	診療報酬改定によって、C164 人工呼吸器加算に「療養上必要な回路部品その他附属品（療養上必要なバッテリー及び手動式肺人工蘇生器等を含む。）の費用は当該所定点数に含まれ、別に算定できない」と明記されたことから、手動式肺人工蘇生器に該当する自己膨張式バッグは、医療機関と医療専門商社からのレンタル契約のなかで渡すことが可能
外出時用バッテリー	なし	全額自己負担で購入	福祉用具専門事業所、医療専門商社、インターネット販売事業者、アウトドア販売店、家電量販店など	・自治体によって助成制度あり ・自己膨張式バッグの備考に記載している「療養上必要なバッテリー」とは、人工呼吸器本体に附属する予備バッテリーを指しており、加温加湿器や吸引器などを用いるために必要なバッテリーは自身で用意する必要がある ・社会情勢の変化によりポータブル電源の量販化が進んでいる。ただし、人工呼吸器などに常時用いることができるものは限られているため、専門商社の担当者などと相談して購入することが望ましい
酸素ボンベ運搬車	日常生活用具給付等事業	助成を受けて購入	福祉用具専門事業所または医療専門商社	・障がいの内容と年齢によって対象か対象でないかが決まる
聴診器	なし	全額自己負担で購入	福祉用具専門事業所または医療専門商社	

❷在宅用人工呼吸器の選択と設定

　現在国内で流通しているおもな在宅用の人工呼吸器は、2つのタイプがあります（表2）。子どもの病状に応じた人工呼吸器を選択する必要がありますが、多くの医療機関では、医療安全や物品の安定供給などの観点から、取り扱う機種を限定していることがほとんどです。しかし、患者さんが機械に合わせるのではなく、それぞれに最も適した機種を吟味して選択できることが望ましいという考えもあります。

　呼吸器の換気モードの設定は、病院用人工呼吸器の設定状態を参考に、在宅用人工呼吸器の初期設定を行うことが多いです。しかし、病院用人工呼吸器は圧縮した高圧ガス（空気、酸素）を供給源としているのに対して、在宅用人工呼吸器は通常の空気を吸気し、酸素濃縮器で空気から酸素を生成して混合するような低圧ガスによる環境になるというように、駆動原理やパワー等の影響から病院用人工呼吸器と同様にはできないこともあります。このため、在宅用人工呼吸器では1週間程度の試用期間を設けて、SpO_2やCO_2の変動、睡眠状態、努力呼吸の有無、などを評価することが望ましいでしょう。

　現在流通している在宅用人工呼吸器は、移動や水滴などにも耐えられるような耐久性を備えているもの、航空機に搭載可能な安全性認証を受けているものも増えてきています。バッテリーの性能も大幅に向上し、内部バッテリーだけでも8～10時間、外部バッテリーを備えればその倍ほど持久できるものもあります。このため、帰宅後の生活を具体的にイメージし、遠方の親戚宅へ訪問する、子どもと旅行やキャンプを楽しみたい、といった想像できる範囲内でやりたいことを主治医に伝えるといいでしょう。

表2　在宅用人工呼吸器のおもな2つのタイプ　　　　　　　　　　　　　　　　　　　（2023年5月現在）

気管切開を行わずに、鼻に器具をつけて換気の補助を行うもの（NPPV）	NPPV 専用器	Vivo40、BiPAP A40、NIP ネーザル V.E/ クリーンエア VELIA、クリーンエア prismaVENT
	NPPV＋ハイフロー対応器	prismaVENT50-C
NPPVとしても使用でき、気管切開孔に器具を装着して換気を行うこともできるもの（TPPV）	NPPV・TPPV 両用器	LTV2 2150/2200、HT70 plus、Puppy-X、トリロジー100plus/200 plus、トリロジー Evo、Puritan Bennett560、クリーンエア ASTRAL、Vivo60、Vivo 45/Vivo45LS、MONNAL T50/T60、VOCSN /VOCSN-VC
	NPPV・TPPV 両用器＋ハイフロー対応器	Vivo3

❸人工呼吸器の回路をつなぐ

侵襲的人工呼吸器の回路のつなぎかた

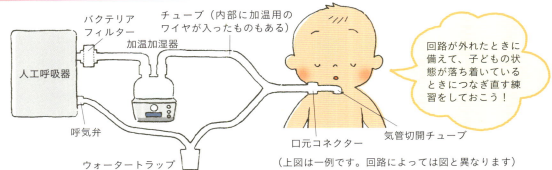

※気管切開を行わずに換気補助を行うものを「非侵襲的」と表現する一方、気管切開や喉頭気管分離などの手術を行う必要がある換気を「侵襲的」と表現します。

(上図は一例です。回路によっては図と異なります)

一般的に侵襲的在宅人工呼吸器の回路は、人工呼吸器→バクテリアフィルター→加温加湿器→チューブ→口元コネクター→気管切開チューブ→ウォータートラップ→人工呼吸器、とつながっています。ただし、使用する人工呼吸器、回路(チューブの種類)によってこれらのつながりは異なる場合があります。

移動や子どもの動きなどによって回路が外れた場合には、元の通りにつなぎ直す必要がありますので、普段から子どもと回路とのつながりについて理解しておく必要があります。日ごろケアをしている家族以外の人やきょうだいにもわかりやすいように、接続が外れる部分を色別のテープでマークしたり、写真や絵などでわかるようにしたりすることも重要でしょう。

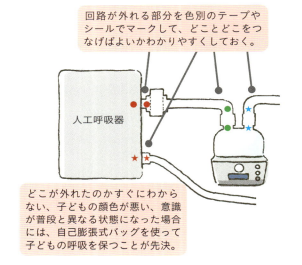

回路が外れる部分を色別のテープやシールでマークして、どことどこをつなげばよいかわかりやすくしておく。

どこが外れたのかすぐにわからない、子どもの顔色が悪い、意識が普段と異なる状態になった場合には、自己膨張式バッグを使って子どもの呼吸を保つことが先決。

❹加温加湿する

人工呼吸器や酸素ボンベなどから空気を送り込むと乾燥したガスを吸うことになります。理想的な吸気ガスは、肺に入る直前の状態が「温度：37.0℃、相対湿度：100%、絶対湿度：44mg/L」とされますので、加温加湿器を用いて加温加湿しなければなりません。理想的な吸気ガスの状態は、自宅では把握することができません。目で見るとするならば「口元コネクターにわずかに結露が付いていて、回路の中にはジャバジャバと溢れるような水分がない状態」が理想的といえます。侵襲的在宅人工呼吸器で使用する加温加湿器には、大きく分けてヒーターワイヤの有無により2つのタイプと人工鼻があります。

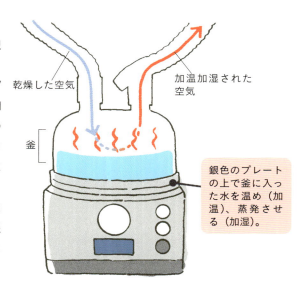

銀色のプレートの上で釜に入った水を温め(加温)、蒸発させる(加湿)。

Q 加温加湿器の役割とは？

A 私たちは普段、空気を鼻や口から吸入しています。この空気はもともとの環境の湿度分だけ湿っていますが、湿った鼻腔や口腔を空気が通過することによって、さらに加温加湿された状態になります。一方、人工呼吸器や酸素濃縮装置、酸素ボンベなどから気管切開チューブを用いて体内にガスが送り込まれる患者さんの場合には、空気が鼻腔や口腔を通過しませんし、酸素ボンベなどから供給されるガスは非常に乾燥しています。この状態で換気を続けると、肺が損傷したり、分泌物（痰）が異常にかたくなったりすることにつながります。このため、体内に入る前に適宜、加温加湿する必要があり、これらを担う器械が加温加湿器になります。

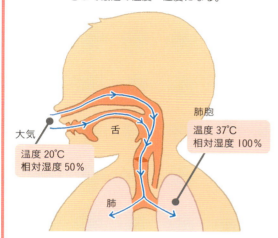

鼻・口から入った空気は、体温や体内の水分によって、人体にとって最適の温度・湿度になる。

大気　温度20℃　相対湿度50％

肺胞　温度37℃　相対湿度100％

舌 / 肺

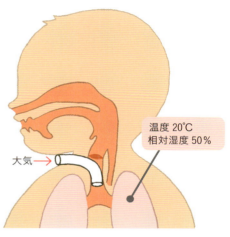

気管切開している場合、大気がそのまま肺に到達すると、肺の内部は低温かつ乾燥しすぎた状態になる。

大気 → 　温度20℃　相対湿度50％

ヒーターワイヤなし

釜を温めて発生させた水蒸気で回路～肺を加温加湿する
(写真提供：アイ・エム・アイ株式会社 「PMH1000PLUS」)

メリット

コンパクトで消費電力が少ない（PMH1000だと95VA）ため、移動が容易で、バッテリー容量が小さめでも対応可能です。また、操作も温度を調節するダイヤル（釜温度を45～80℃に手動で変更）が付いているだけなので、簡単です。

デメリット

釜を温めて発生させた水蒸気が、その後、回路の中では温められることがない点です。回路内では周りの環境温度によって冷えてしまい、回路内で結露を生じます。回路で結露を生じるということは、せっかく釜で作った水蒸気が水に戻ってしまっており、肺に水蒸気が達しないということになります。これでは、乾燥した空気が入っていることと変わらなくなってしまいます。乾燥した空気が持続的に肺に入り続けると、肺の中で分泌物が硬くなったり、肺や気管の組織そのものを損傷する原因にもなります。

> **ここに注意！**
> **Q** ヒーターワイヤなしの加温加湿器を利用している場合、回路内の温度低下を防ぐ方法は？
> **A** ①包装緩衝材（通称プチプチ）やタオルで回路を巻く、②エアコンや扇風機の風が直接あたらないようにする、などがあります。

ヒーターワイヤあり

(写真提供：Fisher & PaykelHEALTHCARE株式会社 「MR850」)

釜を温めて発生させた水蒸気を、回路内でも加温した状態を保って気管切開チューブの直前まで到達させ、肺を加温加湿します。

メリット

釜で温めて発生させた水蒸気を回路内でも温め続けておくことができるため、回路内の結露を最小限にとどめるための調整を行うことが可能となります。つまり、ヒーターワイヤなしの欠点を解消できます。このことは結果的に、肺の中に十分に加温加湿された空気を送り込むことができ、分泌物がかたくなることによる肺や気管組織の損傷を少なくすることができます。

デメリット

ヒーターワイヤなしに比べると大型で消費電力が多く（MR850だと220VA）、移動や車載用のバッテリー容量がより大きなものを選択する必要があります。また、PMH1000に比べると操作は複雑になり慣れが必要です。しかし、環境温度の変化や口元コネクターの結露の具合を見ながら調整が行えることで、子どもの呼吸状態を安定させ、快適なものにすることができます。分泌物が軽減すると、肺炎による入院や排痰（はいたん）補助装置（例：カフアシスト®）の利用を減らすことが可能となったりしますので、生活の安定を得ることにもつながります。

人工鼻

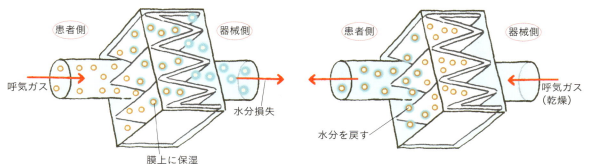

（日本ポール株式会社「呼吸管理におけるフィルターの役割」より）[1]

　人工鼻は、吐いた息が人工鼻を通る際に、その熱と水蒸気を人工鼻の内部（エレメント）に一旦蓄え、次に息を吸うときにこのエレメントを通過する空気が加温加湿される仕組みです。人工鼻は電力を消費する加温加湿器を用いることなく移動することができ、装着も簡単なためよく利用されています。

　しかし、加温加湿器とは異なり積極的に加温加湿を行っているわけではなく、「受動的保湿装置」と分類されます。気道分泌物の粘度が高く切れが悪い場合、分泌物が多くエレメントの目詰まりが頻回な場合などには人工鼻は使用せず、本来の加温加湿器を用いるほうが良いと考えられます。それでも人工鼻を使用しながら少しでも加湿効果を得たい場合には、吸気ガスを電源を切った状態の加温加湿器の釜の水面を通過させることで加湿不足を補うことができます。

Q 人工鼻の使用にあたって注意点はありますか？

A 吸気ガスを加温加湿器の釜の水面を通過させることで加湿不足を補う場合、電源を入れて加温加湿した状態で使用すると人工鼻の水分が過剰になり、人工鼻の抵抗を異常に上昇させることにつながって危険です。電源を入れた状態の加温加湿器と人工鼻の併用は絶対に行ってはいけません。

❺自己膨張式バッグを使う（表3）

　自己膨張式バッグは、気管切開チューブに直接つないで、手で圧を加えて人工呼吸を行うための道具です。通称アンビューバッグ®とも呼ばれますが、これはドイツのアンビュー社が発売した自己膨張式バッグをアンビューバッグ®と称したことが由来です。

表3　自己膨張式バッグを使用する目的

- 呼吸停止時や呼吸状態が極めて悪化した場合
- SpO_2値が普段より低下して戻らない場合
- 人工呼吸器管理中に筋緊張が強くなり、呼吸器の設定と自発呼吸がうまく連動しなくなったときに、人工呼吸器を一旦外して呼吸を安定させる場合
- 移動や入浴などで一時的に人工呼吸器を外す必要がある場合
- 気管内吸引の前後で肺を加圧しながら酸素を供給し自発呼吸を整える場合
- 人工呼吸器の動作不良時、長時間停電時

自己膨張式バッグの使用手順

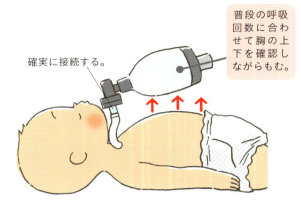

確実に接続する。

普段の呼吸回数に合わせて胸の上下を確認しながらもむ。

① 気管切開チューブに自己膨張式バッグを確実に接続する。
② 片手で自己膨張式バッグを持ち、子どもの普段の呼吸回数に合わせてもむ。
・十分に換気が行われていれば、肺が膨らんで胸が持ち上がる。
・自分で呼吸できる子どもの場合、呼吸のリズム（吸うタイミング、吐くタイミング）に合わせてバッグをもんで空気を送り込む。
③ 顔色が良くなり、しっかり自分で呼吸できるようになり、処置やケアも終了し、人工呼吸器を装着するまで続ける。

ここに注意！

Q 自己膨張式バッグの使用で気をつけることは？

A 自己膨張式バッグには、リリーフバルブという過剰な圧を逃す装置が付いています。一般的には、$35cmH_2O$ もしくは $40cmH_2O$ の圧になると「プシュッ」という音とともに、それ以上の圧が肺にかかるのを予防してくれます。このため、『「プシュッ」という音がするまでもめばよい』と理解されているご両親がおられますが、気管切開チューブのリークが少ない状況で $35cmH_2O$ もしくは $40cmH_2O$ の圧というのは子どもの肺にとっては過剰であり、肺を痛めたり肺に孔があく（気胸）可能性があります。また過剰な圧というのは強制的に深呼吸を続けている状況とも言えますので、大人であっても深呼吸をずっと続けるととても苦しく感じるように、子どもも大変苦しく感じています。胸が普段の呼吸と同じ程度に持ち上がる程度にもむ、ということが重要です。

また近年では、実際に押している圧を把握できる器具（マノメーター）が付いており、さらに肺が縮まる（虚脱する）ことを抑制できる機構を備えた自己膨張式バッグ（写真）が普及し始めています。このような自己膨張式バッグを活用し、普段の人工呼吸器の圧を意識しながら換気することも有用な方法といえます。

（写真提供：ジーエムメディカル株式会社「トゥエンティワン レサシテータ」）

気をつけたいケアポイント

胸の持ち上がりが一定か？
　肺にきちんと空気が入っている状況では、胸の持ち上がりは一定になります。側彎や気管の変形などで左右の空気の入りが一定にならない子どももいますが、その子どもにとって普段と同じと言える胸の持ち上がりであることが重要です。

気管切開チューブの周辺から空気が漏れる音に変わりはないか？
　気管切開チューブ周囲からの空気の漏れ（リーク）は、チューブの擦れによって気管切開孔が大きくなってしまったり、成長によってチューブが相対的に細くなってしまったりすることなどで生じます。リークが増えると、人工呼吸器の種類や設定によっては胸を持ち上げるだけの空気を送り込めなくなったり、リークの分までさらに多くの空気を送気しようと自動調整が行われることによって、加温加湿器を通る空気の量が増加し十分な加温加湿が得られなくなったりする、という問題点が生じます。

　また、リークがある状態では、気管切開チューブの擦れによって、気管切開孔や気道内部に肉芽が発生したり気道損傷を起こしやすくなるといった問題も生じます。リークが以前よりもひどくなっていると感じる場合

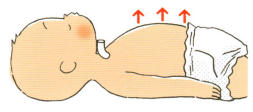
胸が左右とも同時に上昇、下降する

には医師に相談しましょう。

本人は普段と同じく楽そうか？
　何より重要なのは、本人が楽そうかどうか、という点です。侵襲的在宅人工呼吸管理を行う子どもは、病院という環境の中で一定の安定が得られ、家庭であっても本人が苦痛を感じることなく落ち着いて生活することが可能であると医師が判断した状態です。そのため、「本人が楽そうではない」のであれば、それは何らかの問題が生じているということになります。

　調子が悪くなったサインとして、顔が赤らむ子、顔色が青ざめる子、心拍数が上がる子、SpO_2が下がる子、まぶたがピクピク動く子、手足に力が入る子、背中を突っ張らせる子、筋緊張が増加して呼吸器との相性が悪くなる子など、さまざまです。普段の楽そうな状態を覚えておき、それと異なる場合には医師や看護師に相談しましょう。

家族に伝えたい NG ケア・リスクポイント

- ☑ 人工呼吸器の回路のつながりを間違えないように気をつけましょう。色別のシールなどで接続場所をわかりやすくしておくこともいざというときに間違えないために有効です。

- ☑ 人工呼吸器の設定変更は医師の指示の下で行いましょう。酸素の投与量については事前に指示を得るようにしましょう。

- ☑ 「加温加湿器に使う1日あたりの水の量が○Lだから、十分加湿できている」は間違いです。
→リークの増加や回路内の水滴の増加による加湿不足に注意しましょう。「加温加湿器の回路に水滴が溜まるほどになっているから、十分加湿できている」も間違いです。→せっかく作った水蒸気が肺に達していない状態ですので、回路の温度低下を防ぎましょう。

- ☑ 自己膨張式バッグ使用時は、胸が持ち上がる程度に普段の呼吸回数を目安に換気します。

Q 人工呼吸器のアラームが鳴り止まない、動作がおかしい気がする。

A アラームの種類は大きく2つに分かれます。1つは機械に異常が生じているときに鳴り、機械そのものに設定されているものです。これは使用者で変更できません。人工呼吸器そのものに問題がある場合にはアラームが鳴り止まないことがあり、この場合にはただちに使用を中止して主治医や医療機器取り扱い業者などに連絡する必要があります。もう1つは患者に危険な状態が生じている可能性があることを示すもので、主治医が設定したアラーム域から外れた場合に鳴ります。子どもの状態や生活の中での状況に応じて主治医とともに設定することが重要です。なお、人工呼吸器は精密医療機器ですので、アラームが鳴らないにもかかわらず、動作が突然止まったり、普段とは異なる動作が出現したりする（暴走する）ことも複数報告されています。これらの場合には速やかに自己膨張式バッグによる人工呼吸に切り替え、主治医や訪問看護ステーション、医療機器取り扱い業者などに連絡するようにしましょう。

Q 遠方のお出かけ先で調子が悪くなり、救急外来を受診しなければならないときは？

A 普段の状態を知らない医師に診察を受けなければならないことは、家族にとって心細いものです。初めての医師に普段の状態を伝える方法として、以下の4つを参考にしてください。
① 日常の人工呼吸器の設定画面を写真に撮っておく。
② 人工呼吸器のグラフィック画面（実際に波形や数値の変化が出ている画面）を動画に撮っておく（できれば30秒〜1分程度）。
③ 普段の安定した子どもの状態を動画に撮っておく。
④ 調子が悪くなったときの子どもの状態を動画に撮っておく。

特に②と④については、初めて診察する医師にとっては重要な情報が多く含まれていますので、ぜひ、スマートフォンなどに動画で保存して診察時に提示するとよいでしょう。

Q 自宅の電力が足りないときはどうしたらよいのですか？

A 人工呼吸器や加温加湿器は電力を非常に多く消費します。さらに、常時人工呼吸器が必要な患者の場合、ほかにも、電気毛布、エアコン、吸引器、排痰補助装置など電力を必要とする機材が多く必要となることが稀ではありません。このため、病院によっては、退院前に行う病院と地域の医療・福祉機関との合同カンファレンスの際に、電力会社にも同席してもらっているところもあります。そうすることによって、在宅人工呼吸器管理の子どもがどの家庭のどの部屋にいてどれだけの電力消費が想定されるのか、ということまで専門家の目で把握して電力不足の解消について相談に乗ってもらえるようになります。

賃貸物件であれば、家主の方に電力増強工事の交渉をしていただける電力会社もあります。さらに、大規模停電の場合に、その家庭に電力供給車の手配や電力復旧工事を優先的に行う配慮をしてもらえる場合があります。

（寺澤大祐）

● 参考文献
1) 松井晃. "加温と加湿". 完全版 新生児・小児ME機器サポートブック. メディカ出版, 2016, 286.
2) 一般社団法人日本呼吸療法医学会小児在宅人工呼吸検討委員会編著. 小児在宅呼吸療法マニュアル 第2版. 寺澤大祐ほか監修. メディカ出版, 2022, 272p.

手技 4

在宅非侵襲的陽圧換気療法

＊ケアのすすめかた

ここで紹介するのは、非侵襲的陽圧換気療法（noninvasive positive pressure ventilation：NPPV）といわれる方法です。

❶準備と在宅での環境の整えかた

NPPVのインターフェイス（マスク）以外の準備物品は、侵襲的在宅人工換気療法（p.76）を参照してください。冷たい乾燥した空気が上気道を閉塞させることがあるので、加温加湿器を使うことが増えています。

Q 貸し出しや家族が購入するにあたっての注意点は何ですか？

A
- 在宅NPPVは、病院や診療所が、保険診療として、医療機器取扱業者とレンタル契約をして行います。
- レンタル契約の種類により、NPPVインターフェイスの年間供給数や種類が異なります。
- 加温加湿器は人工呼吸器と一体型のウォーターチャンバーと、外付けの加温加湿があります。NPPVで使用する水は、気管切開と異なり、精製水でなくても良いです。NPPVでも専用加温回路を使用することがあります。
- 医師と臨床工学技士と相談し、人工呼吸器の外部バッテリー、パルスオキシメータ、用手換気装置（バッグバルブマスク）など関連機器の必要性を確認し、種類を選定します。レンタル契約や自治体の助成が得られない場合は、自費購入を要します。

在宅でのNPPVのベッドサイド環境

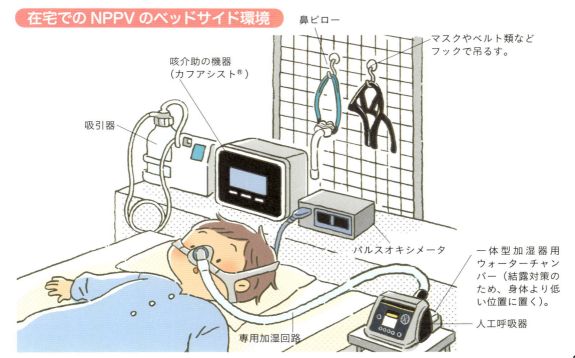

外付けの加温加湿を強化する場合の環境

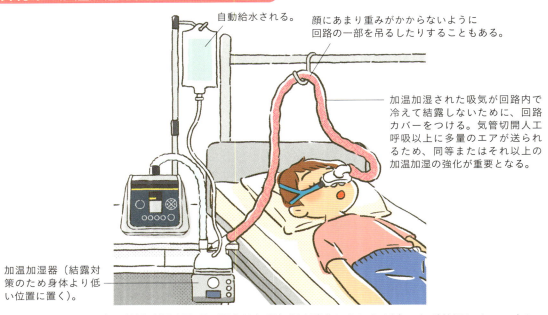

自動給水される。

顔にあまり重みがかからないように回路の一部を吊るしたりすることもある。

加温加湿された吸気が回路内で冷えて結露しないために、回路カバーをつける。気管切開人工呼吸以上に多量のエアが送られるため、同等またはそれ以上の加温加湿の強化が重要となる。

加温加湿器（結露対策のため身体より低い位置に置く）。

※ 普段は不要でも、冬の乾燥時期や風邪の場合は加温加湿を強化したほうが良いなど状況によって変わってくるので、主治医に確認してください。

ここに注意！

Q 鼻や口から気管までの通り道は確保されているか、チェックするポイントはどこですか？
A

- のどや口の中から自力で唾液や痰が出せていますか。吸引が必要ではないですか。
- 鼻の中が分泌物などで閉塞していませんか。鼻をかんだり、こよりや綿棒などで取り除いたりしましょう（鼻吸引はかえって刺激となり、鼻水が出てくることもあります）。
- 鼻汁が多いときは点鼻することもあります。カフアシスト®（咳介助の機器）で鼻をかむこともできます。
- 首が前後や左右に極端に傾いていないでしょうか。

対策

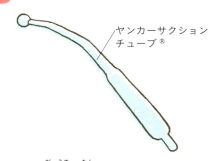

ヤンカーサクションチューブ®

空気が鼻や口から入って、のどを通って肺まで出入りしているか確認。

のどや口の中の唾液や痰は、外科でよく使うヤンカーサクションチューブ® を使うと取りやすいです。舌をよけてのどの奥や舌の奥など目的とするところをすばやく吸引できます。小さい子どもでは似たような形状の先端の細いものを使えることもあります。

各論・I章 呼吸ケア　手技

寝た姿勢で鼻マスクを介助者がつける場合

❶ベルトの確認

上のベルトは鼻マスクに固定した状態で、下のベルトの両端を持って後頭部を上から下へ移動します。

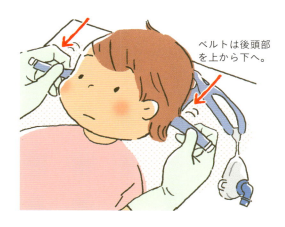

ベルトは後頭部を上から下へ。

❷鼻マスクを鼻の上にかぶせる

鼻マスクを鼻の上にかぶせたら、鼻マスクを手で押さえながら、下のベルトを片方のフックにかけます。

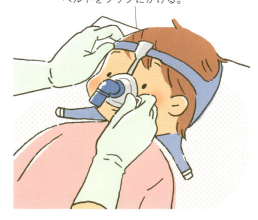

鼻マスクは手で押さえながら片方のベルトをフックにかける。

❸ベルトの調整

すでにフックがかかったほうに引っ張られないように鼻マスクを押さえながら、もう片方のフックにかけます。下のベルトを調整した後、上のベルトの締め具合を確認します。

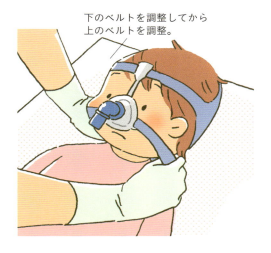

下のベルトを調整してから上のベルトを調整。

ここに注意！

Q 嘔吐（おうと）したときは？

A すぐにいったんマスクを外して、吐物を口や鼻から取り除いて誤嚥（ごえん）させないようにしましょう。

087

❹**人工呼吸器をつける**

　鼻マスクに人工呼吸器の回路をつなぎます。人工呼吸器のスイッチを入れます。

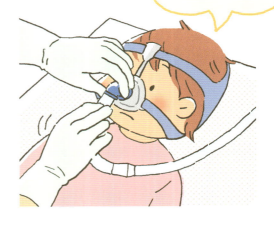

1カ所だけある呼気の出口（インターフェイスの呼気ポートや人工呼吸回路の呼気弁）を塞がないように！

Q 人工呼吸器の画面のチェックはどこを見たら良いですか？

A 病院や人工呼吸器レンタル業者からの指導により、画面表示のうちで確認するように言われたポイントを特に注意して見ましょう。
たとえば、この写真のような人工呼吸器の場合、左端に気道内圧を示すバーがついています。バーが上がったときに胸が上がり、バーが下がると胸が下がることを確認します。これにより、簡便に動作がうまくいっていることがわかります。

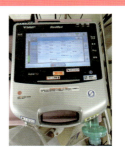

ここに注意！

Q 成長・発達をふまえて、気をつけることはありますか？

A インターフェイスで同じ場所を圧迫して変形しないように、できれば複数のインターフェイスを使い分けましょう。成長により、インターフェイスを変更しましょう。

寝た姿勢で鼻ピローを介助者がつける場合

❶器具を確認する

鼻ピローの上下、左右を確認し、両鼻孔(びこう)に鼻ピローをあてます。

❷ベルトの調整

ベルトの左右を持って後頭部の上から下のほうへ下ろします。ベルトは後頭部の上方にくるようにして、ベルトの上の部分を微調整します。頬(ほお)の横でベルトの位置や左右均等性、ゆるさの確認をします。

> **ここに注意!**
>
> **Q 食事や水分摂取(せっしゅ)はどうしたらよいのですか？**
>
> **A** 練習すると飲水時や食事時にマスクをつけたままでできる子どももいます。しかし、すぐにはできない場合は、人工呼吸器をはずせる時間に応じて鼻マスクや鼻ピローを外して飲水や食事をしましょう。

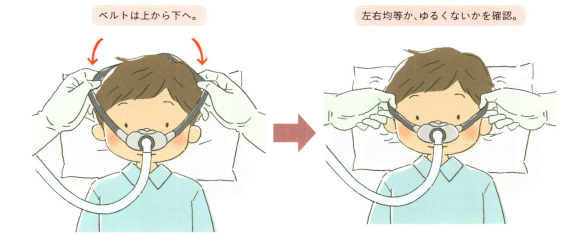

ベルトは上から下へ。 → 左右均等か、ゆるくないかを確認。

❸**鼻ピローのフィッティングを確認**

鼻ピローの中央部分を持って、わずかに持ち上げるようにして鼻孔(びこう)へのフィッティングの最終調整をします。

Q 人工呼吸器のアラームへの対処は？

A 子どもの顔色が悪かったり、空気がちゃんと入っていないとき、すぐにマスクや回路を直しても改善しない場合は自己膨張式バッグとマスクで換気を補助します。それでも改善しないときは医療機関に連絡します。
子どもの様子に変わりがないときは、画面に表示されているアラームの内容を見て対応します（いろいろ試しても改善しないときは、あらかじめ指定されている24時間対応の連絡先に連絡します）。

Q インターフェイスやベルト、人工呼吸器回路のメンテナンスはどうしたらよいのでしょうか？

A インターフェイス（マスク）やベルト、人工呼吸器回路など、それぞれの管理の方法をご紹介します。

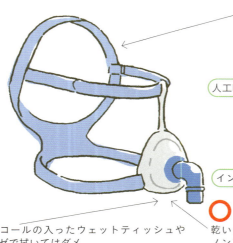

ベルト　マジックテープ部をつけた状態で手洗い、または洗濯ネットに入れて洗います。
洗剤や柔軟剤は必要に応じて使ってください。日陰干しします。

人工呼吸器回路　汚れや劣化がなければ　変えなくても良いです。ぬるま湯や中性洗剤で洗い、日陰干します。呼気弁のある回路は、その箇所だけは別にして洗浄し、ゆるみのないよう締めます。

インターフェイス（マスク）

✗ アルコールの入ったウェットティッシュやガーゼで拭いてはダメ（シリコン部が硬くなってしまいます）。

○ 乾いた柔らかい布、ティッシュ、湿ったタオル、ノンアルコールのウェットティッシュなどで拭きましょう。洗うときはぬるま湯と中性洗剤で。

＊NPPVの効果と副作用

効果と副作用の確認ポイント

効果確認、効果がないときの対策

- □ ベルトのずれ、ゆるみ
  マスクのずれ、ゆるみ
  （マスク周囲にエアの
  もれが増えていませんか？）
  →ベルトやインターフェイス
  を調節します。

- □ 鼻づまり、鼻汁はありませんか？
  →点鼻薬をさす、鼻孔をこよりや
  綿棒で拭く、口鼻マスクに交換
  します。
  →加温加湿を強化します。

- □ 首の向きが曲がり過ぎたりねじれ
  たりしていませんか？
  →空気が通りやすいように直しま
  しょう。

- □ 胸の動きは人工呼吸器の吸気で膨
  らんでいますか？
  →インターフェイス、回路、人工
  呼吸器の作動のチェック、痰は
  ありませんか？

- □ 酸素飽和度（94％以下などいつも
  に比べて下がっていませんか？）
  →救急蘇生バッグで換気すると上
  がりますか？
  →咳介助をすると上がりますか？
  →低下の原因が不明なときは医師
  に相談してください。

副作用のチェックポイントと対策

- □ 頭髪部に脱毛や湿疹はありませ
  んか？
  →ベルトが頭部にあたる位置に
  は違うものを使用、布で保護
  する、医師からローションや
  軟膏を処方してもらいます。

- □ 目にエアが吹きつけていません
  か？

- □ 目やにや涙がついていたり、目
  が赤くなったりしていません
  か？
  →インターフェイスやベルトの
  調節、別の形のインターフェ
  イスに交換、目薬をさします。

- □ 耳の痛さ
  →耳抜き、点耳、中耳炎かどう
  か診察してもらいます。

- □ マスクのあたる部位に褥瘡（赤
  くなったり、すり傷、滲出液）は
  ありませんか？
  →マスクを軽く持ち上げて除圧
  したりフィッティングし直す
  「プッシュアップ」のときに見
  てみましょう。
  →対策は、予防としてテープや
  絆創膏を貼る、褥瘡が治るま
  であたる部位が異なるイン
  ターフェイスに交換します。

- □ 鼻づまり、鼻の乾燥
  →点鼻薬をさす、加温加湿の強
  化

- □ 口の乾燥
  →飲水、加温加湿の強化

- □ 腹部に空気が入って膨れていま
  せんか？
  →ゲップやおならで排気しま
  す。胃管や胃瘻があれば脱気、
  腹部マッサージや浣腸をす
  ることもあります（普段から
  便秘がないようにしておきま
  しょう）。加温加湿の強化。

家族に伝えたいNGケア・リスクポイント

- ☑ 咳が弱い患者さんは、痰がうまく出せないとNPPVの空気の通り道を塞いでしまいます。必要に応じて、手や機械（カフアシスト®）で咳を介助して、気道を確保しましょう。
- ☑ 気管切開に使う人工鼻は使用禁忌です。
- ☑ 睡眠時のみのNPPVでも、風邪をひいたらNPPVを外せなくなる場合があります。人工呼吸器やバッテリーに何かあっても対処できるように、バッグバルブマスクは用意しておきましょう。

こんなときどうする？

Q 鼻マスクの当たる部位の褥瘡対策はどうしたらよいですか？

A 褥瘡ができている部位にあたらないマスクや鼻ピローを選んで、一時的にでも使用します。数日使用すると褥瘡は軽快します。再び元のマスクを使用する場合は、皮膚トラブルの原因になったと考えられること（たとえばマスクやベルトの劣化、フィッティング不良など）を修正してから使用してください。または、褥瘡予防のために医療用接着剤を利用した、安価で肌にやさしいテープなどを貼って保護することもあります。できてしまった褥瘡の治療は一般的な方法と同じです。

褥瘡予防対策やエアリーク対策

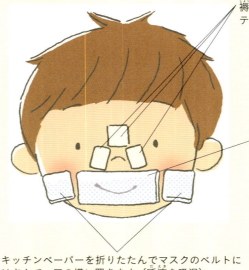

- 褥瘡予防に医療用接着剤のテープを貼布。
- キッチンペーパーを折りたたんで、口の上にあてます。テープやベルト、逆さにしたアイマスクなどで押さえます（リーク対策と唾液の吸湿）。
- キッチンペーパーを折りたたんでマスクのベルトにはさんで、口の横に置きます（唾液を吸湿）。

Q 人工呼吸器のアラームが鳴り過ぎて困ります。

A NPPVでは、人工呼吸器の圧などで厳密なアラームを設定すると、しょっちゅうアラームが鳴ることになってしまいます。不要なアラームがあまり鳴り過ぎないような設定を医師と相談し、必要に応じて、酸素飽和度モニタをアラーム設定して、特に睡眠時などに使うと良いでしょう。

（石川悠加）

● 参考文献
1）日本呼吸器学会NPPVガイドライン作成委員会. "小児". NPPVガイドライン. 改訂第2版. 南江堂, 2015, 143-7.
2）日本リハビリテーション医学会神経筋疾患・脊髄損傷の呼吸リハビリテーションガイドライン作成委員会. "非侵襲的陽圧換気療法（NPPV）" 神経筋疾患・脊髄損傷の呼吸リハビリテーションガイドライン. 金原出版, 2014, 47-69.
3）竹内伸太郎, 高田学, 石川悠加. 神経筋疾患における睡眠時鼻マスクNPPVの口からのエアリーク対策. 人工呼吸. 32(1), 2015, 44-9.
4）一般社団法人日本呼吸療法医学会小児在宅人工呼吸検討委員会編著. 小児在宅呼吸療法マニュアル 第2版. 寺澤大祐ほか監修. メディカ出版, 2022, 12-21.

手技 5 ネーザルハイフロー

✲ ネーザルハイフローとは

ネーザルハイフローは、専用の鼻カニューレを用いて、加温加湿された高流量の空気や酸素を送り込む呼吸ケアの方法です。ネーザルハイフローと同じく、気管切開を必要としない非侵襲的陽圧換気療法（NPPV）と比べて患者の受け入れが良く、導入期間も短くて済むため、ここ数年で在宅での使用も増えています。

しかし、今のところ小児では在宅でのネーザルハイフローについて保険適応はなく、導入や算定については、それぞれの病院が判断することになります。多くはNPPVと同じ、在宅人工呼吸指導管理料および人工呼吸器加算を算定しています。実際の治療には、在宅用人工呼吸器のCPAPモード（一定の圧を設定）が用いられていましたが、最近はハイフローモード（一定の流量を設定）を搭載した機種や在宅用のハイフロー専用装置も登場しています。

✲ ネーザルハイフロー使用による効果

ネーザルハイフローには、下記のような効果があります。

・気道に陽圧がかかり、空気の通り道が安定し、楽に呼吸をすることができます。
・加温加湿により鼻腔の乾燥を軽減し、気道の粘膜線毛運動を正常化します。
・酸素を使用する場合、高流量での投与により、肺に取り込まれる酸素濃度が安定します。
　※低流量（通常）の酸素投与では、鼻や口の周りの空気と混じり合うため、呼吸の大きさや速さによって、取り込まれる酸素濃度は変動します。
・解剖学的死腔（鼻腔内など酸素－二酸化炭素のガス交換に関与しない気道）にフローが循環し、二酸化炭素を多く含んだ呼気ガスを洗い流します。

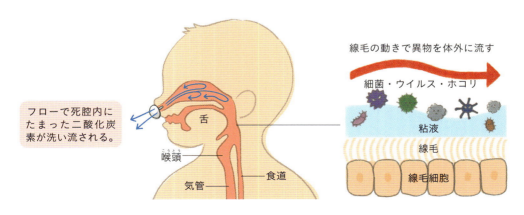

✱ ケアの進めかた

❶準備物品

病院より支給もしくは貸与
- 在宅用人工呼吸器もしくはハイフロー専用装置
- 熱線入り回路
- ハイフロー専用鼻カニューレ
- 加温加湿器
- 精製水
- 酸素濃縮器(不要の場合もある)

自費で購入
- 鼻カニューレの固定に用いる医療用テープ

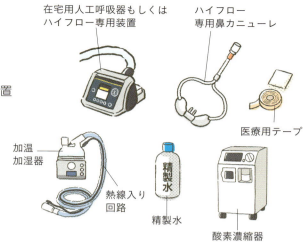

❷在宅での使用方法

　おおむね、ほかの人工呼吸療法と似たような使用方法です。人工呼吸器に加温加湿器、熱線入り回路を接続して、専用の鼻カニューレから送気できるようセッティングします。鼻など気道の粘膜を痛めないように、しっかりと加温加湿できることが重要です。

　加温加湿器の釜(チャンバー)は、点滴のように自動給水されるタイプが便利ですが、直接精製水を手注ぎするタイプを用いると、水をぶら下げるポールが不要となります。車いすなどで移動するときは、機器が倒れないようにしっかりと固定するなどの工夫が必要です。

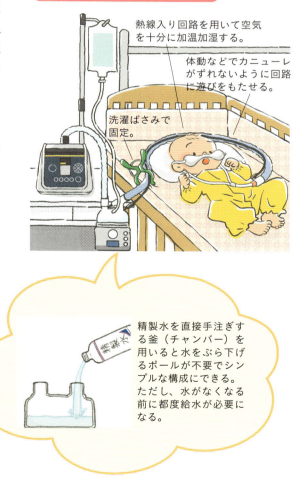

車いすや台車に積んでの使用

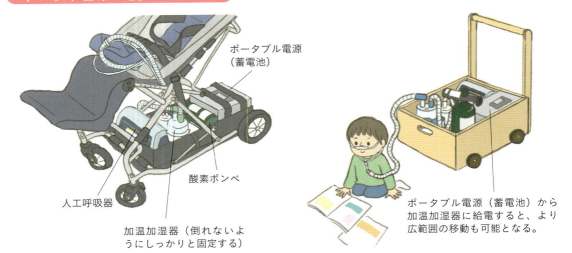

- ポータブル電源（蓄電池）
- 酸素ボンベ
- 人工呼吸器
- 加温加湿器（倒れないようにしっかりと固定する）
- ポータブル電源（蓄電池）から加温加湿器に給電すると、より広範囲の移動も可能となる。

❸カニューレの装着・固定方法

在宅で使用可能なハイフロー専用鼻カニューレはいくつかの種類があり、それぞれ装着・固定方法が少しずつ違います。

専用の粘着パットで頬に固定するタイプ

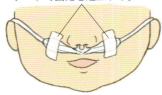

粘着パットが剥がれる場合は、テープで固定を追加する。

（写真提供：チェスト株式会社「GGM ネーザルインターフェイス（新生児用）」）

テープで固定するタイプ

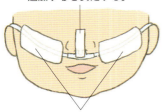

テープで鼻に固定を追加すると安定する。

専用の固定テープもしくは医療用のテープでカニューレを顔に固定する。

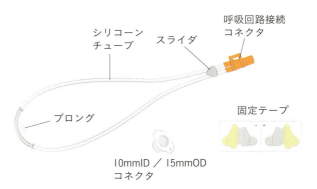

- シリコーンチューブ
- スライダ
- 呼吸回路接続コネクタ
- プロング
- 10mmID／15mmOD コネクタ
- 固定テープ

（写真提供：イワキ株式会社「Nuflow」）

各論・I章 呼吸ケア　手技

ヘッドキャップやバンドで固定するタイプ

固定ベルトは左右均等に締める。

ヘッドキャップは後頭部の真ん中にくるよう被せる。

（写真提供：カフベンテック株式会社「FOXXMED ネーザルカニューレ（新生児用）」）

（写真提供：チェスト株式会社「GGM ネーザルインターフェイス（小児用）」）

こんなときどうする？

Q カニューレ固定のポイントや注意点を教えてください。

A カニューレは鼻プロング（鼻孔内に入るカニューレの先端部分）が鼻孔から外れないように、適宜、頰や鼻にテープを追加して固定します。粘着パットやテープは、皮膚かぶれに注意が必要です。テープ位置を少しずつ変えるなどして皮膚を休めたり、低刺激性テープや皮膚被膜剤（保護剤）を用いるとよいでしょう。

ヘッドキャップやバンドは、ずれやすいですが着脱が容易です。ヘッドキャップの代わりに、ゴムバンドや不織布マスクのゴム紐をつけるなどの工夫が有効な場合があります。

カニューレが回路の重さに引っ張られて、ずれや皮膚トラブルに繋がることもあります。回路は少し遊びをもたせ、垂れ下がらないように、サポートアームやベッド柵などに一部を固定するとよいでしょう。

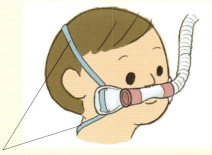

ヘッドキャップの代わりにゴムバンドを使用してフィット感を高める。

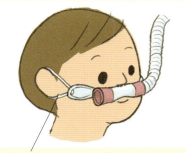

不織布マスクのゴムひもを利用する。

097

Q ネーザルハイフローとNPPVはどのような違いがありますか？

こんなときどうする？

A 両者とも気管切開を必要としない点は共通ですが、NPPVは鼻マスクなどのインターフェイスを顔に密着させることで、より高い圧をかけることができます。また、ネーザルハイフローは、一定のフローを流し続けるのに対して、NPPVでは吸気と呼気のそれぞれに圧などの設定が決められ、この圧較差が吸気を助け、より強力に肺の換気を補助することが可能です。

ネーザルハイフローのほうが導入は容易ですが、十分な効果が得られない場合は、NPPVなどほかの方法へ切り替える必要があります。

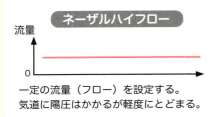

一定の流量（フロー）を設定する。
気道に陽圧はかかるが軽度にとどまる。

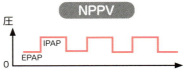

吸気と呼気にそれぞれ圧などを設定する。
より強い圧をかけることができる。
※ IPAP＝吸気圧、EPAP＝呼気圧

家族に伝えたい NGケア・リスクポイント

☑ **鼻プロングのサイズ**

カニューレのサイズは、鼻プロングと鼻孔（びこう）の間にしっかりと隙間ができる大きさにすることが重要です。鼻孔を塞いでしまうとリーク（フローの逃げ道）が確保できず、胃膨満や肺の過膨張、気胸などを引き起こしてしまいます。

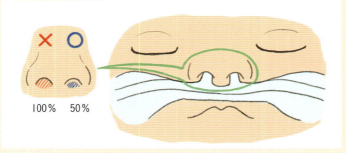

鼻プロングは鼻孔（びこう）の面積の50％程度のものを選び、十分な隙間があることを目視で確認します。

☑ **呼吸器と加温加湿器の付け忘れに注意**

呼吸器と加温加湿器には、それぞれ電源のスイッチが付いています。入浴などで使用を一時中断することもありますが、再開するときには加温加湿器のスイッチを入れ忘れないようにしましょう。短時間の中断では、あえて呼吸器や加温加湿器の電源は切らないようにしておくのもよい方法です。

☑ **呼吸器の回路外れアラームは鳴らない**

　ネーザルハイフローは、リークがあることが前提になっており、回路外れなどの呼吸器アラームが鳴りません。使用時には、回路が正しく接続されているか、鼻プロングからフローやリークの音が聞こえるかについて定期的に確認しましょう。

☑ **結露が多すぎるようなら、主治医に相談を**

　熱線入りの回路は、結露ができにくいようになっていますが、鼻カニューレ内では結露を生じ、水滴が鼻腔内に噴き出すことがあるため注意が必要です。結露を完全に防ぐことは難しいですが、使用中断時には結露を払ったり、鼻カニューレが外気で冷やされたりしないように配慮するとよいでしょう。加温加湿の設定が高く、フローが少ないと結露ができやすい状況となります。結露の問題が大きいようであれば、主治医と設定について相談するとよいかもしれません。

（川村健太郎）

● **参考文献**

1) 日本小児神経学会社会活動委員会，宮本雄策編．医療的ケア研修テキスト．改訂増補版．北住映二監修．京都，クリエイツかもがわ，2023，159-66．
2) 北住英二ほか編．重症心身障害／医療的ケア児者 診療・看護実践マニュアル．改訂第2版．東京，診断と治療社，2022，73-4．
3) 大野進．急性期から慢性期までハイフローネーザルカニュラ，NPPVの機器調整．日本小児呼吸器学会雑誌．31（1），2020，27-30．
4) 道下麻未ほか．高流量鼻カニューラ酸素療法と多職種連携により，安定した在宅療養が可能となった21トリソミーの1例．東京女子医科大学雑誌．91（2），2021，148-52．

手技 6 在宅酸素療法

☀ 在宅酸素療法を利用するには

　在宅酸素療法（Home Oxygen Therapy：HOT）は、どれくらいお金がかかるのでしょうか。月に1回定期受診と管理料をとる病院（以下、管理病院）にすることで、病院は「在宅酸素療法指導管理料」（表1）を保険請求し、ここから酸素を扱う業者に委託されます。業者は、患者さんに対して病院から指示された物品や機械を設置したり、点検を行ったりします。基本的には乳幼児医療費助成制度で賄われるため、子どもが小さいうちは自己負担はほとんどありません。乳幼児医療費助成制度の範囲外でも、医療保険の対象となるため、家族の保険に応じて1～3割の自己負担で賄えます。

　小児慢性特定疾患や他の制度が利用できることもありますので、かかりつけ医と相談しておきましょう。いずれの装置を使用しても、電気代やテープなどは自己負担となります。

表1　在宅酸素療法指導管理料

在宅酸素療法指導管理料	1	チアノーゼ型先天性心疾患の場合	520 点
	2	その他の場合	2,400 点
酸素濃縮装置加算			4,000 点
酸素ボンベ加算	1	携帯用酸素ボンベ	880 点
	2	1以外の酸素ボンベ	3,950 点
液化酸素装置加算	1	設置型液化酸素装置	3,970 点
	2	携帯型液化酸素装置	880 点
在宅酸素療法材料加算	1	チアノーゼ型先天性心疾患の場合	780 点
	2	その他の場合	100 点
乳幼児呼吸材料加算（6歳未満）			1,500 点

☀ HOT を持って帰る前に準備するもの

- 自宅に設置する装置と外出用／緊急時の装置：業者から供給される
- 経鼻カニューレ：業者から提供される
- 精製水：蒸留水、酸素濃縮装置で使用。本来は管理料に入っているため管理病院から支給される
- パルスオキシメータ：一定条件下では、無料で業者からレンタルや購入補助が可能
- テープ：かぶれないように工夫が必要。実費購入が必要
- 設置場所と電源の確保：たこ足配線は禁止

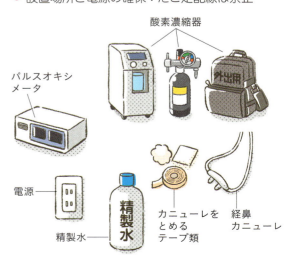

✱ 在宅酸素療法に使用する装置

　終日使用する場合には、自宅に設置する装置と、外出用の装置を組み合わせて使用します。

　外出可能なものには複数種類がありますが、携帯型酸素濃縮装置と酸素ボンベなど、複数を同時に使用することはできません。小児では呼吸同調器は呼吸数が早く使用できないため、基本的には連続で使用します。どの機種を選ぶのかは酸素流量や生活スタイルによっても変わります（表2）。

　携帯用酸素ボンベは、緊急時・機器の故障時などにも使用可能です。

　薬局などで市販されている酸素スプレーは非医療用で、容量は5〜7L程度のものが多いです。酸素濃度は90％以上ですが、流量調節などはできず短時間の使用しか想定されていないため、医療用として使用してはいけません。

表2　HOTの種類

自宅で使用する据置型装置

	レンタルパターン	電源	酸素濃度	酸素流量	その他
①酸素濃縮装置 空気の中の8割を占める二酸化炭素を吸着し、酸素濃度90％以上の空気を発生させる装置＊	酸素濃縮装置（自宅）＋携帯酸素装置（外出時）	必要（停電時停止）	＞90	機種により0.25〜7L／分	外出時には別途酸素ボンベが必要、機種によってリモコンで酸素流量変更が可能
②液化酸素装置 設置型の親機に液体酸素が入っており気化する酸素を吸入する装置	液化酸素装置（自宅・親機）＋液化酸素装置（外出・子機）	不要（停電でも使用可能）	100%	高流量も可能	親機から子機へは自分で充填が必要 / 親機の定期的な交換が必要 / 子機が酸素ボンベよりも軽い / 使用前に届け出が必要

＊分離膜を利用して40％の空気を作る「膜型酸素濃縮装置」（マイルドサンソ®）があるが、吸着型酸素濃縮器の酸素流量が低流量にも対応可能となったため、現在では限られた処方となっている。

外出時に使用する携帯型装置

	重さ	電源	酸素濃度	その他
①液体酸素装置（子機）	軽い	不要	100%	自分で親機から充填が必要、飛行機内持ち込み不可
②携帯用酸素ボンベ	重い（容量によって異なる）			会社から供給、長期間保存可能
③携帯用酸素濃縮装置	軽い		＞90%	ハイサンソポータブル®（帝人）連続式では0.5L／分、同調式では1、2、3L／分　エアウォークライト®（フクダ電子）同調式で1、1.5、2、2.5L／分

外出時には大体何時間外出するのか、ボンベが足りるのかよく考える必要がある。

使用・設置に関する注意点（表3）

HOT 使用時には火気を避けることがもっとも大切です。

いずれを使用していても火気（ライター、ストーブ、こたつ、ガスコンロ、花火など直接火が見えるようなもの）から<u>2m以上</u>離します。HOT 使用中の火災事故のおよそ半数は、喫煙が原因という調査結果もあります[1]。本人だけでなく、家族も喫煙しないようにしましょう。液体酸素の子機への充填時は、5m以上離す必要があります。

また、水気・湿気・直射日光なども機器の異常を起こす原因となりますので、加湿器の周囲や直射日光の当たる場所などは避けて設置しましょう。これらの注意は、酸素ボンベの保管でも同様です。

火が出なくとも、高温になるようなもの（ドライヤーやこたつ、電気ストーブ等）のそばでは、チューブが劣化する可能性があるため注意が必要です。

表3　酸素濃縮装置使用時の注意点

火気を避ける（2m以上）
ライター、ストーブ、ガスコンロなど 酸素濃縮装置だけでなく、酸素カニューレや延長チューブも 2m 以上離す。 居間が台所と隣接しているときには、居間に酸素濃縮装置を置かない配慮が必要である
水気を避ける
湿気（窓の近く）、加湿器
直射日光を避ける
窓の近くを避ける
壁に密着させない
前後左右 15cm 以上あける
その他
たばこの煙を避ける

酸素濃縮装置設置場所
火気からは 2m 以上離す。
日当たりのよい場所には置かない。
壁から 15cm 離して置く。

設定流量

状態に応じて管理病院が流量を決めます。

かぜをひいたときなどは酸素の必要量が増えることが多いため、あらかじめどのような場合には流量を変えてよいのかについて、主治医と相談しておきましょう。

酸素の流量を勝手に変更するのは大変危険です。使用時間・流量を守り、変更する必要があると感じた場合には、必ず医師に相談してからにしましょう。一時的に酸素を上げて SpO$_2$ が上がったとしても原因の解決になっておらず、SpO$_2$ だけが安定して見かけ上は落ち着いているように見えてしまい、結果治療に遅れが生じることがあります。処方流量が変わったときは、SpO$_2$ がたとえ安定していても乳幼児の場合、普段よりも元気がない、眠る時間が長い、機嫌が悪い、いつもよりも心拍数が高いといったわずかな変化しかないことがあります。こういう場合には、流量を元に戻す必要があるので、注意してみておきましょう。また、状態が良いからと酸素療法を中止していて、本人の状態が急変することがあります。

✳ 酸素を吸入する器具

HOT では特殊な場合を除き、鼻カニューレの使用が一般的です。鼻カニューレは HOT 事業者から供給されます。一般的な鼻カニューレ、リザーバー付き鼻カニューレなどがあります。先端の形状や全体の大きさなどを選ぶ必要があります。

下記に例を紹介していきます。

❶鼻カニューレの固定に関して

特に乳幼児では、ずれやすいため頬に固定して使うことが多いです。固定用のテープなどは自己負担です。粘着力が強すぎると、剥がすときに皮膚を傷つけるので注意しましょう。テープかぶれを起こす場合には、あらかじめ下に被覆剤などを貼ってから固定を行うなどの工夫が必要です。

また、耳の上、鼻の下にチューブによる圧迫で褥瘡が形成されることがあるので注意しましょう。あらかじめ耳の上に除圧できるようなものを貼っておいたり、耳にかけずに使用したりという方法もあります。

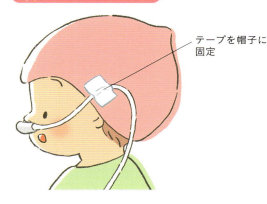
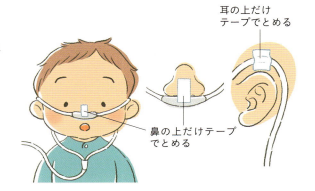

鼻カニューレ固定／テープを帽子に固定／耳の上だけテープでとめる／鼻の上だけテープでとめる

❷カニューレ使用時の注意

自分でプロングを外すことができる、または苦しいときにスムーズに口呼吸に切り替えられるようになる生後半年～1歳頃までは突起のないカニューレが推奨されています。プロングがあるタイプではプロングが鼻を挟まないようなサイズのものを選びましょう。

❸延長チューブに関して

室内で自由に動く場合には、延長チューブが必要です。引っ張られたりドアに挟まったりしないように工夫しましょう。

✳ 装着方法

酸素をつける前（終日つけている場合には1日1回は）には、濃縮装置のフィルターにほこりがないか、カニューレ・延長チューブのつなぎ目がゆるんだり、穴が開いたり折れたりしていないか必ず確認しましょう。

✻ 日々のお手入れ

❶酸素濃縮器周囲のお掃除
　濃縮器は、周囲の空気を吸い込んで高い酸素濃度の空気を作り出す機械です。本体の周りにほこりがたまらないようにしておきましょう。

❷酸素濃縮装置のフィルター
　掃除機などで定期的にほこりを吸い取りましょう。週に1回は水洗いして十分乾燥させてから使用しましょう。

❸加湿瓶
　吸着型酸素濃縮装置では、出てくる酸素が非常に乾燥しているため加湿器が付属しています。中の水は必ず精製水（蒸留水）を使用し、最低でも週に1回以上は洗剤で洗いましょう。

❹酸素カニューレ
　特に小児では先端が汚れやすいので、1日1回は掃除しましょう。固くなったら新しいものと交換しましょう。

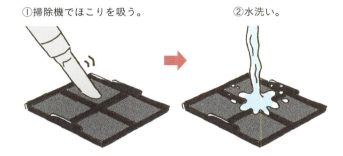

①掃除機でほこりを吸う。　②水洗い。

✻ 酸素を測る機械（パルスオキシメータ）

　2020年から、6歳未満の乳幼児でHOTを行っている子どもでは自己負担なくパルスオキシメータが貸与できることになりました（乳幼児呼吸材料加算）。また、小児慢性特定疾病のなかで対象となる疾患のうち、人工呼吸器の装着が必要なものには日常生活用具として給付が可能です。プローブは業者から支給される場合と自費購入の場合があります。

　装置本体とプローブにはさまざまな種類があるので、使いかたによって適切なものを選ぶ必要があります。乳幼児では、自宅で使用する機種はアラーム機能があるものを選びます。アラームの設定は管理病院が行います。

❶クリップタイプ
　本体と一体型、分かれているものがあります。安価、短時間使用用、手または足指で測定するものです。

❷粘着テープタイプ
　本体が高価ですが、乳幼児でも容易に測定でき、連続装着が可能です。長時間装着する場合は、低温熱傷を起こすことがあるので定期的に張り替えましょう。プローブも高価です。

　粘着タイプでは、プローブの損傷が頻繁に起こります。一本が高価なため、潤沢に渡すことはHOT事業者の負担となります。ですので、引っ張らないような固定を工夫する、家族の目が離れるとき以外はモニターを外すことができるかど

うか検討しましょう。つなぎ目を補強するなどで壊れにくくなることがあります。

プローブが壊れているのかどうか不安なときは、自分の指で測ってみましょう。

数値がいくつなら問題ないのかは、病気によって異なります。どうなったら受診が必要なのかについてよく病院で聞いておきましょう。

こんなときどうする？

Q 頻繁にアラームが鳴ります、モニターをつけなくてもよいですか？

A 成長して動くようになったり、本人の状態が変わったりすると、うまく測れないなどでアラーム回数が増えることがあります。頻繁にアラームが鳴っていると、「またか」と慣れが生じ、いざというときの反応が遅れることがわかっています。日中や顔色を見ていられるときには、モニターをつけなくてもよいことが多いため、アラームの設定も含め主治医とよく相談しましょう。

Q パルスオキシメータできちんと測定できているのか、どうしたらわかりますか？

A パルスオキシメータは、指先などに光（LED）をあてて血管内の SpO_2 を測っています。

このため、マニキュアがしてあったり、強い光があたっていると正確に測れません。また、寒くて血管が縮んでしまっていたり、プローブを強く押し当てたり、逆に緩く巻いたりして血管をつぶしてしまったりすると正しく測れないので注意しましょう（テープタイプでは「皮膚に沿わせるよう」に貼るのが良い）。波状や帯状のマークがきちんと出ているときは、血流がきちんと検知できていることを示しています。

パルスオキシメータでは、SpO_2 と同時に脈拍数も測っています。きちんと測定できているときは両方の表示が出ています。

パルスオキシメーター

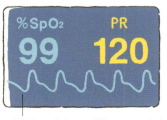

脈波形　きちんと測れているときは波が途切れない

バーが行ったり来たりすることで脈波レベルを示す
いちばん上 or 右がよい状態

たまに出ている Pi 値
指先を循環する動脈血が少ないと小さくなる。
→1.0 以上ないと正確に測定できていない、または血流が悪い。

酸素が流れているのか心配です

A コップの中に水を入れてカニューレ先端をつけてみましょう。酸素が流れていれば泡が出てきます。

HOTを使用して出かけるときに気をつけることはありますか？

A 宿泊を伴う場合は、HOT、在宅人工呼吸器ともに事業者に連絡します。HOTでは、旅行先に機器を設置してもらうことを依頼します。飛行機は、高度によって上空で低酸素となったり気道閉塞を起こしたりするリスクがあるため慎重に判断します（表4）。医療機器の持ち込みには事前申告が必要なため、余裕をもって相談してもらうよう伝えます。また、旅行先で状態悪化する可能性は否定できず、受診できるような病院があるかどうか確認し、必要に応じて紹介状などを用意します。

また、酸素ボンベを車内に置き忘れて爆発した死亡事故も報告されています。保管場所に注意しましょう。

表4 交通機関利用時の注意事項（携帯用酸素ボンベ）

交通機関		酸素持ち込み制限	注意点
鉄道 　JR 　民営 　地下鉄		酸素ボンベ2本まで	禁煙車・禁煙席を使用 　（車いすを借りるとホームまで案内してくれる） 地下鉄はすべて禁煙 　（長距離旅行の際は前もって鉄道会社に連絡）
バス		酸素ボンベ2本まで	路線バスはほとんど禁煙 長距離バスや貸切りバスは喫煙可となっている場合もあるので、前もってバス会社に連絡し特別な配慮が可能か否か確認のこと
タクシー		酸素ボンベ2本まで	乗客がいる場合、乗務員は禁煙だが同乗者の禁煙も必要 液体酸素の場合は窓を少し開け換気に注意する
飛行機	国内線	本数に制限なし 　酸素ボンベの機内持ち込みが可能なサイズ 　　高さ70cm・直径10cm以下 　　総重量：5kg以下	搭乗2日前までに所定の診断書（搭乗に支障がない）・誓約書を添えて申し込む 原則として医師または看護師の付き添いを要するが、同伴者が酸素ボンベの操作を熟知している旨、医師の証明があれば可
	国際線	ボンベの持ち込みは原則として禁止	流量規定あり、マスク吸入のみが多い
船舶		酸素ボンベ2本まで （液体酸素も準ずる）	一般客室は喫煙となっているので、なるべく個室か禁煙席を利用する

Q 家族が自宅で加熱式たばこを吸っています。気をつけることはありますか？

A 一般の、いわゆる紙巻たばこと比べ火災のリスクはありません。しかし、子どものいるすべての家庭で、自宅内、子どもがいる場所での喫煙は紙巻たばこでも加熱式たばこでも使用しないようにしましょう。加熱式たばこは煙が出ないから子どもにも安全と思い込んでいる方が多いようですが、通常のたばこと同様に、吐いた息に多くの有害物質が含まれていることがわかっています。電子たばこでも同様で、これらの有害物質が肺上皮を損傷することがわかっています。生まれてきてくれたお祝いに、お子さんに禁煙をプレゼントしてもらってください。

(鈴木 悠)

● 参考文献

1) 一般社団法人日本産業・医療ガス協会 在宅酸素部会．在宅酸素療法を実施している 患者居宅で発生した火災による重篤な健康被害の事例．https://www.jimga.or.jp/files/page/hot/oyakudachi/HHN_jiko.pdf（5月1日参照）

手技 7 吸入療法

＊ケアのすすめかた

ここでは、分泌物がかたく排痰できないときや気道に炎症を起こしているときに使用する、吸入療法（ネブライザー療法）について説明します。

＊吸入療法とは

吸入療法は、薬剤をエアロゾルという霧状にして噴霧し、気道や肺胞に薬剤を到達させて、薬剤の効果を得る治療法です。気管や肺への直接的作用が望めることと、全身に対しての副作用が少ないというメリットがあります。

吸入療法の目的には、気管の拡張（気管の攣縮を抑える、浮腫を取る）、分泌物の排痰効果（加湿、分泌物をやわらかくする、線毛運動を良くする）、気管の炎症を抑える（ステロイド投与）などがあります。

＊吸入療法の投与方法

気管切開をしておらず、自発呼吸ができる場合には、専用のマウスピース（呼気を吐き出せる穴が開いているもの）を使って投与します。マウスピースが使用できないときには、マスクを使用して投与します。気管切開をしていて自発呼吸ができる場合には、マスクを使用します。人工鼻を使用しているときは、必ず外してから吸入療法を行いましょう。吸入療法の効果がないことにくわえて、人工鼻が詰まってしまい呼吸ができなくなってしまいます。気管切開をしていて人工呼吸器が外せないときには、人工呼吸器回路に薬液ボトルを組み込んだり、自己膨張式バッグに組み込んだりして投与します。使用の方法は後述します（p.110〜112参照）。

＊吸入療法装置の種類による違い

吸入療法装置には、ジェット加圧式ネブライザー、超音波式ネブライザー、メッシュ式ネブライザーがあります。

ジェット加圧式ネブライザー

部屋の空気を取り込み、4〜8Ｌ／分程度の圧縮空気を作るコンプレッサーを使用して吸入療法を行う方法です。よって、コンプレッサー式ネブライザーとも呼ばれます。

この空気を、ホースを使用して薬液ボトルに導くことで薬剤が霧状になります。エアロゾルの粒子の大きさは1〜10μmで、気管や気管支に沈着しやすいです。流量が多いほど短時間で薬剤を投与できますが、大気に逃げていく薬剤が増えて効果的でない場合もあります。

ジェット加圧式ネブライザー

「コンプレッサー式ネブライザ NE-C28」
(写真提供:オムロンヘルスケア株式会社)

ジェット加圧式ネブライザーの原理

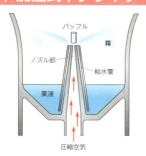

(オムロンヘルスケア株式会社資料を参考に作成)

超音波ネブライザー

超音波ネブライザーは、超音波を作る振動子によって薬液を霧状にする装置です。エアロゾルの粒子の大きさは1〜5μmで、肺胞にも到達して沈着します。熱が発生し薬剤が変性してしまうことや懸濁液(けんだくえき)(薬剤が粒子のまま溶けていない薬剤)には使用できません。以前は、ハンディー型の超音波ネブライザーが販売されていましたが、現在ではメッシュ式ネブライザーが主流になりました。卓上式の超音波ネブライザーは、後述する注意が必要です(p.113 Q 卓上式の超音波ネブライザーによる加湿効果はありますか? 参照)。

卓上式超音波式ネブライザー

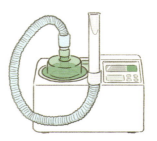

メッシュ式ネブライザー

小さな穴から薬剤が霧状になって噴霧される装置です。エアロゾルの粒子の大きさは約2μmと安定しており、肺胞へも沈着しやすいです。人工呼吸器と併用しても圧力制御に影響を与えにくく、自己膨張式バッグに接続して使用できます。しかし、高価(レンタル料も高い)であることや、薬剤ボトルのメッシュが詰まりやすいため、使用終了後に蒸留水を噴霧し目詰まりを防ぐ必要があります。

メッシュ式ネブライザー

「Aerogen™* Solo」
(写真提供:コヴィディエンジャパン株式会社)

エアゾールジェネレーター

(写真提供:コヴィディエンジャパン株式会社)

ジェット加圧式ネブライザーを使用した、人工呼吸器による吸入療法の方法

❶準備物品
- ジェット加圧式ネブライザーと接続ホース
- Tアダプターとネブライザー用薬液ボトル（消毒をしておく）
- 投与する薬液および薬液を薬液ボトルに入れるシリンジ

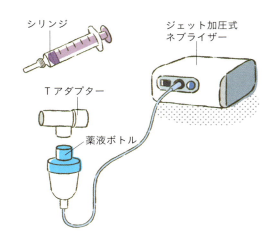

❷手を洗う
薬液ボトル内に細菌などが混入すると、エアロゾルといっしょに気管内に運ばれてしまうので、清潔操作を心掛けましょう。

❸物品の確認
必要な物品を確認します。

❹物品のセッティング
1) ジェット加圧式ネブライザーのコンセントを差し込みます。
2) ジェット加圧式ネブライザーの空気出口にホースを繋ぎ、他方のホースを薬液ボトルに接続します。
3) 薬液ボトルの下側に指示された量の薬液を入れ、薬液ボトルの上側と組み立てます。このとき、薬液ボトルが正しく組み合わされているか、斜めになったりしていないかを確認します。
4) 薬液ボトルをTアダプターに接続します。
5) 人工呼吸器回路の呼気ポートもしくは呼気弁とカテーテルマウントの間を外し、Tアダプターを挿入します。この際、薬液をこぼさないようにしましょう。また、薬液ボトルは呼吸器回路の下向きになるようにセッティングします。

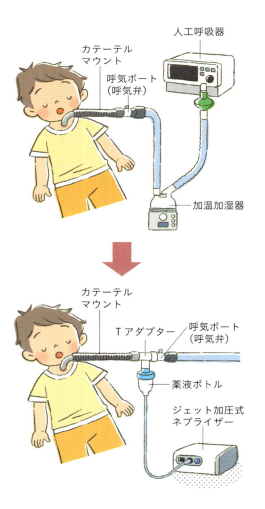

❺ 吸入療法の開始

1) ジェット加圧式ネブライザーの電源スイッチを ON にします。
2) 胸の上りかたが大きくならないか（換気量が増えすぎていないか）を確認します。人工呼吸器の最大吸気圧と、PEEP（呼気終末陽圧）が設定と変わらないか確認します。人工呼吸器の送気量に、ジェット加圧式ネブライザーのガス流量が上乗せされるので、設定圧より上昇することがあります（換気量も増加します）。圧上昇が大きい場合には、次に説明する自己膨張式バッグによる吸入療法で行いましょう。
3) SpO_2 の変動がないか確認します。酸素療法を行っている場合には、ジェット加圧式ネブライザーから送気されるガスが空気のため、酸素濃度が低下するので、酸素投与量を増加させます。
4) 分泌物が上気道に上がってくる、薬液によって気道や肺が溺れて SpO_2 が低下するようなら、気管吸引を行いましょう。
5) 薬液の噴霧が終了したら、ジェット加圧式ネブライザーの電源を OFF にします。薬液が空になってもネブライザーを続けると、加温加湿されていない空気が送られるため、気道や肺、分泌物が乾燥してしまい、せっかくの吸入療法の効果がなくなってしまいます。
6) 気管吸引を実施、肺雑音を確認します。
7) 呼吸器回路から T アダプターを外し、呼吸器回路を元に戻し、酸素投与量も元に戻すのを忘れないようにしましょう。
8) 薬液ボトルと T アダプターの消毒を行います。

Q 吸入療法は感染リスクが高いと聞いたことがありますが、本当ですか？

こんなときどうする？

A 吸入器から噴霧されるエアロゾルは 1〜10μm という説明をしました（p.108 参照）。バクテリアの大きさは 0.2〜10μm、ウイルスの大きさは 0.017〜0.3μm といわれており、エアロゾルより小さいため、バクテリアやウイルスはエアロゾルといっしょに運ばれてしまいます。よって、感染リスクが高い治療法であると言ってよいです。

したがって、使用終了後には毎回決められた方法で消毒しましょう。

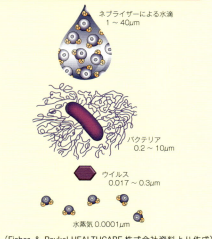

ネブライザーと病原体の大きさ

ネブライザーによる水滴 1〜40μm
バクテリア 0.2〜10μm
ウイルス 0.017〜0.3μm
水蒸気 0.0001μm

（Fisher & Paykel HEALTHCARE 株式会社資料より作成）

Q 排痰目的（加湿目的）として、生理食塩水による吸入療法は効果ありますか？

A 排痰目的に対する生理食塩水の吸入療法は短期的な効果であり、分泌物を柔らかくする効果は低いです。

ジェット加圧式ネブライザーを使用した、自己膨張式バッグによる吸入療法の方法（人工呼吸器と異なる部分のみ記載）

❶準備物品
- ジェット加圧式ネブライザーと接続ホース
- Tアダプターとネブライザー用薬液ボトル（消毒をしておく）
- 投与する薬液および薬液を薬液ボトルに入れるシリンジ
- 自己膨張式バッグ

❷～❸は、「人工呼吸器による吸入療法の方法」（p.110）に同じ。

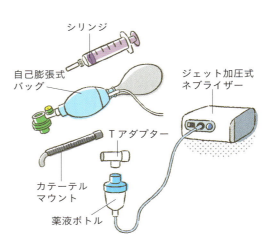

❹物品のセッティング
1) 薬液の入った薬液ボトルとTアダプターを、自己膨張式バッグの口元に取り付けます。
2) 人工呼吸器回路のカテーテルマウントの接続部を残して外し、カテーテルマウントに自己膨張式バッグを取り付け、用手換気を開始します。

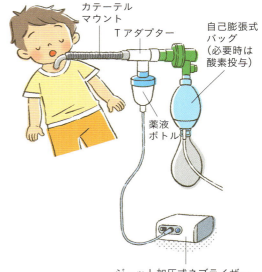

❺吸入療法の開始
1) ジェット加圧式ネブライザーの電源スイッチをONにします。
2) 胸が上がる動きを見ながらバッグを押す量を調節します。バッグを押している間は、ジェット加圧式ネブライザーのガスが送気され続けるので、換気量が増加します。バッグを押すのを止めずに、胸が上がったらバッグを離しましょう。
3) SpO_2 の変動がないか確認します。酸素療法を行っている場合には、人工呼吸器に接続されている酸素ホースを外し、自己膨張式バッグに接続し、SpO_2 を見ながら酸素量を調整します（通常より多い酸素投与量にします）。
4) 薬液の噴霧が終了したら、ジェット加圧式ネブライザーの電源をOFFにし、人工呼吸器に繋げ直しましょう。

Q 吸入療法装置は病院から支給されますか？

A 吸入療法装置が病院等の施設から貸し出されることはまれで、ほとんどが自己購入になります。呼吸器機能障害・肢体不自由の身体障害者手帳を取得している場合には、日常生活用具として給付があります。身体障害者手帳を取得していない場合でも、医師の意見書によって給付されることがあります。まずは住居のある区市町村に相談しましょう。

Q 卓上式の超音波ネブライザーによる加湿効果はありますか？

A 卓上式超音波ネブライザーは、大量の水分を投与するときに使用されることがあります。しかし、超音波ネブライザーは汚染しやすく、特に蛇腹の汚染度は高いといわれ、感染リスクがあります。以前は、家庭用の超音波加湿器が多く販売されていましたが、部屋中に細菌やバクテリアが噴霧されるということで、販売されなくなりました。

アメリカ疾病予防管理センター（CDC）のガイドラインでは、「病室内での超音波式加湿器の使用禁止」としています。

なお、大量の生理食塩水の噴霧は、気道や肺を溺れさせるばかりで、分泌物を柔らかくする効果は低いです。水分が多すぎてSpO_2が低下することもあります。超音波ネブライザの効果は、多量の水分で気道や肺が洗浄されるとともに分泌物が剥がされて取り除かれるとイメージしていただければよいと思います。

Q 吸入療法の回数を増やしても、分泌物がかたくて引けません。どうしたらよいですか？

A 吸入療法では、持続的に分泌物を柔らかくする効果はありません。分泌物がかたい場合、排痰補助装置を導入することがありますが、排痰補助装置は咳の代わりをする装置ですので、分泌物が柔らかくないと効果がありません。

次のような、持続的に分泌物を正常に保てる方法を試してみましょう。気管リークを減らすこと（気管切開チューブのサイズアップ）、体液バランスの調整（白湯の量を増やすなど）、温度設定が可能な加温加湿器への変更や温度設定の変更、呼吸器回路の保温、人工呼吸器の送気方式の変更などの方法があります。

（松井 晃）

● 参考文献

1) 松井 晃. 第3章 呼吸を助けるための機器：ネブライザー. 完全版 新生児・小児ME機器サポートブック. 第2版. メディカ出版, 2016, 192-99.

2章 栄養ケア 考えかた

ケアする前におさえておきたい子どもの特徴

✱ 食べる機能の発達

　食べる機能は、自然に身に付くものではありません。生後離乳期を通し、食べることを繰り返し学習しながら段階的に機能を獲得し、口腔・身体・精神の発達に伴い習熟していきます。しかし、何らかの原因により、食べる機能の獲得や発達が困難であったり、異なる機能を獲得してしまう場合があります。

　食事支援を行うにあたり、小児がどのような摂食機能を獲得しているか、獲得していないかを観察評価しなくてはなりません。そのためには、定型発達している小児の摂食機能の発達を理解する必要があります。

❶哺乳

　口の奥まで引き込んだ乳首は口蓋にあるくぼみ（吸啜窩）に固定され、舌の蠕動様の動きで母乳（ミルク）を流出させ飲み込みます。口を開け、顎が閉じない状態での飲み込みかたで、乳児嚥下ともいいます。このような口の動きはおもに哺乳反射で行われます。

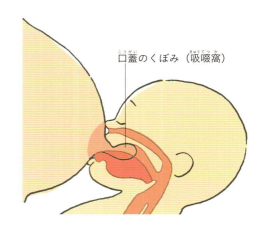

口蓋のくぼみ（吸啜窩）

❷成人嚥下と乳児嚥下

　嚥下とは、食べ物や飲み物を飲み込むことをいいます。

　嚥下には、赤ちゃんのおっぱいを飲む飲みかた、すなわち乳児嚥下と離乳期以降の飲み込みかた、すなわち成人嚥下があります。口を閉じ、顎を固定し動きを止めた状態での飲み込みかたを成人嚥下といい、離乳期を通して摂食嚥下機能（成人嚥下、捕食、押しつぶし、すりつぶし）を学習します。

❸経口摂取準備期（離乳の開始）

離乳開始の目安として、首がすわり座位が安定する、哺乳反射がなくなる、口の容積が広がり、舌が口のなかに収まるようになる、食べ物に興味を示すなどがあげられます。開始時期は個人差がありますが、おおよそ5、6カ月頃といわれています。

指しゃぶりやおもちゃしゃぶりは、口に対していろいろな刺激を与えることができ、食べ物を食べる準備として重要です。

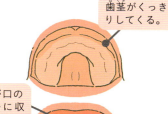

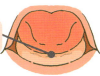

❹成人嚥下の獲得
（離乳初期5、6カ月頃）

嚥下のときに口が閉じ、顎の動きがとまります。最初は下唇が上唇に巻き込まれる様子が見られますが、徐々に上下の口唇を閉じるようになります。この時期の食物形態は、すぐ嚥下できるように滑らかなペースト状が適当です。

❺捕食機能の獲得
（離乳初期5、6カ月頃）

上唇を使ってスプーンから食物を取り込む動作を獲得します。取り込むときには、嚥下と同様に顎の動きは止まります。上唇を使うことによって、食感や温度を感じることができ、口に入る量を調整することも覚えます。

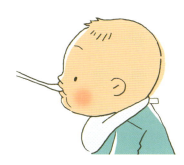

❻押しつぶし機能の獲得
　（離乳中期7、8カ月頃）

　そのままでは嚥下できない食物を舌の先で口蓋に押しつけてつぶし、飲み込みやすい形態に変えることを「押しつぶし」といいます。舌は口腔内で上下に動き、口唇は左右対称に伸縮します。この時期の食物形態は、スプーンで簡単につぶれるくらいの固さが目安となります。

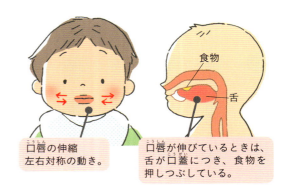

口唇の伸縮左右対称の動き。

口唇が伸びているときは、舌が口蓋につき、食物を押しつぶしている。

❼すりつぶし機能の獲得
　（離乳後期9カ月頃〜）

　押しつぶしでつぶれない固さの食物を歯茎でつぶすことを、「すりつぶし」といいます。舌を側方に動かし食べものを歯茎に乗せ、頬粘膜と舌で落ちないように保持します。顎・舌・頬の協調運動により引き出される動きです。口唇はねじれるような左右非対称の動きをします。この動きを覚えるときは、まだ乳臼歯は未萌出のため、歯茎でつぶせる固さ（親指と人差し指でつぶれる固さ）で、歯茎にのるくらいの大きさが適当です。固いものでないと噛むことが覚えられないということはありません。逆に固すぎる形態では、しっかりつぶすことができず、丸飲みになってしまいます。

食物が歯茎にのっている側に力が入る。

❽かじり取り機能の獲得（1歳前後から）

　前歯で食物の大きさを調整して取り込むことを「かじり取り（前歯咬断）」といいます。前歯は感覚が鋭敏で、食物の固さを認識できます。かじり取ることで口に入る量を調整します。

❾自食機能の獲得（9カ月頃〜）

　すりつぶし機能を獲得する時期くらいから、自分で食べる行動（自食）が始まります。小児自ら食物を手に持って口に運ぶ手づかみ食べから、次第にスプーンやフォークを使うようになります。

❿水分摂取について

　水分は食物と比較し流れが速く、口腔内のコントロールが難しいです。スプーンからの一口飲み、コップの一口飲み、コップの連続飲み、ストローへと進めていくと良いでしょう。

各論・2章 栄養ケア

考えかた

＊成長による変化

❶咽頭部の成長変化

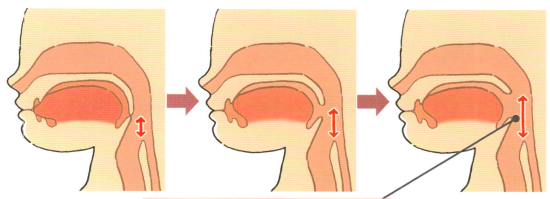

咽頭部が長くなると、誤嚥・窒息の危険性が増加する。

❷口腔内の変化

前歯の交換期

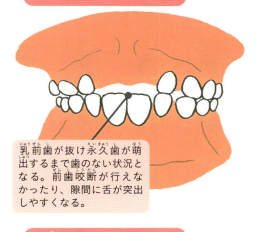

乳前歯が抜け永久歯が萌出するまで歯のない状況となる。前歯咬断が行えなかったり、隙間に舌が突出しやすくなる。

臼歯の交換期

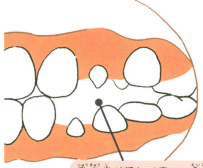

乳臼歯が揺れて痛い、永久歯が咬み合わないなど、咀嚼機能の低下をまねき、丸飲み、窒息の危険が増す。

咬み合わせの変形

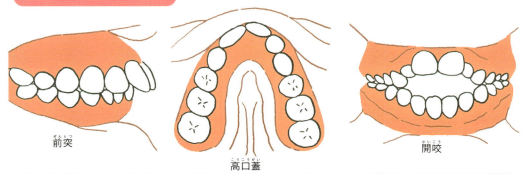

前突　　高口蓋　　開咬

上唇の力が弱い、舌の前後の動きが強いなどにより咬み合わせが変化し、摂食機能に影響を与えることもある。前突や開咬があると口唇が閉じにくくなり、嚥下、捕食機能の悪化が見られ、高口蓋では押しつぶし機能の低下が見られる。

＊摂食嚥下機能障害とその対応

❶哺乳障害

　低出生体重児や、障害があり哺乳反射が獲得できず哺乳が困難な場合や誤嚥がある場合は、医療的な対応（経管栄養など）が必要になることがあります。口腔の形態に問題がある唇顎口蓋裂の場合は、哺乳のための装置（哺乳床）や特殊な乳首を使用することもあります。

❷誤嚥と窒息

　嚥下時に起こる問題として、食べ物や唾液が食道に入らず気管に流れ込む誤嚥と、食べ物を詰まらせる窒息があります。咽頭部は食べ物と空気の流れが交差するところですが、そこでの交通整理がうまくいかない場合に起こります。上向きの姿勢、口に食物があるのに息を吸うなどで、誤嚥・窒息が起きやすくなります。また、詰め込みや噛まずに飲み込むなどの食べかたは、窒息の危険を高くします。

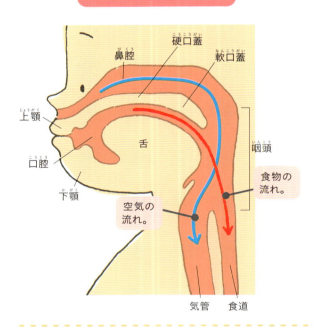

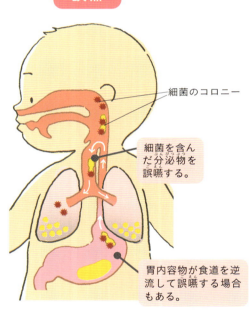

❸経口準備不全

　感覚刺激に対して、敏感に反応することを「過敏」といいます。脳の発達の未熟さ、指しゃぶりなどの感覚刺激体験不足が原因と考えられ、スプーンや食べものを嫌がることにつながります。リラックスできるときに、触られると嫌がる箇所を手のひら全体でしっかり触り、触れられることに慣らしていきます。

❹嚥下機能獲得不全

前述の誤嚥のほか、乳児嚥下様の動き、舌を突出させて嚥下する場合があります。舌が口腔外に出ないように下顎を介助し、口を閉じさせて飲み込む練習を行います。

舌突出しての嚥下

❺捕食機能獲得不全

口唇を使わず歯でこそぎ取ったり、舌と上唇でスプーンを挟む場合があります。舌突出がある場合、スプーンで舌を口腔内に誘導し、下顎を閉じさせる介助が有効です。歯でこそぎ取る場合は、上唇を下方に伸ばしスプーンに触れるような介助を行います。

歯でこそぎ取る

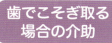
上唇と舌で取り込む

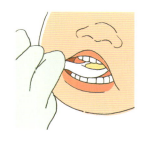

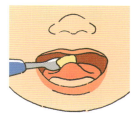

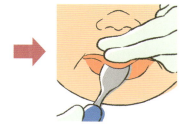
歯でこそぎ取る場合の介助

舌突出しての嚥下

舌をスプーンで押しながら介助

❻押しつぶし機能獲得不全

舌の前後の動きが残ったり、舌の上下の動きが弱い場合、食物を押しつぶせず口から出てきたり、口のなかでばらけてしまいます。口唇の伸縮も見られません。この場合、下顎を介助し、口を閉じさせ、舌が口蓋につきやすいようにします。また、まとまりやすい形態の食物を口の前方部に入れることで、押しつぶしの動きを引き出すことができます。

食物が口の外に出る、口唇の伸縮が見られない。

親指と中指で頤部を挟む。人差し指で顎角部を支える。

❼すりつぶし機能獲得不全

舌の側方の動きが見られないと、食物を歯茎や臼歯部に動かせず、噛むことができません。また機能に問題がなくとも、小さなもの、ばらけるものは口のなかで動かすことが難しく、噛めないこともあります。一口量が多く、詰め込みすぎも咀嚼の動きができなくなります。動かしやすい形態、一口量にしても咀嚼が見られない場合は、臼歯や歯茎に食物を置く咀嚼訓練を行います。その際、奥に入れすぎると、歯列から口腔内に落ち、そのまま飲み込んで詰まらせる危険があります。食物を置く位置は、犬歯の奥付近が良いでしょう。

食物を臼歯に動かすことができず、口の前方部にたまっている。

箸などで食物を歯にのせる位置（奥に入れすぎない）。
スティック状にした食物（ちぎれにくい物）を歯列にのせる。

❽自食機能獲得不全

　介助で食べる場合、一口量や食べるペースは介助者がコントロールできます。自分で食べるようになると、一口量が多い、口に残っているのにどんどん入れる、食べるペースが速いなどの問題が出てきます。捕食や前歯咬断で一口量を調整すること、手指機能の発達を促すこと、使いやすい食具や食器を使う、ストップをかけるなどの対応を行い、窒息に注意してください。

❾水分摂取機能獲得不全

　水分でむせる、口からこぼれる、水分摂取を嫌がるなどがあります。水分量を確保することを優先してください。トロミをつけたものやゼリー飲料の利用も有効です。

＊さいごに

　医療的ケアの必要な小児において、「食べる」という行為はとても重要です。摂食嚥下障害があると体力や免疫力の低下が起こります。まずはしっかり栄養と水分をとることを優先してください。いろいろな疾病がありますが、摂食嚥下機能の基本はいっしょです。摂食嚥下機能の評価を行い、現在の機能に適した食形態や介助法を選択しましょう。そのなかで、機能を伸ばすための対応を行っていくと良いでしょう。

（髙橋摩理）

● 参考文献

1）金子芳洋編著．食べる機能の障害：その考え方とリハビリテーション．医歯薬出版，1987，163p.
2）向井美惠編著．食べる機能をうながす食事：摂食障害児のための献立、調理、介助．医歯薬出版，1994，99p.
3）田角 勝ほか編著．小児の摂食嚥下リハビリテーション．第2版．医歯薬出版，2014，359p.
4）厚生労働省．「授乳・離乳の支援ガイド（2019年改定版）」．http://www.mhlw.go.jp/stf/newpage_04250.html（4月18日参照）

手技 1 経管栄養（経鼻・経口）

✱ はじめに

経管栄養とは、チューブを鼻（口）から胃に通し栄養を注入する方法です。

子どもにとって、ミルクを飲むことはとても大きな仕事ですから、体力もたくさん使います。ミルクを飲むのに時間がかかると、子どもの負担が大きく疲れてしまいます。

また、ミルクを飲めずにいると、必要な栄養がとれず、体重が増えません。そこで、子どもの負担を軽くし、ミルクが確実にお腹に入り、吸収され、体重が増えるようにするために「注入」をします。

1. 経管栄養法の種類

経管栄養法には、チューブを挿入する部位やチューブの先端の位置によって、次のような種類があります。摂食や嚥下障害の状態や、消化管の機能などで選びます。

❶経鼻経管胃栄養法

鼻から胃内に栄養チューブを入れ固定する方法です。睡眠中でも栄養や水分を注入することができます。

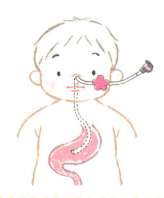

❷経鼻経管十二指腸（空腸）栄養法

胃の幽門を越え、十二指腸（空腸）まで栄養チューブを入れ固定する方法です。姿勢を工夫したり薬物治療を行ったりしても、吐いたり胃食道逆流の症状が認められる子どもに選択されます。経鼻空腸チューブを用いた栄養法には、以下の3種類があります。

1) **経鼻空腸チューブ**：チューブを入れる際は、医師がチューブを鼻から胃まで挿入して、X線透視下で十二指腸・空腸まで入れ、固定します。X線透視下で行うため、放射線の被曝を伴います。

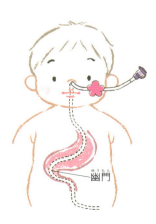

経鼻空腸チューブ

2）**胃瘻からの空腸チューブ**：胃瘻から、胃瘻カテーテルと空腸カテーテルをいっしょに留置する方法です。特殊なカテーテルを使用し、医師がX線透視下で入れます。

3）**腸瘻からの空腸チューブ**：高度の側彎変形などの理由で、胃瘻造設が難しい場合や、長期的に空腸栄養が必要な場合に、手術によって腹壁や腸壁に穴（腸瘻）を開け、そこからカテーテルを入れて固定し、注入する方法です。

❸ 口腔ネラトン法

食事や水分補給のたびに、注入用のチューブを口から胃内に挿入し、栄養や水分を注入する方法です。

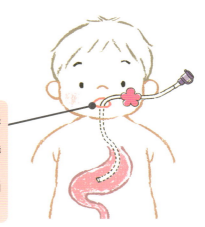

- 口からチューブを挿入するほうが、鼻から挿入するより気管に入るリスクが小さい。
- チューブの咽頭刺激で嚥下反射を誘発しやすく、嚥下機能の改善が期待できる。
- チューブを留置しないため、鼻腔、口腔、咽頭の衛生状態を保つことができる。

❹ 胃瘻（p.130参照）

手術によって腹壁と胃壁に穴（胃瘻）を開け、そこに留置したカテーテルから注入する方法です。経管栄養が永続的に必要となる場合や、経鼻胃チューブの挿入が困難な場合に選択されます。胃瘻カテーテルは抜けにくいため、チューブの管理がしやすいです。

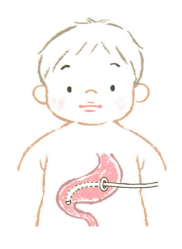

2. 栄養チューブ挿入方法

✳ 準備物品リスト

> 鼻（口）からにチューブを入れる方法を説明します。まず、必要物品を用意しましょう。

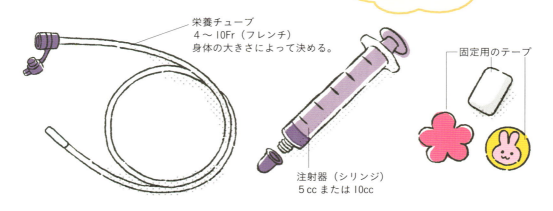

栄養チューブ
4〜10Fr（フレンチ）
身体の大きさによって決める。

注射器（シリンジ）
5ccまたは10cc

固定用のテープ

✳ ケアのすすめかた

❶ 前の栄養チューブを抜く

チューブの抜去(ばっきょ)は刺激となり、吐いてしまうことがあります。できるだけ空腹時に行いましょう。

> ここでは経鼻を解説していきますが、経口もほとんど同じです。

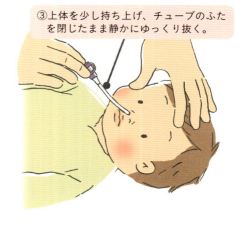

①子どもを仰向けに寝かせる。

②頭を固定し、テープを剥がす。

③上体を少し持ち上げ、チューブのふたを閉じたまま静かにゆっくり抜く。

❷栄養チューブを挿入する

　チューブの挿入は、必ず空腹時に行いましょう。胃のなかにミルクが残っていると、吐いてしまうことがありますので、次の注入時間の前に行うのが良いでしょう。

1) 手を洗いましょう。
2) チューブを挿入する長さを決めます。鼻から胃に入れる場合は、子どもの「耳〜鼻〜みぞおち」、口から胃に入れる場合は、子どもの「口〜みぞおち」の距離を測定して、油性マジックでチューブの全周に印をつけます。子どもの成長に合わせるために、実際に測定してチューブを入れましょう。
3) 子どもを仰向けにし、頭を軽く前屈させるようにおさえます。身体がバタバタしてしまわないように、あらかじめバスタオルなどでくるむと良いでしょう。
4) チューブの先を潤滑剤（食用油や水）で湿らせ、印をつけたところまで、ゆっくり挿入しましょう。真下の方向に、唾液を飲み込むタイミングを見てチューブをすすめましょう。

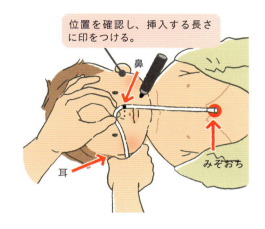

位置を確認し、挿入する長さに印をつける。

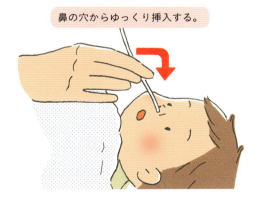

鼻の穴からゆっくり挿入する。

Q チューブ挿入時に気をつけるポイント

A
- チューブが誤って気管に入ってしまうことがあります。そのようなときには、咳込んだり、呼吸が苦しそうになります。チューブを一旦抜いて、子どもの呼吸が落ち着いてからもう1度行いましょう。
- チューブが口腔内で巻いていないことを確認しましょう。

❸チューブが胃のなかに入っているか確認する

1) チューブを鼻にテープで固定します。

2) チューブが胃内に入ったか確認しましょう。

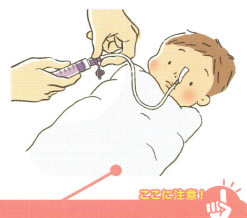

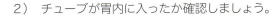
ここに注意!

Q チューブ挿入後の確認するポイントは？

A
〈注射器（シリンジ）で空気を入れる方法〉
みぞおちのすぐ下（胃のあたり）に耳をあて、注射器（シリンジ）で3～5ccの空気を「シュッ」と入れて気泡音を聞きます。「ゴボッ」「ポコポコ」と聞こえればチューブはしっかりと入っていると考えられます。
〈注射器（シリンジ）で吸引する方法〉
胃の内容物が引けてくれば問題ありません。空気が引け続けるときや、むせ込んでいるとき、顔色が青白いときは気管側に入ったことが考えられるので、一旦チューブを抜きましょう。
※上記の2つの方法で確認できない場合は、主治医に相談してください。

3) チューブが胃内に入っていることが確認できたら頬にもテープで固定しましょう。その際、鼻の穴がふさがらないよう、また、チューブが抜けてこないようにテープでしっかり固定します。固定方法は子どもの様子で工夫しましょう。

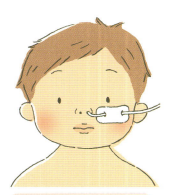
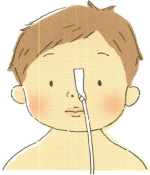
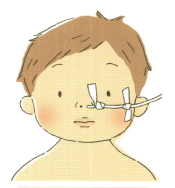

頬部での固定：角を丸くカットし、切り込みを入れたテープを頬部に貼る。

鼻部での固定：鼻用テープの基部を鼻に貼る。切り込みの片方をチューブに巻き付け、切り込みのもう片方を鼻部に貼付する。

頬部と鼻部での固定：鼻と耳介に近い部分で、チューブをテープで固定する。

❹チューブ交換の目安

各施設で異なるため、主治医に相談しましょう。

各論・2章 栄養ケア　手技

3. 注入方法

＊準備物品リスト

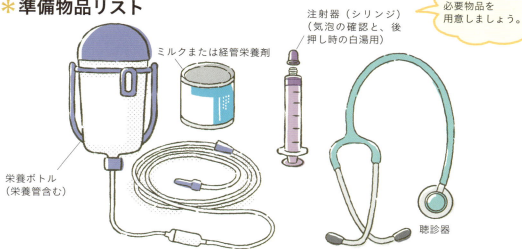

栄養ボトル（栄養管含む）
ミルクまたは経管栄養剤
注射器（シリンジ）（気泡の確認と、後押し時の白湯用）
聴診器

必要物品を用意しましょう。

＊ケアのすすめかた

❶ミルク（栄養剤）の注入をする

1）手を洗いましょう。
2）チューブ挿入の長さやテープの固定状況を確認しましょう。テープが剥がれていたり、チューブ固定がゆるんでいたりしたら、テープ固定をし直しましょう。
3）チューブが胃内にあるか、胃内にミルクなどが残っていないか（胃残）を確認しましょう。胃残がない場合は、気泡音を耳で聞いて確認しましょう。

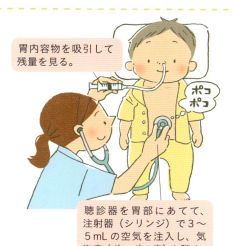

胃内容物を吸引して残量を見る。

聴診器を胃部にあてて、注射器（シリンジ）で3〜5mLの空気を注入し、気泡音（ポコポコ音）を聴く。

ここに注意！

Q 胃残についてのポイントは？

A 胃残の確認をしましょう。

〈胃内より引けてきた場合〉
- ミルク（栄養剤）が少量　→　戻して予定量を注入します。
- ミルク（栄養剤）が多量　→　時間をずらす、または差し引き注入、または濃度を薄くします。
- 透明で胃液様のもの　→　戻して予定量を注入します。
- 血液が混じったもの　→　捨てて予定量を注入します。

〈あらかじめ主治医に確認すること〉
- 胃残が多量の判断基準は？
- ずらす時間の目安は？
- 注入するミルク（栄養剤）の濃度や量は？

4）ミルク（栄養剤）を、常温または適温に温め、栄養ボトルに移します。滴下筒をゆっくり押しつぶし、半分くらいまで満たし、滴下が確認できるようにします。栄養管のルート内をミルク（栄養剤）で満たします。

5）注入中の体位を整え、栄養ボトルと栄養チューブを接続し、クレンメをゆるめ、ミルク（栄養剤）を滴下させ、注入を開始しましょう。注入の速度の目安として、1時間に100mL 注入する場合は、3秒に1滴の滴下となります。

6）注入が終わったら、栄養チューブから栄養管を外します。栄養チューブに、あらかじめ冷ましておいた白湯を5〜10mL 程度流し、栄養チューブのふたをしましょう。

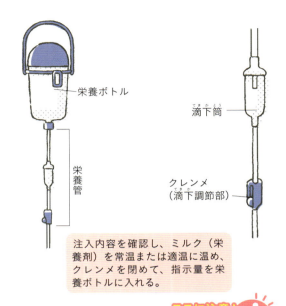

注入内容を確認し、ミルク（栄養剤）を常温または適温に温め、クレンメを閉めて、指示量を栄養ボトルに入れる。

ここに注意!

Q 注入時のポイントは？
A 注入が終わっても、30分〜1時間はそのままの体位でいましょう。

❷後片付け

1）栄養ボトル（栄養管含む）と注射器（シリンジ）などは中性洗剤で洗いよくすすぎ、洗浄後はよく乾燥させて保管します。

2）注射器（シリンジ）の内筒を外して洗います。注射器（シリンジ）の外筒や栄養ボトルはコップ洗い用のスポンジを使用すると、なかまできれいに洗うことができます（p.137 参照）。

3）栄養管は、なかに熱めのお湯を流すと、栄養剤に含まれている油分が落ち、きれいになります。

こんなときどうする？

Q 注入中にチューブが抜けてしまったら、どうすれば良いでしょうか？

A 注入中にチューブが抜ける（抜けかかる）と、チューブの先が、食道や喉に上がってきて、誤嚥性肺炎を起こす危険性があります。まず注入を止め、チューブを無理に入れ直さずに、抜いてしまいましょう。また、注入中に、咳込みや嘔気、嘔吐がある場合は、注入をいったん中止し、子どもの様子を観察しましょう。チューブが抜けかけているときは、チューブを抜き、呼吸状態の観察や吐物を吸引し、子どもの様子が落ち着くまで待ちましょう。

4. 日々の管理

❶栄養チューブのつまり予防
- 注入・内服の後にはしっかり白湯を流しましょう。
- チューブ内の汚れが目立つときには、多めの白湯や微温湯（人肌程度）を流したり、チューブを揉むように、チューブ内をこすり合わせてきれいにしましょう。
- 薬は多めの白湯で溶きましょう。
- 水分制限のある子どもの場合は、注入・内服に使用する白湯の量は、主治医に確認しましょう。

❷栄養チューブの固定
- テープが剥がれたり汚れたりしたら交換しましょう。
- 交換の際、皮膚の汚れや皮脂を拭き取った後にテープを固定しましょう。
- 固定部位は変更しましょう。
- チューブがあたって鼻や皮膚が赤くなっていないか観察しましょう。鼻の穴がテープで圧迫されて、潰瘍が形成されてないかも注意しましょう。
- 1日1回はチューブの挿入長さを確認しましょう。印が消えかけていたら再度印をつけましょう。

5. 使用する物品について

物品は、経管栄養に使用する、栄養チューブや注射器（シリンジ）、栄養ボトル、固定用のテープを準備し、自宅で行う必要があります。自費で購入する場合は、病院の売店や業者に注文するなど、病院により異なりますので問い合わせてみましょう。また、診療報酬の"在宅療養指導管理料"として算定できる場合もあり、使用する物品を病院から供給してもらえる場合もあるため問い合わせてみましょう。

こんなときどうする？

Q ミルク（栄養剤）を吐いてしまったら、どうしたら良いでしょうか？

A まずは注入を止めましょう。注入のスピードは速すぎませんか？ 子どもの体位はどうですか（p.134参照）？ 頭のほうを少し高くしてみてください。乳児の胃の形は縦長なので、大人よりも簡単に吐きやすいのです。

（牧内明子、澁谷洋子）

● 参考文献
1) 松石豊次郎ほか編著. "第4章 摂食嚥下障害. 経管栄養, 栄養管理". 医療的ケア研修テキスト. 第5版. クリエイツかもがわ, 2008, 84.
2) 看護部業務委員会. 在宅医療ケアマニュアル. 地域独立行政法人長野県立病院機構 長野県立こども病院. 2012, 40p. 〔URL http://nagano-child.jp/overview/public_relations〕
3) 鈴木康之ほか. "重症心身障害児（者）のケアの実際：経管栄養". 写真でわかる 重症心身障害児（者）のケア. インターメディカ, 2015, 197.

手技 2 胃瘻

「胃瘻」とは

胃瘻とは、お腹の表面から胃まで開けられた小さな穴のことです。ここに、専用の器具（チューブ）を入れて、栄養剤やミキサー食、薬剤を直接胃のなかに注入することができます。胃瘻があれば、摂食嚥下障害で口から食事ができなくても、栄養剤や家族と同じ食事を、胃瘻からとることができます。

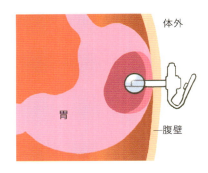

✲「胃瘻」にすると

鼻から入れたチューブは顔に長くぶら下がっていますが、胃瘻は服のなかに隠れるので、普段は外から見えません。また、チューブで喉が刺激されることがなくなるため、ゼコゼコすることも少なくなります。詰まりやすい細いチューブの煩わしい管理から解放され、顔を邪魔するものがなくなります。

鼻から入れた細いチューブでは、注入することができなかった半固形流動食（ミキサー食など）を入れることができるようになります。

顔にはいつもチューブがありました。

顔がすっきりしました！

✳ 準備物品リスト

❶胃瘻チューブの種類

　胃瘻チューブ（カテーテル）は、胃の内側と外側の形状から4つのタイプに分けられます。交換時の痛みが少ないことから、子どもはバルンタイプを使うことが多いようです。

	ボタン型	チューブ型
	・身体の表面に出る部分が小さいので目立たない。 ・注入のときは、接続チューブが必要。	・常にチューブがぶら下がっていて、邪魔になる。 ・チューブ自体が太いので詰まりにくい。 ・リング（円盤）をスライドさせて、チューブの位置を固定する。
バルンタイプ ・バルンを水で膨らませて固定する。 ・バルンのしぼみや変形で抜けることがある。 ・1カ月の間隔で交換する。 ・交換時の痛みが少なく交換が簡単。		
バンパータイプ ・特殊な器具を使用して抜去・挿入を行う。チューブの先がかさのように広がる。 ・抜けにくい。 ・交換の間隔は4〜6カ月くらい。 ・交換時に出血や痛みを伴う。		

（文献1より）

❷胃瘻チューブの名称（バルンタイプ・ボタン型）

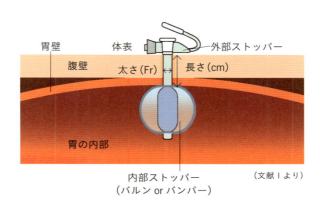

（文献1より）

❸胃瘻バルンタイプ・ボタン型、バルンタイプ・チューブ型の構造と付属品

バルンタイプ・ボタン型

- 接続チューブをつないで栄養剤などを注入する。
- 逆流防止弁がついている。
- バルン：固定水で膨らませる。
- シリンジを接続してバルンの水を注入・除去する。

（写真提供：アバノス・メディカル・ジャパン・インク「MIC-KEY バルーンボタン」）

バルンタイプ・チューブ型

- シリンジや栄養ラインをつないで栄養剤などを注入する。
- シリンジを接続してバルンの水を注入・除去する。
- バルン：固定水で膨らませる。
- リング：お腹から隙間ができるような位置にスライドさせて、お腹の外に出ているチューブの位置を固定する。

（写真提供：アバノス・メディカル・ジャパン・インク「MIC シングルポートGチューブ」）

1）バルンタイプ・ボタン型の付属品

直角接続チューブ

液体栄養剤の投与、長時間投与に向いている。

（写真提供：アバノス・メディカル・ジャパン・インク「MIC ボーラス直角接続チューブ」）

ボーラスストレートチューブ

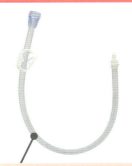

半固形化栄養剤（食）やミキサー食の投与、短時間（ボーラス）投与に向いている。

（写真提供：アバノス・メディカル・ジャパン・インク「MIC ボーラスストレート接続チューブ」）

2）接続チューブの着脱方法 （写真提供：アバノス・メディカル・ジャパン・インク）

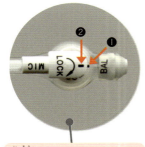

胃瘻ボタンの黒い線（❶）と、接続チューブの黒い線（❷）を合わせて差し込む。

軽く手ごたえ（ロック）が感じられるまで（約3/4回転）矢印の方向 ➡（時計回り）へ回す。強く回しすぎると爪が折れて、ロックできなくなるので注意が必要。

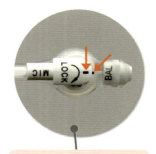

取り外すときは逆に回して、胃瘻ボタンと接続チューブの黒いラインを合わせてから外す。

各論・2章 栄養ケア　手技

❹その他の必要物品

栄養ボトル・栄養パック

栄養剤やミルクなどを時間をかけて注入するときに使います。

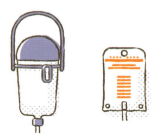

栄養ボトル（左）、栄養パック（右）

注入器

内服や胃の内容物の確認、注入などに使います。注入器各種（2mL、5mL、10mL、20mL、30mL、50mL）。

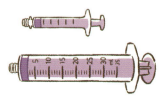

注入器

後押し用の白湯

人肌〜室温くらい。

計量カップ

粉薬を溶かしたり、栄養剤やミルクを調乳するときに使います。

✻ ケアのすすめかた

❶日常の胃瘻のケア

術後数日で傷は閉じてしまう。術後5日目くらいから入浴できるようになる。胃瘻の周りは、弱酸性石けんの泡でこすらないようにやさしく洗い流し、水分は軽く押し拭きする。

湯船につかっても大丈夫。胃のなかのほうが圧が高いので、湯船のお湯やシャワーのお湯が胃のなかに入ることはない。入浴できないときでも、できるだけ、胃瘻の周りは洗い流して清潔に保つ。

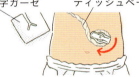

Y字ガーゼ　こより状にしたティッシュペーパー

胃瘻の周りがよく乾燥したのを確認して、皮膚とボタン（チューブタイプの場合はリング）の間に、Y字ガーゼかティッシュペーパーをこより状にしたものを巻き付ける。

滲出液がない。赤くない。

胃瘻の手術から数カ月経過していて、胃瘻の周囲が十分に乾燥してトラブルがなければ、Y字ガーゼもティッシュペーパーも必要ない。

133

❷胃瘻栄養のときの体位（身体の向き）

誤嚥（よだれ[唾液]などが気管に垂れ込むような症状）がなければ、身体を起こす。注入中～注入終了後30分～1時間は身体を起こした状態を保つ。

誤嚥がある場合は、上体を起こさずに横向きで注入する。現在は、一般的に左向きが推奨されている。しかし、いちばんリラックスできる体位で行うのが良い。

Q こんなときの対応のポイントは？

ここに注意！

- 栄養剤の注入を始めると、ゼコゼコが強くなる、吐く場合は、胃食道逆流症が疑われます。そんなときは、右を向いたまま、身体を少し起こすか、うつ伏せ（腹臥位）がとれればその姿勢も効果があるとされています。姿勢と胃の内容物の位置は以下の通りです。

※黄色の部分は胃の内容物。

（仰向け）仰臥位がいちばん逆流しやすいのがわかります。

仰臥位　　　腹臥位　　　座位

- 栄養剤の注入を始めると、ドキドキと脈が早くなったり、冷汗をかいたり、下痢をしたりする場合は、ダンピング症候群（液体の栄養剤などが、一気に腸に流れ込むことで起きる症状）が疑われます。液体の栄養剤を注入するときは左向きにし、注入速度をいつもよりゆっくりにしてみましょう。胃食道逆流症やダンピング症候群の予防には、胃瘻からの半固形流動食（半固形栄養剤やミキサー食）が良いとされています（p.141）。

各論・2章 栄養ケア　手技

❸胃瘻栄養の実際

1) 子どもの状態に合った体位にします。体調に変わったことがないか、確認します。チューブ型の胃瘻を使用している場合は3)へ進んでください。

ここに注意!
Q 確認するポイントは？
A
・熱はないか。
・機嫌はどうか。
・呼吸は早くないか、ゼコゼコしていないか。
・脈の早さはいつもといっしょか。
・お腹は張っていないか。

2) 胃瘻がボタン型の場合は、ボタンに接続チューブを接続します。

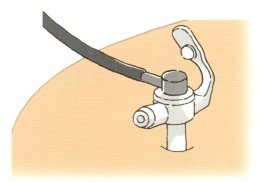

3) チューブから注入器（シリンジ）で吸引して、胃の内容物がないか確認します。胃の内容物が引けたときは、性状を確認します。きれいなものはそのまま戻します。胃の内容物がたくさん引けたり、濃い黄色・緑色・血の塊・茶色のものなどが引けたときは主治医医に相談してください。

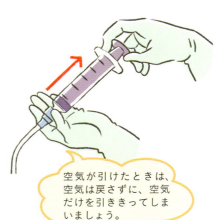

空気が引けたときは、空気は戻さずに、空気だけを引ききってしまいましょう。

4) チューブへ白湯を5 mLほどフラッシュしてから、チューブと栄養管を接続します。フラッシュとは、チューブへ注入器で一気に注入することをいいます。

白湯を5mLほどフラッシュする。

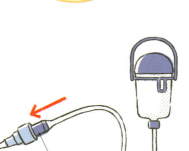
栄養管を接続する。

135

内服薬がある場合は……

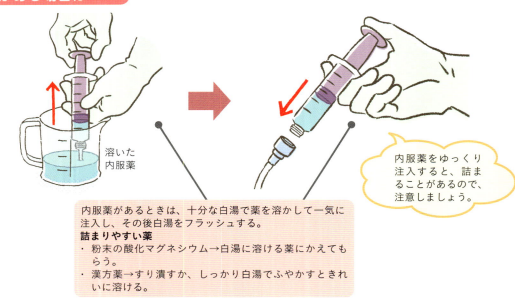

溶いた内服薬

内服薬をゆっくり注入すると、詰まることがあるので、注意しましょう。

内服薬があるときは、十分な白湯で薬を溶かして一気に注入し、その後白湯をフラッシュする。

詰まりやすい薬
- 粉末の酸化マグネシウム→白湯に溶ける薬にかえてもらう。
- 漢方薬→すり潰すか、しっかり白湯でふやかすときれいに溶ける。

5）子どもにあわせた速度で栄養剤やミルクの注入を始めます。体調に変化がないか、滴下速度に異常がないか、胃瘻や接続部分に漏れがないか、ときどき確認しましょう。

6）注入が終わったら、10〜15mL（学童以上で水分制限のない場合は通常20〜30mL）の白湯をフラッシュして、チューブのなかを洗い流します。

注入が終わっても30分〜1時間はそのままの体位でいましょう。

白湯

チューブのなかを白湯で洗い流す。

❹後片づけ

1) 中性洗剤で注入器具を洗います。注入器（シリンジ）は、内筒を外して洗います。注入器の外筒や栄養ボトルは、コップ洗い用のスポンジを使うと、なかまできれいに洗うことができます。ボタン型の胃瘻の場合は、チューブブラシを使って接続チューブのなかの汚れもきれいに洗います。
2) 栄養ボトルのチューブの部分には熱めのお湯を流すと、栄養剤に含まれている油分がきれいになります。
3) 洗浄後はよく乾燥させて保管します。

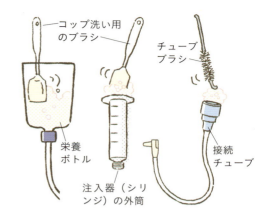

ここに注意！

Q 器具の清潔を保つためのポイントは？

A 接続チューブを清潔に保つために、お酢の静菌作用を利用した方法があります。食用酢を10倍程度に薄めたものをチューブ内に満たしておきます（注入はしないでください。そのためチューブ型には使用できません）。
また、フラッシュする白湯のかわりに、酢酸入りの水分補給ゼリー（フラッシュゼリー）を使用することで、接続チューブの洗浄ができます。フラッシュゼリーは、白湯のかわりに使用するものなので、注入しても問題ありません。
なお、チューブ内に酢の成分が残っていると、栄養剤と混ざって固まることがありますので、きれいに洗い流すか、白湯をフラッシュしましょう。接続チューブは、汚れが目立ってきたら、交換しましょう。

こんなときどうする？

Q 接続チューブが詰まってしまったのですが……。

A どこで詰まっているか、観察しましょう。白湯を吸った注入器（カテーテルチップシリンジ）をつないで、チューブを指でマッサージしながら、ゆっくりシリンジの内筒を押し引きするイメージで動かします。接続チューブは、接続部分で詰まっていることが多いので、接続チューブをボタンから外して行ったほうが詰まりがとれやすくなります。

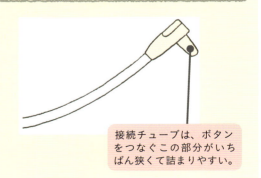

接続チューブは、ボタンをつなぐこの部分がいちばん狭くて詰まりやすい。

Q バルンタイプの胃瘻ボタン・チューブが抜けてしまったのですが……!!

A 〈ボタン型の場合〉

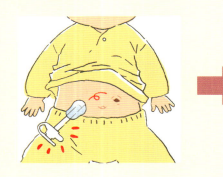
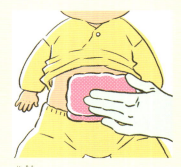

胃瘻にタオルなどをあてて、主治医へ連絡し、速やかに受診する。

適切な装着のために確認したいこと

〈ボタン型の場合〉
- 胃瘻ボタン・チューブは抵抗なく、くるくる回りますか？
- 胃瘻ボタン・チューブとお腹の間に余裕がありますか？
- 胃瘻ボタン・チューブがお腹に沈み込んでいないですか？

くるくる回る
（上下にやさしく動かす）

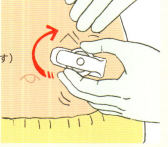

余裕がないとボタン部分と皮膚がこすれて、皮膚トラブルの原因になる場合がある。

胃瘻埋没症候群になってしまう可能性がある。医師へ相談して、ボタンの場合はシャフトの長いものへ交換してもらう。特に、急に太ったりお腹が張ったりするというときは注意が必要。

シャフトの長さ

各論・2章 栄養ケア　手技

〈チューブ型の場合〉
・外に出ているチューブの長さが短くなっていませんか？

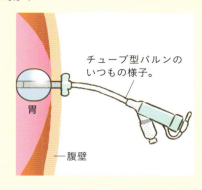

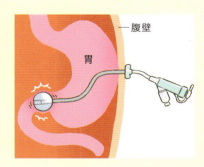

ボールバルブシンドロームが生じている可能性があります。ボールバルブシンドロームとは、バルンが胃の動きによって運ばれ、十二指腸をふさいでしまうことです。

Q 胃瘻から胃液や栄養剤が漏れてくるのですが……。

A お腹が張っていませんか？　胃の内容物を吸引して空気を抜きましょう。必要なら浣腸をしてお腹の張りをとりましょう。緊張が強いと腹圧がかかって漏れやすくなります。緊張を和らげましょう。

それでも漏れるときは

通常の状態

胃瘻ボタンチューブにY字ガーゼやティッシュペーパーを多めにはさんで、ボタンを引っ張り気味にする。チューブ型の場合も同様に、リング（円盤）の下にY字ガーゼやティッシュペーパーを多めにはさんで、チューブを引っ張り気味にする。

ボタン型は、テープでボタンを留める。
チューブ型は、チューブのリングを留める。

ボタン、またはチューブのリング（円盤）をテープで留めて、医師へ相談する。

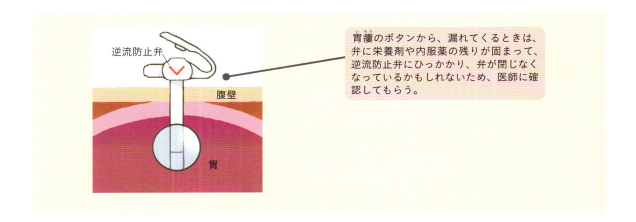

胃瘻のボタンから、漏れてくるときは、弁に栄養剤や内服薬の残りが固まって、逆流防止弁にひっかかり、弁が閉じなくなっているかもしれないため、医師に確認してもらう。

Q 胃瘻の周りの皮膚が赤くなって、ただれてしまったのですが……。

A 漏れや滲出液があるときは、こまめにY字ガーゼやティッシュペーパーを交換しましょう。入浴できないときでも、できるだけ胃瘻周囲は石けんで洗い流しましょう。通常のケアでも良くならないときは、医師へ相談しましょう

Q 胃瘻の周りに、ぶよぶよした赤いものが盛り上がってきたのですが……。

A 肉芽といいます。肉芽が形成されないための対策は、胃瘻ボタン・チューブを皮膚と直角に保つ（テープでボタン・リングを留める）、ボタン型の場合は、ボタンを回す、接続チューブをつけたままにしないなど、同じ部位への圧迫を避けてください。痛みや出血があるときは、医師へ相談してください。軟膏を塗る、塩をつけるなど、処置が必要な場合もあります。

半固形流動食短時間摂取法とは？

　半固形とは、液体より固体に近い半流動体のことで、粘性があって自由に変形することを特徴としています。
　「半固形流動食短時間摂取法」とは、半固形（ミキサー食など）の食事を、短時間で胃瘻から注入する方法です。健常児は食事（固形物）をつぶしたり、噛み砕いたりして、どろどろにして飲み込んでいます。したがって、胃のなかに入る食事は半固形状態です。この「半固形流動食短時間摂取法」は、食事を食べたときに近い状態で栄養を胃のなかに入れるので、より生理的な身体の反応が期待できます。

❶メリット

1） 半固形食はさらさらの水分ではないので、胃から食道に逆流しにくいため、胃食道逆流に伴う諸症状（液体栄養剤注入中や注入後のゼコゼコ、誤嚥性肺炎）が軽快します。
2） 胃からゆっくり排出されるため下痢など（ダンピング症候群の症状）が緩和されます。
3） 胃瘻周囲からの漏れが軽減します。
4） 短時間で注入できるので、注入時間を短縮できます（200mL あたり5分程度）。
5） 食事を口から食べたときと同じように胃が伸展するため、消化管ホルモンの分泌がより自然になります。また、唾液の過剰分泌が起こらないため、唾液による誤嚥性肺炎の防止効果があります。

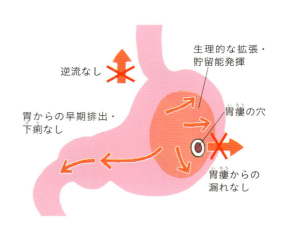

❷デメリット

1） 便秘
2） 食物アレルギー：アナフィラキシーショックは命にかかわる重篤な合併症であるため、以前食事を口から食べていた経験があったり、幼少期にアレルギーはないと診断されていても、食事をせずに栄養剤のみを注入している期間が長い場合、もしくは家族歴などからハイリスクの場合は、ミキサー食開始前にアレルギーの検査（採血）をします。

＊半固形流動食の種類

1） 半固形栄養剤：市販されています。医薬品もあります。栄養剤を半固形化するには、寒天や市販の半固形化剤を使います。
2） ミキサー食：食事をミキサーにかけて、ミキサー状にします。

✷ 半固形流動食注入の手順

使用する注入器（シリンジ）の、内筒のすべりを確認しておきます。ゴムが劣化して、ボロボロとゴムの破片がとれてくるようなら、その注入器は使用しないでください。内筒のゴムの劣化がないけれど滑りが悪い場合には、食用油を内筒の内側のゴムに塗っておくと良いでしょう。

1) 体位を整え、胃瘻ボタンに接続チューブを接続して、胃内の空気を抜きます。その際、必要があれば胃残を確認します。

2) ミキサー食（半固形栄養剤）を、チップ（太）をつけて注入器で吸います。

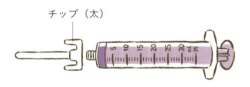

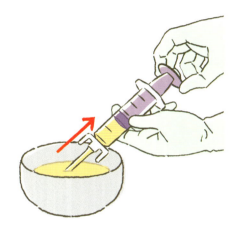

3) チップを外して注入器を胃瘻注入用のチューブに接続します。
4) ふうふうと呼吸していないか、ドキドキしていないか、苦しそうではないかなど、様子を見ながら、休み休み50mLを数回に分けて、30秒〜1分くらいで注入します。
5) 残りのミキサー食を注入器に吸って、注入を繰り返します。休みながら5〜10分間くらいで全量を注入します。最後に白湯を流して「ごちそうさま」。

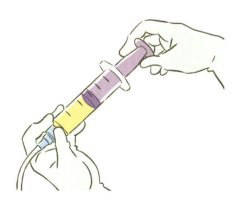

✷ ミキサー食をつくろう！

ミキサー食は、1mL → 0.8〜1kcalくらいです。ミキサー食の最大のメリットは、家族と同じものが食べられる（注入できる）こと、栄養剤では不足しがちなビタミン、ミネラルがとれることです。胃瘻からの注入でも、嫌いなものには顔をしかめるなど、表情に変化が見られます。

お誕生日のケーキ、ファーストフードは、牛乳

や白湯を入れてミキサーにかけます。プリンやゼリーはそのままで注入できます。いっしょに食事を楽しみましょう！

以前ご飯を食べていても、長期間栄養剤のみを注入していたときや、はじめてミキサー食を始めるときは、離乳食を始めるのと同じように、1品ずつ少量から始めて、徐々に食材を増やしていきましょう。

✻ ミキサー食の必要物品

必要物品は、以下の通りです。
- 食事：家族といっしょのものでもOKです。ただし、アレルギーがあるときは注意が必要です。
- ミキサー：料理に適した器具を選択することによって、短時間で簡単に作ることができます。
- とろみ剤：必要に応じて使用します。
- 注入器（シリンジ）各種（ミキサー食注入用、内服用、白湯注入用）。
- ミキサー食を入れるどんぶりなど。

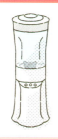

ミキサー
水分量：多い食事。
出来上がりの目安：ピューレ、ペースト状の食事。

ハンドミキサー
水分量：中程度〜多い食事。
出来上がりの目安：やや粒のあるなめらかな食事からピューレ、ペースト状の食事まで。

フードプロセッサー
水分量：少ない食事。
出来上がりの目安：やや粒のあるなめらかな食事。

✻ ミキサー食のつくりかた

1) 食事をミキサーにかけます。食事のかたさ（粘度）は「ヨーグルトからマヨネーズ程度」にします。
2) 温度は常温から人肌くらいです。

詰まりやすい食品
- ひき肉→よく練ってまとめて、焼いたり煮たりしてからミキサーにかける。
- 白身魚→注入器（シリンジ）に吸い上げることができれば、まず大丈夫。
- 種（ゴマ、トマトなど）、レンコン→しっかりミキサーにかける。
- トマトやピーマンの皮→トマトの皮は湯剝きするか、1cm大に切ってから調理する。

スプーンから垂らしてみて、ボタボタ、トローリ……と垂れるくらい。

✻ ミキサー食の例

1) 一般的な幼児食（ご飯は子どもお茶碗１杯）は、スープやお茶などを入れてミキサーにかけます。出来上がり量は 350mL 程になります。

> 各家庭でご飯のかたさは異なるので、出来上がり量はあくまでも目安になります。

2) パンは牛乳に浸すなどすれば、ミキサーにかけなくても、スプーンなどで混ぜれば注入器で吸い上げて注入できます。

６枚切りの食パン２分の１枚に、牛乳 100mL くらい（ひたひたになる程度）を加える。

ジャムを加えてもよい。

3) カレーやシチュー、豚汁などはミキサー食が作りやすいメニューです。粘度をみながらご飯を入れてミキサーにかけます。

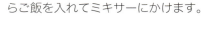

4) 外出のときはレトルト食品を上手に活用しましょう。ミキサー食のレトルトもあります。

各論・2章 栄養ケア　手技

こんなときどうする？

　半固形栄養剤やミキサー食を注入すると苦しがるのですが……。

　半固形流動食短時間摂取法（半固形栄養剤やミキサー食）を始める前に、長期間液体の栄養剤を使用していると、一度に胃のなかに入る量が少ない場合があります。
また、もともと注入していた液体の栄養剤の注入量と同量の、半固形栄養剤やミキサー食を注入しても、苦しがることがあります。そのようなときは、慣れるまで、休み休み時間をかけて注入するか、分割して注入します。

　胃残が増えたのですが……。

　半固形栄養剤や、ミキサー食を注入する30分くらい前に、白湯を30〜50mL程度（体重による）を注入します。胃の動きが良くなって胃残が減ります。

（澁谷洋子）

● 参考・引用文献
1）鎌田直子．"Chapter 3 12．胃ろう周囲の皮膚トラブル予防"．新生児の皮膚ケアハンドブック：アセスメントのポイントとスキントラブルへの対応がわかる！．メディカ出版，2013，78．
2）岡田晋吾、高見澤滋、梶西ミチコ監修．患者さん向け　胃ろうケアマニュアル：バルーン型胃ろうカテーテルの正しい使いかた．HALYARD，16p．
3）澁谷洋子、高見澤滋ほか．はじめてみよう!!　胃ろうからの半固形流動食短時間摂取法．長野県立こども病院，2016，26p．

column

新規格の栄養チューブについて

医療用チューブ誤接続防止をうけて

　これまで医療用チューブのコネクタとしては、ISO 594 という規格のコネクタが汎用されていました（図1）。しかし、1990年代から静脈注射用のルートと他用途のルートとの誤接続による医療事故がたびたび報告されるようになり、日本でも2000年4月に大学病院において、小児患者の点滴ルートに内服薬の溶液が誤って注射されて患者が死亡するという事故が発生しました。それを受けて厚生労働省は、2000年8月に医薬発第888号通知を発出し、経腸栄養製品を静脈注射ルートと誤接続させないために日本独自のコネクタ基準を制定しました。これを俗に「888号」と言い、いわゆる黄色のカテーテルチップシリンジや接続部を指します。

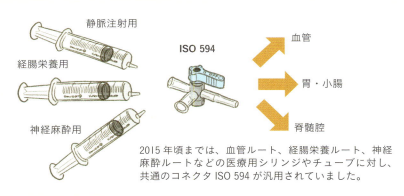

2015年頃までは、血管ルート、経腸栄養ルート、神経麻酔ルートなどの医療用シリンジやチューブに対し、共通のコネクタ ISO 594 が汎用されていました。

図1　ISO 594 規格

日本の栄養チューブ新規格の動きと問題点

　2006年頃より ISO（国際標準化機構）は、医療用チューブの誤接続を防止するために、コネクタ規格の国際標準化を進めました（図2）。薬液およびガスを通す内口径8.5mm以下の小口径医療用チューブの規格は、2010年に ISO 80369 シリーズと命名され、目的用途別に下記のようにグループ化されました[1]。これらの中で、経腸栄養チューブについては内口径8～12F（2.7～4.0mm）が割り振られました。日本の888号は外径が5.5 mm、内口径が4.0 mmで、世界標準の小口径コネクタ（8.5

ISO 80359-1	一般的要求事項	ISO 80369-2	呼吸システムおよび駆動ガス
ISO 80369-3	経腸栄養	ISO 80369-5	四肢のカフ
ISO 80369-6	神経麻酔	ISO 80369-7	血管または皮下

mm以下）に属し、かつ経腸栄養チューブ用の口径とは合わないため、この国際基準から脱落せざるをえなくなりました。

2016年にISO各シリーズの規格の概要が決まり、経腸栄養の新規格コネクタISO 80369-3はReverse Luer Lock Connectorという独特の形状をしたものになりました（p.148 図3）。

日本静脈経腸栄養学会

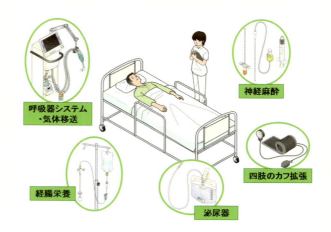

図2　誤接続防止コネクタにかかわる国際規格の国内導入
（独立行政法人医薬品医療機器総合機構（PMDA）のホームページより引用．）

（現在の日本臨床栄養代謝学会）の丸山道生氏はコネクタ移行問題にいち早く注目し、2016年に半固形栄養剤を新コネクタに通す場合の検証実験を行って、特に問題ないという結論を出していました。

これを受けて、2018年3月に厚生労働省は、ISO 80369-3に準拠する経腸栄養製品の出荷を2019年12月から可能とし、旧規格の888号製品は2021年11月末をもって出荷停止とすると決めました。同時期に医薬品医療機器総合機構（PMDA）も一般向けにコネクタの切り替えに関する啓発を開始しました[2]。しかし、医療現場でこのことを知っている人は極めて少数でした。

実際に、2019年12月に新規格の経腸栄養製品が出回り始めましたが、徐々に成人分野の医療現場からは、下流オス型コネクタに薬液が溜まりやすいために掃除が大変、といった問題が指摘されるようになりました（p.149 図4）。

小児分野においては、2020年4月に重症心身障害学会がワーキンググループを立ち上げ、新規格コネクタの影響を調査しました。普通の食事をブレンダーにかけて、どろどろの半固形の栄養材にしたものは「ミキサー食」と呼ばれていますが、特にミキサー食をシリンジの手押しで胃管や胃瘻チューブに注入している患者を中心に検証実験やアンケート調査を行い、後に述べる問題が明らかになっていきました。これらを受けて、2020年12月に重症心身障害学会から、旧規格製品の温存を求める声明が発表されました。

このような流れに対し、厚生労働省は、2021年2月に旧規格製品の出荷期限の1

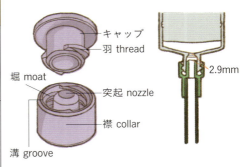

上流（シリンジやチューブ側）のキャップ（メス）から下流（患者側）の突起（オス）の内腔に向かって薬液が流れ、しかも上流のキャップに付いた羽と下流の襟の内側に彫られた溝とは回転しながら嵌合してロックを形成している。この形状を Reverse Luer Lock Connector と呼び、ISO 80369-3 独自の形状となっている。

図3　旧規格888号と新規格ISO 80369-3の比較

（株式会社ジェイ・エム・エスのホームページを元に作成）

年延長を決定し、2021年4月に厚生労働科学研究「経腸栄養分野の小口径コネクタ製品の切替えに係る課題把握および対応策立案に向けた研究」（班長：長尾能雅　名古屋大学医学部附属病院患者安全推進部教授）を立ち上げて、新規格製品の問題点を検証し整理しました[3]。その結果、下記の問題点が明らかになりました。

- 新規格製品のほうが注入に時間がかかり、介護者の手押し圧力の負担が大きい
- シリンジをコネクタに着脱する際のねじり操作のため、介護者の手首にかかる負担が大きい
- 経腸栄養に関わる細かい製品が多数必要で、物品管理と操作が煩雑（図4）
- 胃瘻から脱気しようとしても、口径の小さいシリンジでは十分に脱気できない

　これらの報告を受けて厚生労働省は、2022年5月に旧規格製品の廃止を見直し、「当面の間」旧規格製品を残存させることを認めました。ただし、将来においてこれらの問題点を克服するような新製品が開発されることを望むとしました[4]。

今後、解決を図るべき問題

　ほかにも問題があり、特に旧規格の黄色シリンジは生産が継続されているにもかかわらず、必要とする患者さんの元に届かないという悲しい事態が起こっています。その理由は、医療機器の生産や販売を担う企業は認可が必要であり、しかも医療機器は医療機関に対してしか販売できず、一般市場に出回らないためです。シリンジは医療的ケア児にとっては食器であり消耗品なのですが、医療機器であるために一般販売されず、専ら医療機関からの提供に頼らざるをえないのです。しかし、多くの医療機関では予定ど

下流コネクタ（患者側）の堀や溝に薬液が溜まり、不潔になりやすい

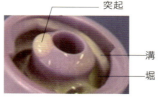

突起
溝
堀

新規格のシリンジで薬液を吸うことは難しい。そのため、採液チップや採液ノズルが必要になる。

採液デバイス

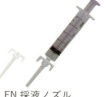

空気ばかり吸えて、薬液が吸えない

EN 採液チップ　　EN 採液ノズル

図4　新規格製品の問題点

（株式会社ジェイ・エム・エスのホームページを元に作成）

おり経腸栄養製品を新規格に切り替えたため、旧規格製品の流通が極度に縮小しました。そして、工場ではシリンジが生産され続けて在庫が溜まる一方、必要な患者さんに届かなくなったのです。また、新規格コネクタと嵌合（かんごう）できるような革新的なシリンジを開発しようとしても、シリンジは安い消耗品であるため、企業は開発や販路促進のためのモチベーションを持ちにくく、この問題を打開する気力を持てないように思います。このように、経腸栄養製品の規格変更の問題を通して、家庭で消耗品として扱われる在宅医療の物品の流通のあり方について、今後考え直す必要があるように思います。

　またこれらのことから、これまで医療機器の規格を話し合う場では生産業者と政府関係者が主導し、実際に使用する医療従事者や患者さんに広く意見を求める機会はなかったことがわかります。今後、医療機器の規格について検討する場では、医療従事者や患者さんの意見も反映されるべきと考えます。

（奈倉道明）

● 参考文献

1) 医政総発 1004 第 1 号通知「相互接続防止コネクタに係る国際規格（ISO(IEC) 80369 シリーズ）の導入について」、2017 年 10 月 4 日、厚生労働省医政局総務課
2) PMDA 医療安全情報　No.53「誤接続防止コネクタの導入について」、2018 年 3 月 30 日、医薬品医療機器総合機構
https://www.pmda.go.jp/files/000223580.pdf（8 月 1 日参照）
3) 厚生労働科学研究「経腸栄養分野の小口径コネクタ製品の切替えに係る課題把握及び対応策立案に向けた研究」、長尾能雅（名古屋大学医学部附属病院　患者安全推進部）、2021 年度、厚生労働省
https://mhlw-grants.niph.go.jp/project/155844（8 月 1 日参照）
4) 医政安発 0520 第 1 号通知「経腸栄養分野の小口径コネクタ製品の切替えに係る方針の一部見直しについて」、2022 年 5 月 20 日、厚生労働省医政局地域医療計画課医療安全推進・医務指導室

3章 排泄ケアとスキンケア
考えかた 1

ケアする前におさえたい子どもの排泄の特徴

✳ 排泄の基礎知識

1) 脳・神経と排泄：尿意や便意を感じ、我慢する・出すという仕組みは、膀胱と尿道、直腸と肛門の協調した働きと、その機能をコントロールする脳との連携で行われています。
2) 排尿：腎臓でつくられた尿は、尿管を通り膀胱にたまります。膀胱と尿道には「尿をためる」機能と「尿を出す」機能があります。
3) 排便：小腸で栄養の消化吸収が行われ、残りが大腸に移動します。ほぼ水様の状態で大腸に入り、次第に水分が吸収されます。大腸の通過時間が早いと水分が多い便となり、遅いと水分が少なくかたい便となります。

膀胱と尿道の機能：尿をためる

- 膀胱が弛緩して膨らみ、尿がためられる（成人で約300〜400mL）。
- 膀胱が膨らんできたら、尿意を感じ我慢ができる。
- 膀胱に尿がたまっても漏らさない。

膀胱と尿道の機能：尿を出す

- 出したいときに出せる。
- 膀胱がスムーズに縮み、同時に尿道が開く。
- 膀胱に尿が残らない。

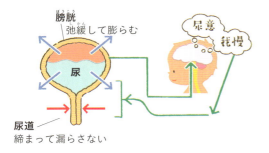

消化管の通過時間と便の性状

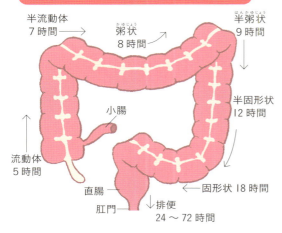

ブリストル排便スケール

非常に遅い（約100時間）↕ 消化管の通過時間 ↕ 非常に早い（約10時間）	分類	形状		
	タイプ1		かたくてコロコロしたウサギの糞のような（排便困難な）便	便秘
	タイプ2		コロコロ便が短く固まったソーセージ状のかたい便	
	タイプ3		表面にひび割れのあるソーセージ状の便	普通
	タイプ4		表面がなめらかで、やわらかいソーセージ状、またはヘビのようなとぐろを巻く便	
	タイプ5		水分が多く、やわらかくて半分固形の（容易に排便できる）便	
	タイプ6		ほぐれてフニャフニャの不定形の小片便、泥状の便	下痢
	タイプ7		水様で、固形物を含まない液体状の便	

❶新生児期

新生児期の排尿・排便の特徴は、
- 1回量が少なく、回数が多い
- 黄色の顆粒や水様便が混じった便
- 排尿：18〜25回／日程度、排便：10回／日程度
- 水分が多く排泄されるため脱水に注意
- オムツ皮膚炎に注意

などがあげられます。性状や回数には個人差があります。

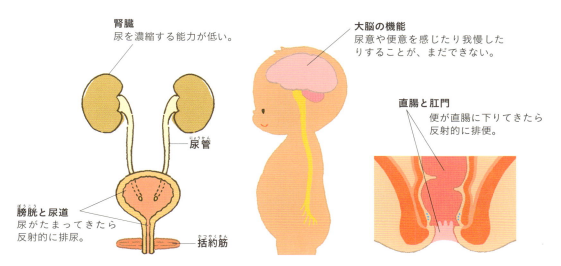

❷乳児期

乳児期の排尿・排便の特徴は、
- 少しずつためて出すようになるため、1回量が増え回数が減ってくるがまだ多い
- 離乳食を開始すると、便の色が黄色→褐色になってきて、水分が減って形のある便が出てくる
- 排尿：15〜20回／日程度、排便は1歳頃には1〜2回／日程度
- 脱水、オムツ皮膚炎に注意

などがあげられます。性状や回数には個人差があります。

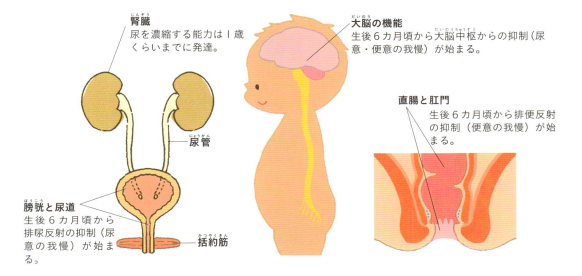

❸ 幼児期

幼児期の排尿・排便の特徴は、
- 排尿：8～12回／日程度、排便：1回／日程度。性状や回数には個人差がある
- 幼児前期：意欲に合わせてトイレでの排泄の練習（トイレット・トレーニング）を始める
- 幼児後期：社会生活の場が広がり、排泄の自立を目指す時期

などがあげられます。

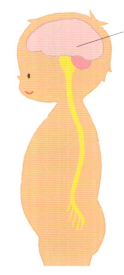

大脳
2～3歳くらいで、排泄時の特有のしぐさが見られたり、出たことを教えたりするようになる。

1）トイレ環境

トイレ排泄への移行はトイレ環境も重要です。暗い・こわい・汚い・くさいなどの環境がトイレ嫌いの原因となることもあります。

洋式トイレで座位姿勢が安定しない場合は、補助便座・足台・手すりなどを使用し、安心して座れるようにしましょう。

×便座が大きい（お尻が落ちる）、足が着かない→姿勢が安定せずこわい。
○座位姿勢の安定→補助便座、手すり、足台などがあると安心。

2）社会生活の場が広がり、排泄の自立を目指す時期

保育園などでの集団生活が始まります。自己と他者の違いを理解し、排泄スタイルの違いなどを疑問に感じるようになります。説明を聞いて自分の排泄スタイルとして理解すること、いずれは自分で排泄をコントロールできるようになることを目指して、この時期から関わることが大切です。

周りのお友だちといっしょに、基本的な排泄マナーや習慣、清潔観念なども身に付けていけるようにしましょう。

ここに注意！

Q　トイレット・トレーニングのポイントは？

A
- 開始の目安は、おしっこの間隔が2時間以上空くことです。
- 子どもの意欲に合わせて促しましょう。
- 失敗しても怒らないこと。

❹学童期

学童期の排尿・排便の特徴は、
- 排尿：5〜8回／日程度、排便：1回／日程度
  性状や回数には個人差がある
- 基本的生活習慣を身に付け、排泄も自立

などがあげられます。

1）学校生活

学校でトイレに行きたくなっても行けない場合や、さまざまな理由で我慢してしまうことがあります。排尿の場合は膀胱炎などの尿路感染、排便の場合は便秘などのトラブルの原因になります。便秘の予防には、規則正しい生活習慣を日頃から心掛けることが大切です。

他者との排泄スタイルの違いや、排泄のトラブルが劣等感につながる可能性もあります。就学にあたり、本人の理解状況の確認、学校の環境整備や協力者の確保、周囲への説明などについて、事前に関係者と相談して準備しましょう。

2）学校で排便を我慢する理由
- 環境要因として、和式・古い・こわい・汚い・くさいなど
- 恥ずかしい
- からかわれる
- 授業中に言い出せない
- 休み時間は時間がない

などがあげられます。

規則正しい生活習慣と排便

運動
適度な運動や活動は、消化管運動を活発化して消化管内の食べ物の通過時間を短縮するなど、排便にかかわるお腹の筋肉の鍛錬に効果がある。また、活動と睡眠のよいバランスが排便をコントロールする自律神経を整えるため、適度な運動をすることが勧められている。

睡眠
睡眠時など、リラックス状態にあるときには副交感神経が働く。副交感神経系は消化管の機能を活発にする。

食事
食べ物が胃に入り大蠕動が起きると（胃結腸反射）、結腸から直腸に便が移動する。大蠕動は1〜3回／日、左半結腸に起こる強い蠕動のこと。

直腸伸展
直腸に便がたまると、直腸の壁から信号が脳に伝わり便意を感じる。

排便
便意を逃さずトイレで（いきんで）排便する。

＊子どもの排泄障害と排泄ケア

便や尿が、「漏れる・うまく出せない・出しきれず残る」などが問題となる場合に、導尿や浣腸、ストーマなどの排泄ケアが必要になることがあります。また、オムツや尿取りパッド、そのほかの失禁ケア用品などが必要な場合もあります。

❶排尿障害と排泄ケア

先天性の脊髄や脳・神経障害などの病気で排尿障害が生じる場合があります。

神経因性膀胱は、脳や神経の損傷によって膀胱・尿道⇔大脳の、一連の情報伝達にトラブルが生じた状態をいいます。損傷の程度によって、排尿のコントロールが困難になり、尿が出にくくなったり、漏れたりする問題が生じます。

尿をうまく出せない状態で膀胱内に尿が残っていると、尿路感染、膀胱内圧上昇のリスクが高まります。

膀胱内が高圧になる状態（下図）は、腎機能障害の原因になるため、いち早く治療を始める必要があります。この場合、細い管を尿道から一定時間ごとに入れて排尿する「間欠的導尿」を行います。

膀胱内が高圧になる状態

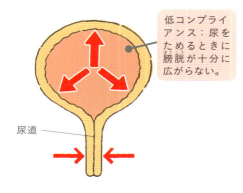

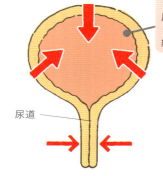

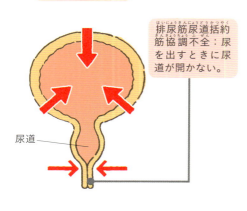

各論・3章 排泄ケアとスキンケア

❷排便障害と排泄ケア

1）消化管ストーマ

腸管の運動機能や、直腸・肛門の病気で便がうまく出ない場合には、消化管ストーマを手術でつくることがあります。子どもの場合は一時的ストーマが多く、乳幼児期にストーマを閉じて肛門から排泄するようになります。

先天性の病気では、直腸・肛門の筋肉や働きが弱い場合もあり、ストーマ閉鎖後も便秘や便失禁が起こらないよう継続的に管理を行っていきます。

> 手術で腹壁に腸管を開口させてつくる便の排出口のことを消化管ストーマまたは人工肛門という。出口には肛門のような筋肉がなく、便を意識的にとどめておくことができないので、排泄物を収集する袋などの「ストーマ装具」をつけて管理する。管理のしかたは、袋に便やガスがたまってきたら中身を出す、ストーマ装具は数日ごとに交換するなど。

2）遺糞症

先天性の病気がない場合でも、生活習慣や心理的要因などで便秘症となる子どもも少なくありません。便秘症が慢性的に続くと遺糞症となり便失禁が起こることもあります。

便秘症の治療では、浣腸や坐薬などの強制排便法、内服管理、日常生活指導などを行います。

> 4歳以上の小児にみられる慢性的な便失禁。直腸性便秘が原因であることが多い[1]とされている。心理的要因が大きい非便秘型もある。
> 便秘型の場合は、慢性便秘によって直腸に糞便閉塞を来し、その周りをつたって泥状便が流れ出てくる溢流性便失禁の状態となる。硬便を出すときの肛門の痛みや、浣腸時の腹痛などから排便を我慢する習慣ができ、悪循環となって起こる。

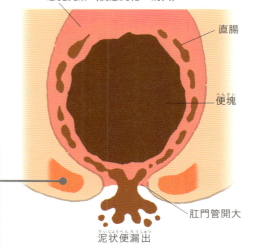

直腸壁の過伸展
→感覚鈍麻（便意鈍化・消失）

直腸

便塊

肛門管開大

泥状便漏出

（上條みどり）

●引用・参考文献

1）日本ストーマ・排泄リハビリテーション学会 編. ストーマ・排泄リハビリテーション学用語集. 第3版. 金原出版, 2015, 3.
2）ストーマリハビリテーション講習会実行委員会 編. ストーマリハビリテーション基礎と実際. 第3版. 金原出版, 2016, 166-8.
3）田中秀子ほか編. 失禁ケアガイダンス. 日本看護協会出版会, 2007, 20-7, 28-34, 54-69, 133-41.
4）髙井峻ほか. 知っておくべきおしっこの生理. WOC Nursing, 3（12）, 2015, 12-8.
5）田中悦子. 小児の排尿ケア：～子どもから大人へ：学校保健・キャリーオーバー～. WOC Nursing, 3（12）, 2015, 45-54.
6）中野美和子. 赤ちゃんからはじまる便秘問題：すっきりうんちしてますか. 言叢社, 2015, 18-76.
7）溝上祐子ほか編. 小児創傷・オストミー・失禁（WOC）管理の実際. 照林社, 2010, 204-12.
8）市野みどり. 小児泌尿器科の常識レベルアップ 知っておきたい！ 子どもの疾患・ケア・二分脊椎の子ども：尿路が危ない！（神経因性膀胱）. 泌尿器ケア, 14（10）, 2009, 80-4.

3章 排泄ケアとスキンケア 考えかた ②
ケアする前におさえたい子どもの皮膚の構造と特徴

スキンケアの必要性

✽ 子どもにスキンケアは必要？

- 広告や雑誌などで「子どもの皮膚はうるおいがあり理想的」というキャッチコピーを目にしますが、果たして本当にそうなのでしょうか。実は、子どもの皮膚は構造的にも機能的にも、大人にくらべて非常に未成熟で、刺激に弱いことがわかっていて理想的な状態ではありません。
- 皮膚の構造や機能が大人と同じようになるのは、中学生ごろだといわれています。それまでは、乾燥しやすく刺激に弱い状態です。

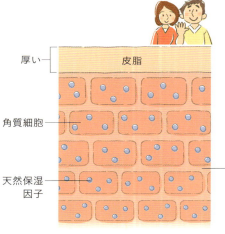

- 子どもは大人と比べ角質細胞が小さく、不規則な形をしている。構造も整っておらず弱い
- 子どもは大人と比べ、角質間細胞脂質、天然保湿因子、皮脂の量が少ないので、皮膚のバリア機能は低い

Point 子どもの皮膚は大人にくらべてデリケートで乾燥しやすく、スキンケアが欠かせない！

✽ 皮膚が受けるさまざまな刺激

子どもの皮膚は、汗やよだれ、摩擦やダニ、ほこりなど、さまざまな刺激を受けています。

正常な皮膚だと、これらの刺激を受けても問題はありません。しかし、いろいろな理由で皮膚のバリア機能が落ちているときに、この刺激を受けると、トラブルが起こります。

✲ 正常な皮膚とは

　私たちが普段から手で触れている表皮の一番外側にある層を角質層といいます。表皮の最も大きな役割は、病原菌やアレルゲンなどの外的な刺激から身体を守ることです。この役割を皮膚の「バリア機能」といいます。バリア機能が働いているのが、正常（健康）な皮膚です。

健康な皮膚

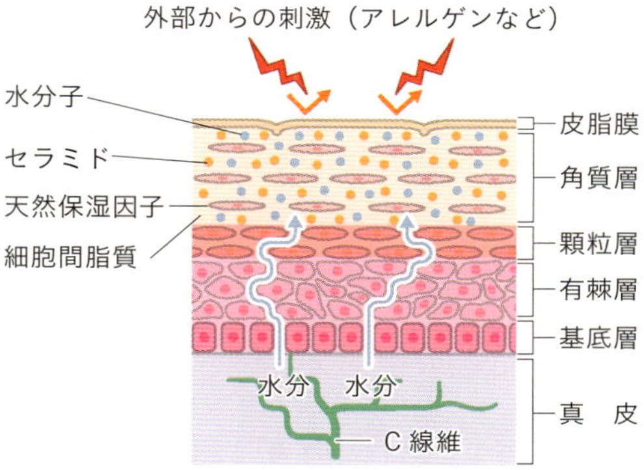

（文献1より引用、一部改変）

✲ バリア機能の低下（乾燥・湿疹）

- 正常な皮膚は、ダニや食物などのアレルゲンや病原菌を通しません。それに対し、バリア機能が低下した皮膚ではそれを通してしまい、アレルゲンの感作や皮膚の感染症を引き起こし、水分の蒸発やかゆみを誘発します。
- バリア機能を維持するには角質層のうるおいを保つことが大切です。乾燥や湿疹、浸軟などの皮膚異常がある状態ではバリア機能が正常に働かず、外部からの刺激に非常に弱い状態となります。
- さらに皮膚の乾燥や湿疹は、かゆみを引き起こします。引っ掻くことで、自ら皮膚のバリアを壊し、さらなるバリア機能の低下を引き起こすという悪循環が繰り返されるのです。

乾燥のある皮膚

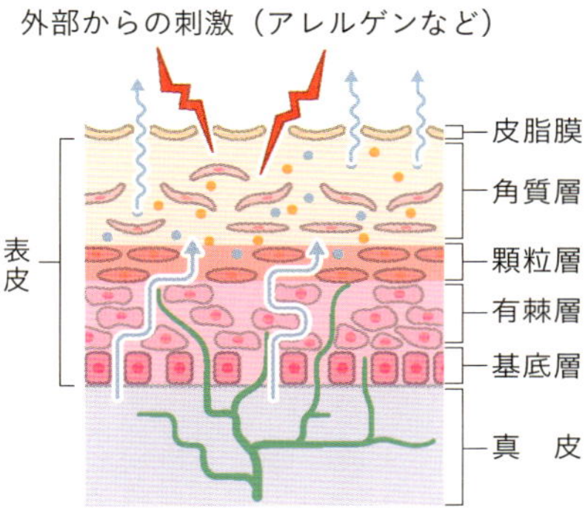

（文献1より引用、一部改変）

Point 皮膚のトラブルは早めの対処が大切！

✲ バリア機能の低下（浸軟）

　乾燥とは逆に、皮膚がふやけてしまうような過度に角質層の水分量が増加した状態を浸軟といいます。これは一過性に角質層の体積が増えるので細胞間の結びつきが弱くなり、刺激に弱い状態となり、バリア機能の低下につながります。

浸軟のある皮膚

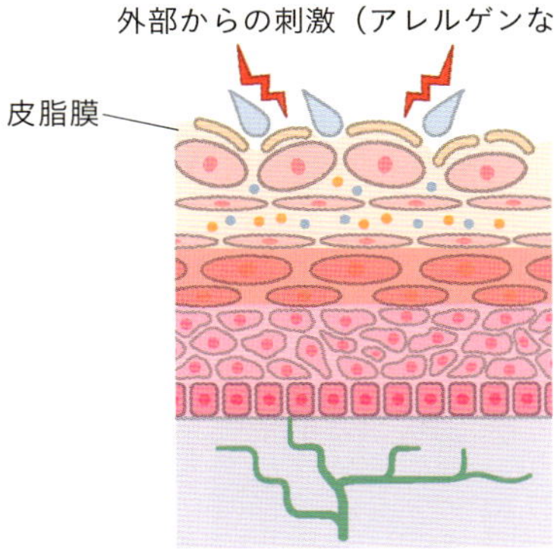

（文献1より引用、一部改変）

✳ 皮膚の異常とアレルギーの関係

バリア機能が低下した皮膚は、病原菌やアレルゲンなどの外的な刺激に弱いことをお話ししました。このアレルゲンに着目してみましょう。

アレルゲンが皮膚から侵入すると、壊れたバリアの隙間からすり抜けて身体に侵入してきます。このアレルゲンに対して、皮膚の奥にある免疫細胞は、それを敵だとみなしてしまうことがわかっています。敵だとみなされたアレルゲンが次に身体に侵入したときに察知できるよう、免疫細胞は戦うための兵隊を作り、強くアンテナをはって次のアレルゲンの侵入を待ち構えます（これを経皮感作といいます）。

✳ 経皮感作を予防するには

では、侵入してくるアレルゲンが食物に関連するものだったらどうでしょう。食べたときに強くアンテナを張っていた兵隊が過剰反応してアレルギー症状を引き起こす可能性があるのです。

つまり日ごろからバリア機能を維持できるようにスキンケアを行うことは、アレルギー予防の観点からも大切なことなのです。

・皮膚のバリア機能を維持すること以外にも、環境中からアレルゲンを減らすことも自宅でできる対策の一つです。ホコリの中にはダニや花粉以外にも食物のアレルゲンが含まれていることがわかっています。アレルゲンが環境中に少なければ皮膚から侵入する機会が減ります。掃除は家をキレイにするだけでなく、アレルギー予防の観点からも大切なことといえます。

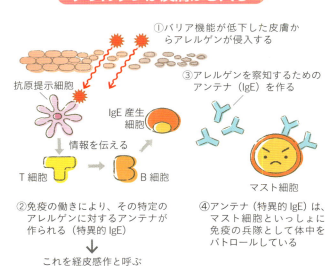

Point バリアの壊れた炎症のある皮膚からアレルゲンが侵入すると、アレルギーの発症につながる可能性があります。

Point アレルゲンが侵入する経路を減らします。つまり皮膚をキレイにすることがアレルギー予防につながる可能性があることがわかっています。

スキンケアと食物アレルギー発症の関係

- 皮膚からアレルゲンが入るとアレルギー発症の可能性があることを前述しました。その反対にからだに必要な栄養成分など、腸から吸収するものに関して免疫は、それを受け入れる方向に働くことがわかっています（これを免疫寛容といいます）。
- アレルギー症状はその食品自体のアレルゲン性の高さとその食品を摂取する量が多くなるほど強くなります。食事を摂取するとき（口から食べる・ミキサー食の胃瘻や胃管からの注入）は、ごく少量から始めるようにすると、万が一アレルギー症状が出たときにも軽い症状で済む可能性があります。また、新しい品目は1日1品目ずつとすると、どの食品でアレルギー症状が起きたかわかりやすくなります。
- 新しい食品を摂取するのは平日の日中にすると、アレルギー症状が出たときに病院に相談や受診がしやすくなります。

> **Point** 皮膚では自分（人間）と異なるタンパク質を敵とみなして排除しようとする免疫が働きますが、腸では自分（人間）と異なるタンパク質を受け入れようとする免疫が働きます。

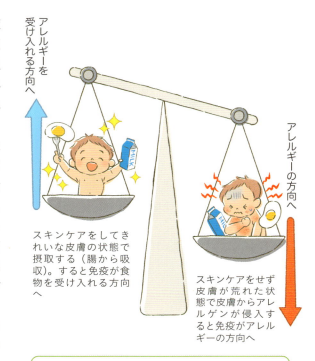

スキンケアをしてきれいな皮膚の状態で摂取する（腸から吸収）。すると免疫が食物を受け入れる方向へ

スキンケアをせず皮膚が荒れた状態で皮膚からアレルゲンが侵入すると免疫がアレルギーの方向へ

> **Point** アレルゲンが皮膚から侵入しないようスキンケアを行い、皮膚をキレイにしながら食事を摂取することで、アレルギーの発症リスクを減らせる可能性があります。
> 初めて摂取する食品にもかかわらず、いろいろな種類、たくさんの量を摂取するのはNGです。

✱ 皮膚トラブルの予防には

　皮膚トラブルを防ぐには、洗浄と保湿が大切です。せっけんを使わずお湯だけで洗うと水性の汚れ（汗や唾液など）は落ちますが、油性の汚れ（古い皮脂や食物など）は落ちにくく病原菌が増殖しやすくなり、さらなるトラブルを引き起こします。
　せっけんの界面活性作用には汚れとくっついて洗い流しやすくする作用があります。そのため、せっけんを使って洗うことがおすすめです。また、せっけんはよく泡立てることで効果を最大限に発揮します。泡自体がスポンジのような役割も果たすのでやさしく洗うことができます。

＊ステロイド外用薬についての考えかた

- ステロイドは「強い薬だからあまり使わないほうがいい」というイメージを持っている方は少なくありません。実際に1990年代にはメディアでステロイドは恐ろしいものとして紹介された時代がありました。
- ステロイドの副作用は注射・内服薬が全身性の副作用を引き起こすのに対し、外用薬（皮膚に塗る軟膏など）の副作用の多くは局所的です。局所の副作用は多毛・毛嚢炎・皮膚感染症などがありますが、これらは使用を休止し適切に処置すれば改善します。
- ステロイド外用薬は、バリア機能を回復させながら副作用が出ないよう上手に減らしていくことが大切です。

局所的にステロイドを外用する例	口の周りや胃瘻周囲、気管カニューレ固定具下の皮膚の赤みや湿疹など
全身的にステロイドを外用する例	重度の乳児湿疹、アトピー性皮膚炎など

- 日本において、ステロイド外用薬は作用の強さによって5つのランクに分けられています（weak、medium、strong、verystrong、strongest）。強い皮膚の炎症に、弱いランクのステロイド外用薬を塗布しても炎症は改善しません。

Point 過剰に心配せず局所副作用の発現に注意しながら、適切なランクのステロイド外用薬を必要量外用することをおすすめします！

Q ステロイド外用薬は眼の周りに塗っていいのでしょうか？

A 眼の周りの炎症は擦ったり掻いたりすることで白内障のリスクとなるため適切な治療が必要です。しかし塗布上の注意点もあるため、医師の指示を守って使用することが良いでしょう。

Q ステロイド外用薬を塗ると皮膚が黒くなりますか？

A これは皮膚の炎症が持続したことによって生じる色素沈着であり、ステロイド外用薬によるものではありません。白く色が抜けたような状態になることもあります。皮膚の炎症は放置せず、早めに対処しましょう。

＊親のスキンケアが子の成長発達に及ぼす影響

- 皮膚はバリア機能だけでなく感覚受容器としての機能を持っています。
- 洗浄や保湿をする際にやさしくマッサージをするように行うことで、親と子どもの双方向のケアとなり、子どもの発達と家族の成長が一層促される機会になります。そのためにはスキンケアが快刺激のケアになるように努め、表情をみながら愛護的に行われることが望ましいです。

Point 寒さを感じさせたり冷たい手で保湿剤を塗ったりするなどの不快な要素はなくし、スキンケアを快刺激にする環境を整えましょう。

Point 表情や反応をみまもり、話しかけたり音楽を聴かせたりしながら行うとより良いでしょう。スキンケアのときだけに遊べるおもちゃや映像を使うことも効果的です。

（泉名　諒）

● 参考文献

1) Lack, G. Epidemiologic risks for food allergy. J Allergy Clin Immunol. 121（6）, 2008 1331-6.
2) 村松恵. 小児の状態別スキンケア・ビジュアルガイド. 国立成育医療センター監修. 2012, 東京, 中山書店, 136p.

医療的ケア児に起こりやすい皮膚障害

＊皮膚障害の原因

　アトピー性皮膚炎などの疾患によるものや褥瘡（床ずれ）を除いて、医療的ケア児に起こりやすい皮膚障害には、①唾液や排泄物がよく付着する場所に起こるもの、②医療機器があたって起こるもの、③テープによるものがあります。場所によっては、原因がいくつか重なって皮膚障害が起こりやすい環境の場合もあります。

皮膚への唾液や胃液、尿・便の付着

　唾液や胃液・尿などが長い時間皮膚に付着している場合には、皮膚がふやけた状態（浸軟）になり、拭き取ること（皮膚への摩擦）が加わると皮膚障害が起こりやすくなります。浸軟と繰り返し拭き取ることで皮膚のバリア機能が破綻し、一度バリア機能がくずれると皮膚障害は悪化しやすく、治りにくくなります。さらに、胃液や腸炎による下痢は皮膚とのpH値が大きく異なるため、上記に加えてさらに皮膚炎が起こりやすい状態といえます。

　たとえば、花粉症で鼻をかみすぎたり、下痢でお尻を拭きすぎると、ピリピリと痛い思いをしたことがある方は想像しやすいと思います。皮膚をきれいにしたい気持ちとは裏腹に皮膚にダメージを与える結果となるため、拭き取り方法は注意が必要です。

　やさしく拭き取る、皮膚をきれいに保つ、皮膚を保護することが大切です。

気管切開カニューレ、栄養チューブ（胃管・胃瘻など）、NPPVマスクなど医療機器のあたる場所

　医療機器など、皮膚よりも硬いものがあたっていると、その圧力で皮膚障害が起こりやすくなります。医療関連機器圧迫創傷（Medical Device Related Pressure Ulcer；MDRPU）と呼ばれ、使用している機器や栄養・皮膚状態などの個別的な要因によって発生リスクは変わります。また、その医療機器自体が子どもの動きや固定する力によってずれたり、圧迫の程度が強くなると外力（圧力＋ずれ）で皮膚障害の発生頻度が上がります。

　医療機器による過剰な圧力を避けるため、フィッティングや固定方法を変える、場合によってはあたる場所の保護が必要であること、栄養状態や乾燥や浸軟・浮腫といった皮膚状態を改善していくことも大切です。

テープによる皮膚障害

　医療機器やガーゼの固定でテープを使用していると皮膚障害が起こります。剥離刺激によるものと、接触性皮膚炎などのテープに使用している粘着剤による皮膚障害があります。

　反膚にセロハンテープを貼って剥がしたあとに、セロハンテープに角質が取れているのを目にした方もいると思います。これを剥離刺激と呼んでいますが、取れた角質の上からテープを貼付し剥がす行為をターンオーバーが終わる前に繰り返されると皮膚へのダメージが蓄積していきます。どんなに粘着が弱いテープでも剥離刺激はあり、貼付と剥離を繰り返すことで皮膚のバリア機能が破綻した結果、皮膚障害が起こります。粘着剤が原因の場合には、テープ自体を変えることで症状の改善があります。

　やさしく剥がす、皮膚をきれいに保つ、貼付部位を変える、皮膚を保護することが大切です。

（二ッ橋未来）

● 参考文献
1）新村洋未．"3 創傷の管理"．基礎看護技術Ⅱ．メディカ出版，2022，338．（ナーシング・グラフィカ 基礎看護学③ 基礎看護技術Ⅱ）．

手技 1 在宅自己導尿

✻ 準備物品リスト

カテーテルの費用は、「在宅自己導尿指導管理料」(使用するカテーテルの種類や本数に応じて別途カテーテル加算あり)に含まれ、算定される医療機関から提供されます。カテーテルの種類や本数、そのほかの物品提供の有無については、各医療機関ごとに異なる場合があります。

※は、個々の必要に応じて使用する

✻ ケアのすすめかた

❶準備

1) オムツを交換する：排泄物が出ていたら、きれいに拭き取っておきましょう。
2) 石けんで手を洗う
3) 物品を準備する：清浄綿、カテーテルの封を開け、潤滑剤を出しておきます。手が届くところに、ごみ袋やごみ箱を置いておきます。

ここに注意!

Q 在宅での注意点は？
A 外出先などで水道がない場合は、手指消毒薬、ウェットティッシュなどを用いて手指を清潔にしましょう。

物品準備のしかた

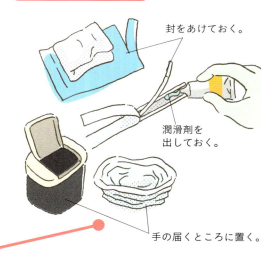

封をあけておく。
潤滑剤を出しておく。
手の届くところに置く。

4) 尿道口を確認し、清浄綿などで拭きます。

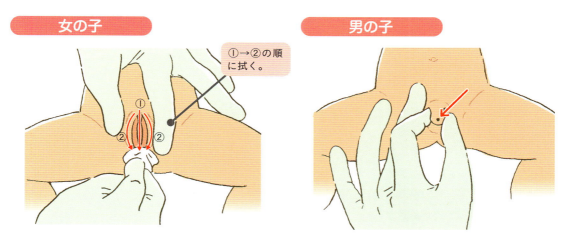

5) カテーテルを持ち、先端に潤滑剤をつけます。

❷カテーテル挿入

1) カテーテルを入れます。

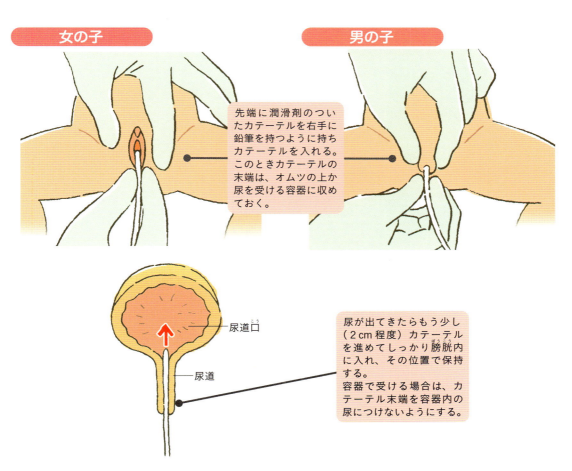

2）膀胱内の尿を出し切って、カテーテルを抜きます。

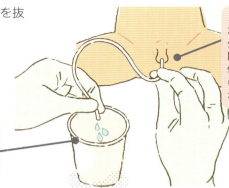

尿の流出が止まったら、カテーテルを少し出し入れしたり回したりして先端の位置を動かし膀胱内に尿が残っていないか確認する。

カテーテルをゆっくり抜いていく。途中で尿が出てきたらそこで保持して出なくなるまで待つ。尿が完全に出なくなるのを確認し、ゆっくりとカテーテルを抜く。

ここに注意!

 観察するポイントは？

膀胱内に尿が残らないようにしましょう。膀胱内に尿が残っていると、菌の増殖、膀胱内圧上昇、尿路感染のリスクがあります。
尿の色、におい、濁りがないか観察します。オムツで受けると濁りがわかりにくいため、気になるときは容器にとって確認しましょう。

❸計測・記録・片づけ

1）尿の量、性状を観察します。必要に応じて、オムツに漏れた尿の量・導尿で出た尿の量を計ります。記録用紙に、計測した尿の量や混濁の有無などを記入します。

2）使い終わったカテーテルを廃棄します。

ここに注意!

 在宅での注意点は？

カテーテルの廃棄は各市区町村の決まりに従って行いましょう。

❹自己導尿の場合

導尿する場所で衣服を下ろし、導尿しやすい姿勢で行います。

❺ 成長発達にあたって

保育園や学校などの日常生活を過ごす場所では、短時間で落ち着いて導尿できる環境を整えてもらうようにしましょう。トイレの環境は、本人がよりやりやすいと思う導尿場所（近い・人がいない・広いなど）が望ましいです。

学校での導尿が軌道にのったら、いずれは場所を選ばずどのようなトイレでも短時間で導尿ができることを目指していきます。小学校5年生の宿泊行事までに、どのトイレでも1人で導尿ができるようになると安心です。

トイレ内にあると良いもの

物品を置ける、広げられる物置台

ごみ箱など

導尿物品

そのほか、姿勢の保持に必要な手すり、補助便座、足台など。

気をつけたいケアポイント

自己判断で導尿間隔を延長、中止しない。
導尿間隔は、身体の状態や検査結果を元に目安を決めています。導尿間隔・時間を守りましょう。

膀胱に尿をためすぎないようにする。
尿路感染症や腎機能低下の危険性があります。

異常に気づいたら、病院に相談する。
発熱・腰痛・尿の混濁・血尿・下腹部痛・尿道痛などの症状がないか、観察しましょう。

自己導尿ができるようになっても、定期的な見守りを行う。
次第に自己流になり、挿入する際のカテーテルの長さの不足・残尿が多いなど、不十分な手技となっている可能性があります。尿が濁る、漏れが増えたなどの症状や、検査結果が良くないときには、子どもの手技を再確認しましょう。

こんなときどうする？

Q カテーテルをいつもより深く入れすぎてしまいましたが、大丈夫でしょうか？

A いつも通りスムーズにカテーテルが挿入できて、導尿できたのであれば問題ありません。

Q 外出しなければならず、次の予定時間に導尿ができません……。

A 外出する前に導尿をしましょう。膀胱に尿をためすぎないこと、定期的に空にすることが大切です。予定より早めでも良いので、導尿間隔を早めるようにして調整しましょう。

Q カテーテルが進まず、尿も出てきません……。

A 男女を問わず、力が入っていると痛みがあったり、入りにくい場合があったりします。子どもが泣いていたらあやして落ち着かせてから、深呼吸ができる子どもは促してみるなど、リラックスさせた状態で再度入れ直してみましょう。

女の子の場合

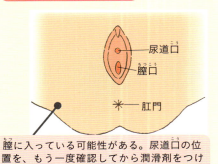

膣に入っている可能性がある。尿道口の位置を、もう一度確認してから潤滑剤をつけて再度入れ直してみよう。

男の子の場合

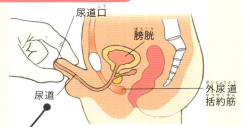

外尿道括約筋のところで突っかかる感じがすることがあるが、そこを通過すると尿が出てくる。ペニスを上にまっすぐ引っ張るようにし、力を抜いてリラックスした状態で挿入することがポイント。

（上條みどり）

● 参考文献
1) 溝上祐子ほか編. 小児創傷・オストミー・失禁（WOC）管理の実際. 照林社, 2010, 144-50.
2) 田中悦子. 小児の排尿ケア：～子どもから大人へ：学校保健・キャリーオーバー～. WOC Nursing, 3（12）, 2015, 45-54.

手技 2 ストーマケア

✳ 準備物品リスト

ストーマ装具は、永久ストーマの場合、身体障害者手帳の補装具の給付の対象となっています。しかし小児は一時的ストーマが多く、障害認定の対象外の場合は自費購入となります。自費購入した際の費用は、医療費控除の対象となります。購入時の領収証を保管し、確定申告の際に必要書類を添えて申請してください。

物品リスト

皮膚を清拭するための物品(微温湯・石けん・ティッシュペーパー・コットンなど)

ビニール袋など

型紙、はさみ、ペンなどの小物類

輪ゴム

ストーマ用装具(ストーマ袋・粉状皮膚保護剤など)

オムツ

ストーマ装具の名称

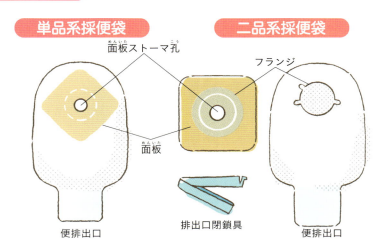

単品系採便袋

面板ストーマ孔

面板

便排出口

二品系採便袋

フランジ

排出口閉鎖具

便排出口

＊ケアのすすめかた

❶準備

1) 装具の準備：面板をカットしてストーマ孔をあけます。

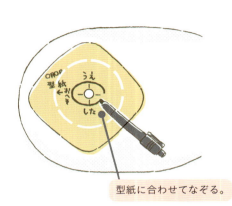

型紙に合わせてなぞる。

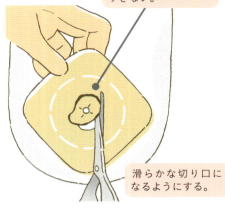

線の外側に沿って（線を消すように）カットすると穴が小さくなりすぎない。

滑らかな切り口になるようにする。

Q 面板の確認のポイントは？
A

ここに注意！

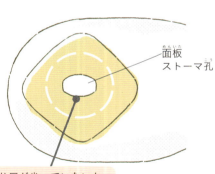

面板ストーマ孔

①切り口が尖っていないか。

②サイズは型紙とあわせてみる。

③切り口を指の腹でなぞり、尖っていないか確認する。滑らかでないときは、そのままなでてならす。

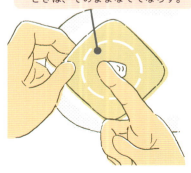

面板ストーマ孔の辺縁はストーマ粘膜に近く接するため、切り口が尖っていないか、面板孔が型紙と比べて小さくないか確認しましょう。

2）その他の準備：ストーマ下部の、便を捨てるための排出口から、ケアしやすいように前もって袋内の便を出しておきます。

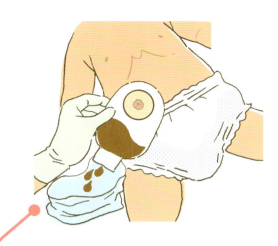

Q ストーマ袋の便の出しかたのポイントは？

A ストーマ袋がガスで膨れていたり、1／3程度まで便がたまっていたら、中身を出しましょう。中身をためすぎると漏れの原因になります。
- ストーマ袋の排出口をあけ、ガスや便をビニール袋やオムツなどに出します。
- ストーマ袋の排出口を、濡れたカット綿やティッシュなどで拭き取ります。
- 排出口を閉じます。排出口が開放型の袋で、輪ゴムで留める場合は、3回程度折って巻き上げ、蛇腹折りにするなどの方法があります。

ここに注意！

開放型の袋

❷交換

1）装具をやさしく剝がします。
　微温湯で湿らせたコットンなどを用いて面板（皮膚保護剤）を剝がします。
　面板を引っ張らず、皮膚をおさえるようにやさしく丁寧に剝がしていきます。強く粘着していたり剝離刺激による皮膚障害がある場合などには剝離剤（リムーバー）の使用を検討します。

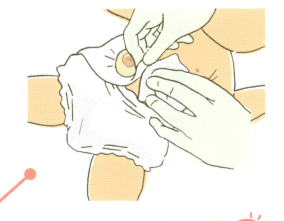

ここに注意！

Q 交換のタイミングのポイントは？

A 赤ちゃんのうちは、空腹時や不機嫌なときには暴れてしまい、子どももケアを行う人も、交換が大変です。哺乳直後もまた排便量が増えて、貼るタイミングが難しい場合もあります。お互いにできるだけ落ち着いてできるタイミングを選びましょう。

2) 皮膚と、剝がした皮膚保護剤の裏面を観察します。溶解（溶けてなくなっている部分）は5～7mm程度を目安にし、ストーマ周囲の皮膚に異常がなければ、交換間隔は適切と判断します。

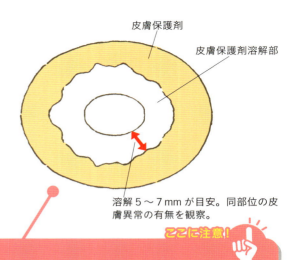

溶解5～7mmが目安。同部位の皮膚異常の有無を観察。

ここに注意!

Q 観察するポイントは？

A 交換時には、普段装具で覆われていて見えない部分をしっかり観察しましょう。具体的には皮膚の状態、粘膜の色、ストーマ基部の状態などを確認します。

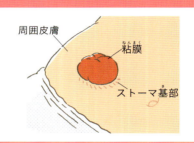

3) 皮膚の洗浄をします。

微温湯で湿らせたコットンなどを用いて皮膚についている汚れをやさしく取り除く。

よく泡立てた石けんで洗浄し、微温湯でよく洗い流す。

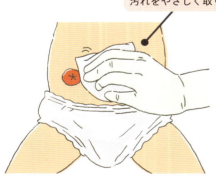

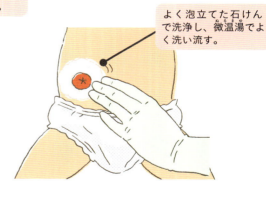

乾いたコットンやティッシュなどで、皮膚の水分をおさえ拭きする。

皮膚保護剤は貼付面が濡れていると粘着しません。装具を貼る直前に、皮膚が濡れていないか確認します。

4）ストーマ装具を貼ります。

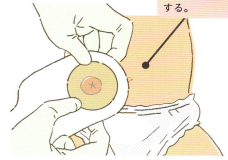

便が出ないタイミングをみて面板を貼る。面板が適切な位置に貼付できたか、ストーマ基部と面板の隙間を確認する。

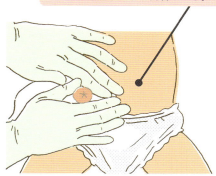

ストーマの近くから順に外縁までしっかり粘着させる。皮膚保護剤は温めるとやわらかくなるので、体温で皮膚になじんで密着する。やさしく皮膚保護剤の上から手をあて、温めるようにして密着させる。

面板と袋が別の場合（二品系装具）は、続けて袋をつけます。

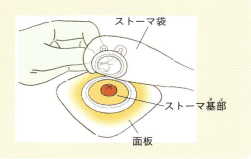

ストーマ袋
ストーマ基部
面板

Q 皮膚保護剤の作用と使いわけのポイントは？

A 排泄物の皮膚接触を防止し、皮膚を生理的に保つ作用があります。

〈皮膚保護剤の作用〉[1]
1）粘着作用：皮膚に粘着する
2）吸水作用：汗や不感蒸泄を吸収する
3）緩衝作用：皮膚のpHを弱酸性に維持する
4）細菌繁殖阻止作用：細菌の繁殖を抑える
5）保温作用

〈皮膚保護剤の形状〉
板状・リング状などの固形、手で形を形成できる用手成形、練り状、粉状があります。個々の状況に合わせて組み合わせて使用します。

＊日常生活

❶食事・運動

基本的には制限はありません。ミルクから離乳食へ食事形態が変化すると、便の量や性状も変化します。また、寝返りやはいはいでストーマがこすれ、粘膜から出血が見られることがありますが、一時的で持続しなければ様子を見てかまいません。不定期な漏れや面板が剥がれるなど、ストーマケアに影響がある場合にはストーマ外来などで相談してください。

❷入浴

交換日には、ストーマ装具を剥がして入浴し、お風呂のなかでストーマ周囲を洗ってもかまいません。お湯がストーマから腸内に入り込むことはありません。

交換日以外のときは、入浴後にタオルやハンカチをあてて、ストーマ袋に付着した水分を十分に拭き取ってください。

❸外出

外出するときには、装具の交換セットを携帯しましょう。小さなポーチやケースに入れておくと良いでしょう。面板をカットしておくと、すぐに交換できます。ベビーベッド併設のトイレや、オストメイト（ストーマ保有者）対応トイレも増えているので活用しましょう。

自宅以外で、日常的に過ごしケアを行う場所（保育園・学校・親戚宅など）には、緊急時・災害時の対策にもなりますので、必要物品を置かせてもらうと良いでしょう。

オストメイト対応
トイレのマーク[2]

❹協力者

通常のストーマケアは医行為ではありません。子どもの養育・介護をする人が実施可能な排泄ケアの1つです。装具交換を行う場合は、一定の研修や訓練を受けることが望ましいとされています[1]。知識をもった専門職者から指導を受ける場を設けるなど、協力者が増えるよう、必要に応じて関係者に相談していきましょう。

Q 成長に伴って気をつけるポイントは？

A 自己管理ができるようになったら、保育園や学校などの日常生活を過ごす場所では、短時間で落ち着いて便の処理ができる環境を整えてもらうようにしましょう。また、予定外の交換が必要になった場合を想定して、装具の交換をどこでどのようにするか、決めておきましょう。

各論・3章 排泄ケアとスキンケア　手技

Q ストーマを装着しているときの衣服の工夫のポイントは？

ここに注意！

A 乳児期は、ストーマ袋を引っ張ってしまったり、寝返りやはいはいで面板が剥がれやすくなる可能性があります。そのようなときは、装具をおさえるベルトを使用することもあります。また、袋を直接つかめないように、つなぎタイプの服や腹巻きでストーマ袋を覆う方法もあります。腹巻きは、袋の上にそのまま当てても良いですが、袋が皮膚に密着して蒸れる場合には下に示すような工夫もあります。

乳児期以降に、衣服が上下に分かれることで、ベルト位置がストーマ上になる場合は、サスペンダーやオーバーオールタイプの服を選びます。服が上がったときにストーマ装具が見えないようにするには、ストーマ袋カバーを装着しておくと良いでしょう。

腹巻きの工夫

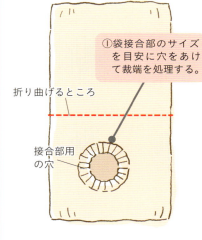

①袋接合部のサイズを目安に穴をあけて裁端を処理する。

折り曲げるところ

接合部用の穴

②腹巻きをしてつくった穴から袋を出す。

③腹巻きの上半分を折り返して袋を覆う。

ストーマ袋カバー

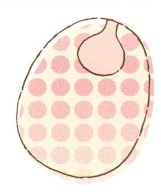

好きな柄の布でつくっても良いですね！

173

気をつけたいケアポイント

面板孔のサイズや形が大きく変化しないよう注意する。

面板孔のサイズは、大きすぎると便に触れる部分の皮膚障害のリスクがあり、小さすぎると粘膜基部を締めつけたり、粘膜を傷つけたり、粘膜をはさんで貼ってしまい、漏れの原因となる可能性があります。型紙を元にしてカットし形が変わらないようにしましょう。

粘膜の大きさが少しずつ変化し型紙が合わなくなることがあります。ストーマ外来などで定期フォローを受けましょう。

安易に軟膏を塗らない。

装具を貼る部位に軟膏類を塗布すると、皮膚保護剤が粘着しにくくなります。不定期の漏れが生じ、交換頻度が多くなる、剥離刺激で皮膚障害が悪化するなどのリスクがあります。皮膚症状と原因に応じた、適切な対応方法をストーマ外来などで確認しましょう。

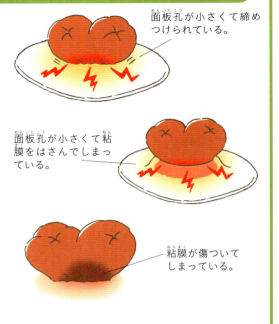

面板孔が小さくて締めつけられている。

面板孔が小さくて粘膜をはさんでしまっている。

粘膜が傷ついてしまっている。

こんなときどうする？

Q 交換時に泣いて暴れてしまって大変なのですが……。

A お腹がすいていたり、不機嫌で泣いてしまっているときの交換は、ケアを行う人の気持ちもあせってしまい、うまく貼れないことがあります。少しミルクを飲ませたり、抱っこなどで一旦落ち着かせ、装具を貼るときにはおしゃぶりや音の出る好きなおもちゃなど、機嫌が良くなるものを活用して、気をそらしながら行ってみましょう。

Q ストーマから出血したのですが、どうしたら良いですか？

A 皮膚保護剤を剥がすときなどに見られる、ストーマ粘膜からの出血は、皮膚保護剤との接触、拭き取る際のティッシュやカット綿などがこすれて起こる一時的なものです。ティッシュなどでおさえておくと止血します。出血がおさまらない場合や、ストーマのなかからの出血は、すぐに病院に連絡してください。

ストーマから出血がある。

各論・3章 排泄ケアとスキンケア 手技

Q 皮膚保護剤の溶解が早く、便が触れていた部分の皮膚が赤くなっているのですが……。

こんなときどうする？

A 気温が高い季節であったり、熱が出ていたり、便の量が多かったり、下痢に傾いているときなどに、皮膚保護剤は早く溶解します。次回は1日早めに交換してみましょう。それでも良くならなかったり、皮膚にひどいただれがある場合には、病院に相談してください。

（上條みどり）

● 参考文献

1）ストーマリハビリテーション講習会実行委員会 編. ストーマリハビリテーション基礎と実際. 第3版. 金原出版, 2016, 99, 166-8, 342.
2）公益財団法人交通エコロジー・モビリティ財団. バリアフリー推進事業. 標準案内用図記号 9 アクセシビリティ EPS版. https://www.ecomo.or.jp/barrierfree/pictogram/picto_009%E3%80%802021.html（7月11日参照）
3）溝上祐子ほか編. 小児創傷・オストミー・失禁（WOC）管理の実際. 照林社, 2010, 204-12.

175

手技3 便秘への対応

✳︎ はじめに

子どもが自分で便を出しにくかったり、ガスでお腹が張ったりして苦しそうな場合には、浣腸や坐薬、摘便などで強制的に排便を促す方法（強制排便法）があります。

器質的な問題はありませんが、便秘による苦痛を伴う身体症状を繰り返したり、長期的に続いたりする場合（慢性機能性便秘）には、排便習慣・食習慣・生活習慣の見直し（p.152参照）や下剤の使用などを検討する必要があります。

強制排便法1. グリセリン浣腸

✳︎ 準備物品リスト

グリセリン浣腸液（病院処方 30mL／60mL）、湯、処置用注射器、ネラトンカテーテル、潤滑剤（オリーブオイルなど食用油で代用可）、オムツ／おまる、お尻拭き、ビニール手袋、トイレットペーパー／ティッシュペーパー

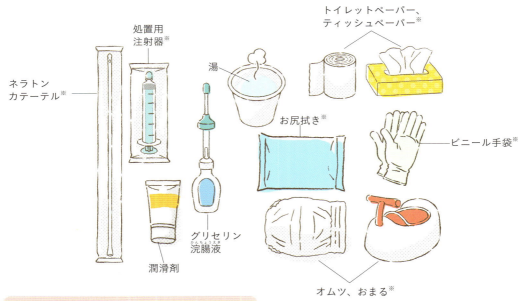

※は、個々の必要に応じて使用する。処方される浣腸液以外は、処置用注射器やネラトンカテーテルなども基本的に個人購入物品となる。

✲ ケアのすすめかた

❶浣腸液の準備

1) グリセリン浣腸液を湯煎して人肌程度に温めます。

2) 浣腸液の使用量(医師の指示量)が、30mLと60mLの場合は、そのまま使用します。

注射器とネラトンカテーテルを使用する場合

※体格が小さく、30mL 未満の指示量で小分けにする必要がある場合に注射器を使用します。

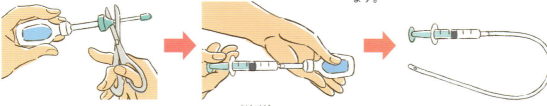

チューブ部分をはさみで切ります。　注射器で浣腸液を吸います。　注射器にネラトンカテーテルをつけます。

ここに注意!

Q グリセリン浣腸液量の目安は?

A 体重 1kg あたり 1mL が目安です。
なお、便が固く大きな塊になっていると、浣腸をしても腹痛が生じるだけで出せなかったり、排便時に肛門痛を伴う可能性があります。この痛みは、子どもの排便回避や便秘の悪循環につながりかねません。便を軟化させるため、グリセリン浣腸の前にオリーブオイルを浣腸する方法があります。使用量の目安はグリセリン浣腸と同様です。オリーブオイルで軟化した便を、グリセリン浣腸や摘便で出していきます。

❷浣腸液の注入

1) 体位(身体の向き)を整えます。乳児は上向き、幼児・学童は左横向きにして寝かせます。
2) カテーテルの先に潤滑剤をつけます。
3) カテーテルを肛門からゆっくりと直腸内に挿入し、液を注入します。
4) カテーテルをゆっくり抜き取り、ペーパーなどで肛門をおさえます。
　乳児の場合:肛門をしばらく押さえ、液が出てこないことを確認してオムツをします。
　幼児・学童の場合:3分程度我慢させてから排便を促します。
5) 排便後はお尻をきれいにして身支度を整えます。
6) 施行者は十分に手洗いを行いましょう。

幼児・学童の場合

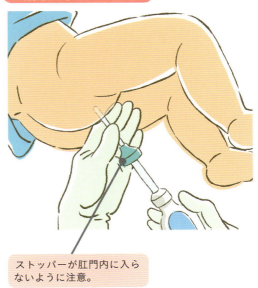

ストッパーが肛門内に入らないように注意。

Q 浣腸の体位は？

A 側臥位は実施者から肛門が見えやすく、左側臥位は腸の走行から液が入りやすいため、幼児以上の浣腸の体位として推奨されています。

Q カテーテル挿入長さの目安は？

A 肛門管を超えて、直腸内に到達する長さが必要で、目安は以下の通りですが、子どもの体格によって異なるので考慮が必要です。浅すぎると液が直腸にとどまらずに漏れてきてしまいます。深すぎると太く固いカテーテルの場合、腸穿孔（腸を傷つける）リスクがあります。
- 乳児：3～4cm
- 幼児：3～6cm
- 学童～成人：6cmまで

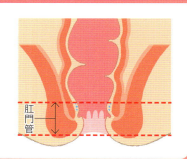

強制排便法2．坐薬

✽ 準備物品リスト

坐薬、潤滑剤（オリーブオイルなど食用油で代用可）、カッター／はさみ、オムツ／おまる、お尻拭き、ビニール手袋、トイレットペーパー／ティッシュペーパー

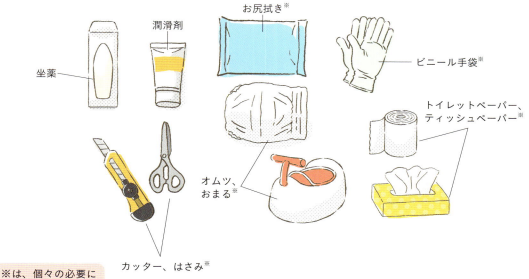

※は、個々の必要に応じて使用する。

✱ ケアのすすめかた

❶ 坐薬の準備

1) 坐薬の必要量が、1/2個など1個より少ない場合は、必要量を切って使用します。

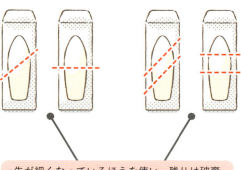

- 先が細くなっているほうを使い、残りは破棄。
- 外装のままカッターなどを使うと切りやすい。

❷ 坐薬の挿入

1) 体位（身体の向き）を整えます。乳児は上向き、幼児・学童は左横向きにして寝かせます。
2) 坐薬の先に潤滑剤をつけます。
3) 肛門からゆっくりと、坐薬を挿入します。
4) 肛門から坐薬が排出されることがあるので、挿入後しばらく肛門部をおさえます。
5) 排便後はお尻をきれいにして身支度を整えます。
6) 施行者は十分に手洗いを行いましょう。

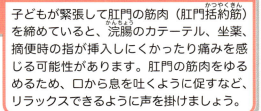

ここに注意！

Q 坐薬挿入時のポイントは？

A 子どもが緊張して肛門の筋肉（肛門括約筋）を締めていると、浣腸のカテーテル、坐薬、摘便時の指が挿入しにくかったり痛みを感じる可能性があります。肛門の筋肉をゆるめるため、口から息を吐くように促すなど、リラックスできるように声を掛けましょう。

強制排便法3．摘便

✱ 準備物品リスト

ビニール手袋、潤滑剤（オリーブオイルなど食用油で代用可）、オムツ、お尻拭き、トイレットペーパー／ティッシュペーパー、ごみ袋（摘便した便を入れるもの）

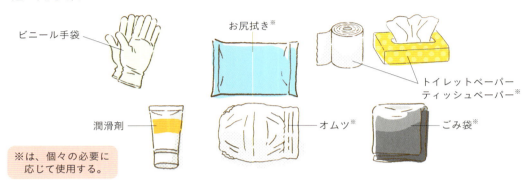

※は、個々の必要に応じて使用する。

✱ ケアのすすめかた

1） 体位（身体の向き）を整えます。乳児は上向き、幼児・学童は左横向きにして寝かせます。
2） 手袋をつけた示指（人差し指）に、十分に潤滑剤をつけます。
3） 肛門を軽くマッサージし、筋肉が緩んだ状態でゆっくりと指を挿入します。
4） 指は4〜5cm程度（示指第2関節が入る程度）の挿入とし、便の塊の位置を指で確認しながら、力を入れずにゆっくりと肛門に向かって移動させ、取り出します。塊が大きい場合は小さな塊に崩してから出します。
5） 排便後はお尻をきれいにして身支度を整えます。
6） 施行者は十分に手洗いを行いましょう。

便塊の位置を確認。

大きければ指で出せる大きさに崩して取り出します。

ここに注意！

Q 奥のほうにある便塊の摘便のコツは？

A 指の先に便塊が触れるのに、なかなか降りてこないで奥に入っていってしまう場合には、子どもの下腹部にやさしく手をあて便塊が上に逃げないよう押さえるようにすると、出てきやすくなります。

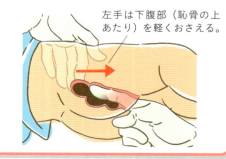
左手は下腹部（恥骨の上あたり）を軽くおさえる。

薬物療法

※ 便秘の分類

機能性便秘には、大腸の動きが弱いなど腸内を便が通過する時間が遅いために水分が吸収されて便が固くなるタイプ（弛緩性便秘）、直腸や骨盤内の筋肉に原因があり便が排出しにくいために便が停滞して起こるタイプ（直腸性便秘）、自律神経の過緊張で結腸が痙攣性に収縮して便が停滞して起こるタイプ（痙攣性便秘）などがあります（表1）。

表1 便秘の分類

器質性便秘	狭窄などの物理的通過障害		
機能性便秘	機能障害による	大腸機能障害型	大腸通過時間遅延型（弛緩性便秘）
			大腸通過時間正常型（痙攣性便秘、過敏性腸症候群の便秘型など）
		便排出障害型	直腸・肛門での便排出障害（直腸性便秘）
		続発性（症候性）	甲状腺機能低下、糖尿病など基礎疾患による
特発性便秘	原因疾患を特定できない		

（文献1を参考に作成）

※ 下剤の種類

下剤にも、固い便を軟化させるタイプ（浸透圧性下剤）や、腸の動きを亢進させるタイプ（刺激性下剤）などの種類があります（表2）。便秘のタイプやコントロールの目的により、下剤の種類を選択して使用する必要があります。

直腸や肛門の器質的疾患や神経障害があると、便意を感じにくかったり、肛門括約筋機能がうまく働かなかったりすることがあります。また、浸透圧性下剤により便の性状がゆるくなりすぎると便失禁（便が漏れる）や失禁による皮膚障害が問題となることがあります。その場合、浸透圧性下剤の量を調整して便の性状をコントロールしたり、腸の動きを促すタイプの下剤への変更や併用を検討するなど、個々の状況に応じた調整が必要です。

表2 小児の便秘症に使用される薬剤

	一般名	製品名	形状*	小児適応
浸透圧性下剤	マルツエキス	マルツエキス	液	―
	ラクツロース	モニラック	シロップ／散	あり
	酸化マグネシウム		錠／散	なし
	水酸化マグネシウム	ミルマグ	液／散／錠	なし
	ポリエチレングリコール	モビコール	散（液）	あり
刺激性下剤	ピコスルファートナトリウム	ラキソベロン	液	あり
	センノシドA・B	プルゼニド	錠	なし
	ビサコジル	テレミンソフト	坐	あり
	炭酸水素ナトリウム・無水リン酸二水素ナトリウム	新レシカルボン	坐	なし
浣腸	グリセリン	グリセリン浣腸	液	あり
消化管運動賦活薬	モサプリドクエン酸塩	ガスモチン	錠／散	なし
過敏性腸症候群治療薬	ポリカルボフィルカルシウム	ポリフルコロネル	錠／散	なし
漢方製剤	大建中湯		散	なし
	小建中湯		散	なし
	大黄甘草湯		散	なし
クロライドチャネルアクチベーター	ルビプロストン	アミティーザ	カプセル	なし

＊：錠＝錠剤、散＝散剤（粉）、液＝液剤、坐＝坐剤、シロップ＝シロップ剤、カプセル＝カプセル剤

（文献2を参考に作成）

気をつけたいケアポイント

強制排便法実施時の体位

　四つ這いや、立った姿勢、特に前かがみ（立位前屈）での浣腸は、カテーテル先端が直腸の前壁にあたり、腸を傷つけてしまう危険性があるので避けてください。坐薬と摘便時の指の挿入時も同様に注意が必要です。体位にかかわらず、実施後は機嫌や顔色、便に血液や赤い粘液が混じっていないかなど、粘膜損傷の症状の有無を確認しましょう。

浣腸のカテーテル挿入と液の注入はスムーズか？

　カテーテル先端が便塊または直腸壁、もしくは両方にあたっていると液が注入しにくい場合があります。無理に注入せず、少し管を引き抜いたり、挿入角度を背側に直すなど先端位置を変えてみたりしましょう。

　便塊がカテーテル挿入や浣腸液注入の妨げとなる場合は、浣腸の前に摘便が必要かもしれません。摘便もリスクを伴う医療的ケアなので、家族や子ども自身が行う場合は、医療者から適切な指導を受けて安全に行えるようにすることが必要です。

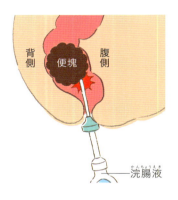
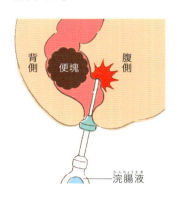

こんなときどうする？

Q　強制排便法実施後の観察はどうしたらよいですか？

A　お腹の張り具合、排便の量や固さ、におい、子どもの機嫌などを観察しましょう。必要に応じて記録に残しておくと、便秘治療の参考になります。

　浣腸や坐薬は、腸管を刺激し動きが活発になります。効果が強いと腹痛、吐き気や嘔吐などの症状が出る可能性もあります。医療者に、薬剤の使用頻度や量を相談しましょう。

（上條みどり）

● 引用・参考文献

1) 一般社団法人日本創傷・オストミー・失禁管理学会編．排泄ケアガイドブック：コンチネンスケアの充実をめざして．東京，照林社，2017，21-8．
2) 日本小児栄養消化器肝臓学会ほか編．小児慢性機能性便秘症 診療ガイドライン．東京，診断と治療社，2013，55-63．
3) 萩原綾子．4章3節 浣腸．ナーシング・グラフィカ小児看護学② 小児看護技術．第5版．大阪，メディカ出版，2023．103-4．
4) 有田尚子．7章3節 坐薬．3）と同書．156-7．
5) 吉田みつ子．6章8節 摘便．ナーシング・グラフィカ基礎看護学③ 基礎看護技術Ⅱ：看護実践のための援助技術．大阪，メディカ出版，2022，200-1．

手技 4 スキンケア

基本的なスキンケア（洗いかた）

✻ 準備物品

- せっけん（泡、液体、固形など）
- 泡づくりに必要なもの（ペットボトル、ビニール袋、泡立てネット）
- 保湿剤

泡せっけん　　液体せっけん　　固形せっけん

✻ やさしい泡のつくりかた

家にあるせっけんのタイプによって、泡立てに使う道具が変わります

液体せっけんや固形せっけんを使う場合には、やりやすい方法で試してみましょう。

泡づくりに役立つ物品の例

ペットボトル
液体せっけん（1プッシュ）
＋
お湯（蛇口から1秒くらい）
↓
よく振る

ビニール袋
液体せっけん（1プッシュ）
＋
お湯（蛇口から1秒くらい）
↓
よく空気を入れて振る

泡立てネットと洗面器
固形せっけん or
液体せっけん（1プッシュ）
＋
お湯（蛇口から1秒くらい）
↓
もみこむようにして泡立てる

さかさまにしても落ちない泡が良い泡（液だれしないので、顔周りも洗いやすい）

Q 洗浄剤を泡立てずに使うのはNGですか？

A よく泡立てずに固形や液体のせっけんを肌につけるのは、すすぎ残しが多くなったり、液だれしやすく目などに入りやすくなったりしますのでおすすめできません。逆さにしても落ちないようなきめ細かいしっかりした泡は洗浄効果をアップさせますので、泡立てるようにしてください。

✱ ケアのすすめかた

❶ 頭の洗いかた

- 頭は髪を洗うというより地肌を洗うイメージで！
- 髪を洗うことと頭皮を指のはらで洗うことを意識する。
- ブロック分けを意識し、洗い残しやすすぎ残しがないようにする。
- 頭頂部からすすぐと、えりあしにせっけんがたまるので、えりあしにシャワーを当ててすすぐようにする。

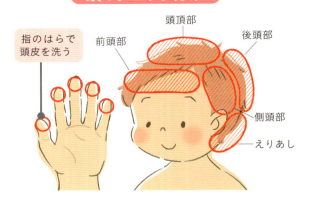

頭のブロック分け

指のはらで頭皮を洗う / 前頭部 / 頭頂部 / 後頭部 / 側頭部 / えりあし

頭のすすぎかたのコツ

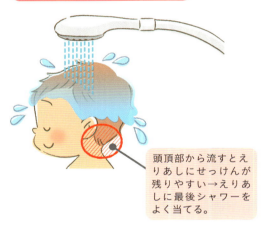

頭頂部から流すとえりあしにせっけんが残りやすい→えりあしに最後シャワーをよく当てる。

頭頂部とえりあしにせっけんが残りやすい（特に髪が長い子の場合）。

❷ 顔の洗いかた

- 泡立てたせっけんでおでこ、ほっぺ・あごなど顔のまわりから徐々に目のまわりや鼻まわりを洗い、流水で流します。
- 気管切開をしていたり誤嚥（ごえん）リスクの高い場合は、本人にあったやりかたをしてください。

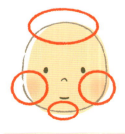

①額、ほっぺ、あご、耳まわりなど周りから洗う。

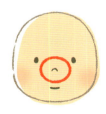

②鼻まわりを洗う。

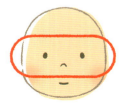

③目のまわりを洗ったら、すぐ流す。顔をすごく嫌がる子はすぐ拭いてあげる。

各論・3章 排泄ケアとスキンケア　手技

Q せっけんが垂れたり、顔に水がかかるのを嫌がります。

A よく泡立てるとせっけんが垂れにくく顔まわりも洗いやすくなります。水のかけかたも、周りから中心へかけるようにしてください。目や鼻にせっけんがつくことを子どもは嫌がります。子どもの状況により、可能なら拭くだけでなく流水をかけて流す、顔は起こして流す。手で堤防を作るようにして顔にかかる量を調整すると不快感を軽減できます。

❸身体の洗いかた

・しわを伸ばして素手で洗うようにします。子どもの皮膚はデリケートなので、タオルなどでゴシゴシこすらず、よく泡立てた洗浄剤を使って、手で洗いましょう。
・首や腋など皮膚が重なる部分（赤い網掛け部分）は汚れがたまりやすく、また洗い忘れやすい場所です。しわを伸ばして洗うようにしましょう。
・拭くときはタオルでこすらず、ポンポンと押し拭きをしましょう。

Q すすぐときのポイントは？

A 首や腋窩、鼠径など、皮膚が重なる部分はすすぎ残しが多い部位です。すすぎ残したせっけんは皮膚の刺激になるため、流水（シャワーを当てて）でよく洗い流します。皮膚が重なる部分は、すすぎ残しも多いのでしわを伸ばして流しましょう。

基本的なスキンケア（保湿の方法）

✳ 保湿剤の量

・塗布量については目安として、1FTU（ワンフィンガーチップユニット）という考えかたがあります。たとえば、口径5mmの保湿クリームチューブで1FTU（人差し指の先から第一関節まで）というと、手のひら2枚分に塗ることができる量だと思ってください。保湿剤のタイプによって、1FTUが変わるので要注意です。

1FTUの測りかた

チューブの場合

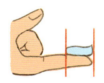

1FTU
人差し指の先～第一関節まで

［口径が約5mmのチューブで大体「0.5g」の量になる］

＝

手のひら2枚分

保湿剤のタイプ別 1FTU

チューブタイプ　　**壺タイプ**　　**ローションタイプ**

約0.5g

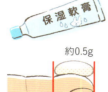

人差し指の先～　　人差し指の先～　　1円玉大の大きさ
第一関節まで　　　第一関節の中間までを
　　　　　　　　　すくった量

✳ 保湿剤の塗りかたのコツ

保湿剤は、点で置いていって、それを縦と横に塗りひろげていきましょう。化粧下地などは均等な厚みで塗るために点で置いてから、塗り伸ばしますね。それと同じように子どもの全身の保湿では均等な厚みで塗れるようにします。手のひら全体を使って、保湿剤を均一な厚みで塗り伸ばします。

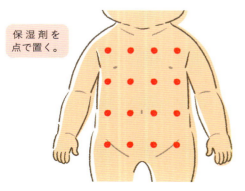

保湿剤を点で置く。

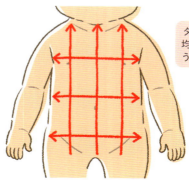

タテタテヨコヨコ♪
均等な厚みになるよう塗り広げる。

Q すり込んだほうがいいの？　たっぷり塗るべき？
保湿剤の量と塗りかたがご家族に聞かれてもうまく説明できません。

ここに注意！

A 保湿剤を塗るときは、たっぷりと塗ります。ただし、すり込まないようにしましょう。たっぷりと塗っても、すり込んでしまうと保湿剤をぬぐいとってしまいます。肌に乗せるイメージで塗ります。
ステロイド軟膏などの抗炎症治療をする場合も、炎症がある山の部分にしっかり軟膏を乗せるように塗ると、薬の効果がより発揮できます。

すり込んだり、薄く塗ると必要な場所に軟膏がつかない

お肌に乗せるようなイメージで塗ると必要な部分に軟膏がつく

Q 洗浄剤や保湿剤は何を使えばいいですか？

こんなときどうする？

A 子どものデリケートな皮膚に使うものだから、いいものを選びたいという方が多いと思います。香料や防腐剤などの添加物は気になるところです。香料はなくて良いですが、添加物は製品の品質を維持するために不可欠なので、全くないものを選ぶほうが難しいでしょう。

また、オーガニック品は高価であるため日常的に十分量の塗布がしにくいことに加え、アレルゲンになりうる食品成分が使われていることもあるため、アレルギーの視点からは経皮感作のリスクを考えるとバリア機能が低下した状態の皮膚には使いにくいです。

以下の特徴を参考に、それぞれに合ったものを選択するのが良いでしょう。

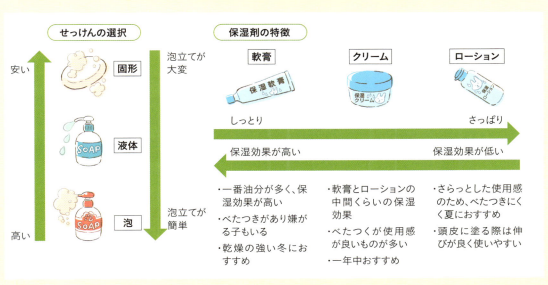

＊皮膚トラブルでの受診の目安

・まずは悪化の要因を探ってみましょう（唾液や汗などの分泌物、尿や便などの排泄物、オムツ装着による蒸れやすい環境、オムツのギャザーやパンツのゴムや洋服のタグによる刺激、肌に貼ったテープなどの化学的な刺激）。

　次に可能な限り悪化要因を除去してみましょう。悪化要因を除去し適切なスキンケアをしても皮膚状況に改善がないときは医師に相談しましょう。

・適切なスキンケアをしても皮膚のトラブルが1カ月程度改善しないときは、小児科医や皮膚科医やアレルギー専門医へ治療方法について相談しましょう。

・すでにステロイド外用薬などの抗炎症外用薬を使用している場合。抗炎症外用薬の塗布方法には皮膚の炎症がある間だけ塗るリアクティブ療法と、皮膚の炎症が繰り返されるときには毎日塗り完全に皮膚状況が改善してからも間欠的に（週2回など）塗り続けるプロアクティブ療法があります。プロアクティブ療法はステロイドの副作用を減らしながら時間をかけて炎症を抑えていく治療です。専門的な治療なので、自己判断では行わず医師に相談しましょう。

（泉名　諒）

● 参考文献
1）佐伯和久ほか．アトピー性皮膚炎診療ガイドライン2021．アレルギー．70（10），2021，1257-42．
2）日本アレルギー学会．アレルギーポータル．https://allergyportal.jp/（7月31日参照）

皮膚障害とケア方法

✻ 皮膚障害の予防的ケア

皮膚障害の予防には、①皮膚をきれいに保つこと（洗浄）、②保湿をすること、③保護をすることが適切に行われていることが大切です。スキンケアの基本では、バリア機能の重要性を述べてきました。バリア機能が維持されていると皮膚障害は起こりにくくなります。

ですが、皮膚障害が起きてしまった場合には早めに皮膚障害を取り除き、悪化させないことが大切です。①洗浄、②保湿の方法については前項を参照してください。この項では、主に③保護ついて述べていきます。

唾液や胃液・排泄物が付着する場所の皮膚障害

予防的ケア：保護

唾液や栄養剤・胃液の付着を避けるために、撥水性のある保護剤を使用すると予防できます。処方で出せるワセリンは油性軟膏のため水分をはじく効果があります。唾液によるトラブルが起こりがちな口や気管切開孔の周囲は、ワセリンを塗ると唾液の付着が予防できます。

オムツ内ではワセリンがオムツに付着し水分の吸収を阻害してしまう可能性があります。その場合には、さまざまなメーカーから撥水性皮膚保護剤が出ており、皮膚障害のリスクが高い場合には検討も必要です。また、浸軟した皮膚では、水分を与える保湿剤は不向きです。

軟膏が使用できない場所には、皮膚被膜剤という皮膚の上に膜を作り皮膚を保護する製品があります。スプレータイプ、ワイプタイプなどがあり、状況によって使用を検討します。

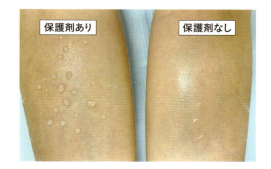
保護剤あり／保護剤なし

Q やさしい拭き取りはどうやるの？

A たとえば、オムツ内でお尻に便がついている状態で考えると、どうしても便を拭き取りたくなってしまいますが、拭き取りの回数を重ねるごとに皮膚へのダメージが増します。摩擦刺激を低減させるため、押さえ拭き、もしくはオイル成分の入った製品をお尻拭きに使用し拭き取ることで摩擦を減らすことができます。胃瘻や口の周囲でも考えかたは同じです。

✴ 皮膚障害の治療的ケア

皮膚炎の状態を判断し医師の指示どおりのケア方法が原則ですが、オムツかぶれや胃瘻からの栄養剤の漏れで起こった皮膚炎に対しては、1日1回の石けん洗浄と保護を行います。この場合の保護は、保護と滲出液吸収効果のある軟膏（亜鉛華軟膏・亜鉛華単軟膏・サトウザルベ軟膏）が使用されることが多いと思います。

これらの軟膏は、オムツ交換ごとにたっぷりと厚く塗り、皮膚についた排泄物は基本的には拭き取らずに塗り重ねていきます。

便が気になるようなら、つまみ取る程度とし、徹底的に摩擦刺激を排除します。滲出液で軟膏が乗らない場合には、粉状皮膚保護剤の使用を検討します。胃瘻の場合には不織布ガーゼやコットンに軟膏をつけて汚染時に交換します。

この軟膏は落ちにくいため、石鹸洗浄前にオイルで軟膏を乳化させてから、コットンなどで拭き取ります。落ちない軟膏は無理に落とす必要はありません。

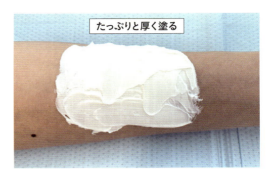
たっぷりと厚く塗る

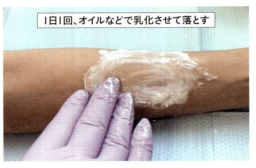
1日1回、オイルなどで乳化させて落とす

Q　お尻が赤いときに見るポイントは？

A　お尻の皮膚炎は誰もが経験しているくらいよくある症状です。皮膚炎が起きたときには、便の回数や性状、発赤の程度や皮膚の欠損・滲出液があるか、痒がっていないか、皮膚がポロポロと剥けていないかを見ます。オムツを常にしていると菌の温床となることがあり、真菌感染を起こしている可能性もあります。治癒が進まないときには症状を医師に伝えてください。

ここに注意！

✴ 医療機器があたって起こる皮膚障害

医療関連機器圧迫創傷（medical device related pressure ulcer；MDRPU）では、外力（圧力とずれ）の低減が大切です。ずれによる予防には保湿が有効ですが、ずれにくいようフィッティングをしっかり行い適切なサイズの機器を使用します。また、過剰に圧力をかけることで傷ができてしまうため、圧力をかけ過ぎないことも必要です。

チューブが皮膚に接触しない固定の方法

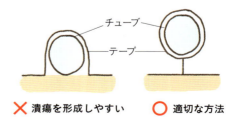

✕ 潰瘍を形成しやすい　　〇 適切な方法

＊MDRPUの予防的ケア

胃管や小腸チューブが鼻孔にあたる箇所に潰瘍ができてしまう場合には、固定方法や場所を変えて、あたらないようにします。また、チューブ固定時にはチューブ周囲を巻くように止める方法（Ω止め）が皮膚への圧力をかけずに固定できます。

気管切開チューブの接触部やバンド・紐の固定具により皮膚障害が起こりやすい箇所には保湿を十分に行います。よく使用されるYガーゼは分泌物がついたままのほうが皮膚障害を誘発させることがあるため、状況によって除去しますが、カニューレがあたることによって皮膚障害が起こる場合にはYガーゼは有効です。また、固定具をつけたときに圧力を均一にするため最後の緩みのチェックのときに1周指を通すことで部分的な圧力を解除することができます。予防的に保護剤・創傷被覆材を使用することもありますが、この場合には保険診療外となります。

＊MDRPU治療的ケア

MDRPUができてしまったら、医師に相談し治療を決定していきます。医療機器が常にあたる場所では、傷ができてしまうリスクが高いため予防ケアが重要です。

＊テープによる皮膚障害（予防的ケア）

テープ貼付による皮膚障害は剥離刺激に伴うものが多く、やさしく剥がす、粘着剤の付着を除去し皮膚をきれいに保つ、皮膚を保護することが大切です。

一般的なテープの剥がしかたは、皮膚を押さえながらテープの端を剥がし、その端を180°倒してゆっくりと剥がします。場合により皮膚剥離剤を使用します。剥離剤を使用した場合に成分が残ったままだと次の貼付時に剥がれやすくなるため、洗浄をしっかり行います。

テープを繰り返し貼付する場所では、皮膚被膜剤という皮膚の上に膜を作り皮膚を保護する製品があります。スプレータイプ、ワイプタイプなどがあり、状況によって使用を検討します。

テープの剥がしかた

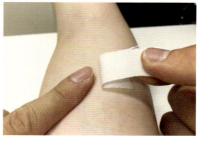

（二ッ橋未来）

循環器ケア

＊はじめに

　在宅医療の患者さんで、心臓の病気をお持ちの場合、「心臓の働きが落ちたら、命に関わるかもしれない」と、家族にとっても、患者さんの日常ケアを共に行う在宅医療スタッフの方々にとっても、本能的に怖れを感じることが多いかもしれません。この気持ちは、「何だかわからないから余計に怖い」部分も大きいのではないでしょうか。

　ここでは「心臓が悪い」とはどういうことなのか、どこに影響が出てどんな症状が出るのか、その問題に対してどのように医療介入するのか、などを皆さんと共に知り、自宅で安心して暮らすための武器にしたいと思います。

＊心臓は、血液を押し出すためのポンプ

　心臓は臓器としては1つですが、左右2つ分のポンプの役割を果たしています。
　「良い循環が保たれている」とは、言いかえれば、この心臓のポンプ機能が十分で、①心臓からの拍出、②適正な血圧が保たれ、全身の臓器への血流が保たれていること、と考えられます。

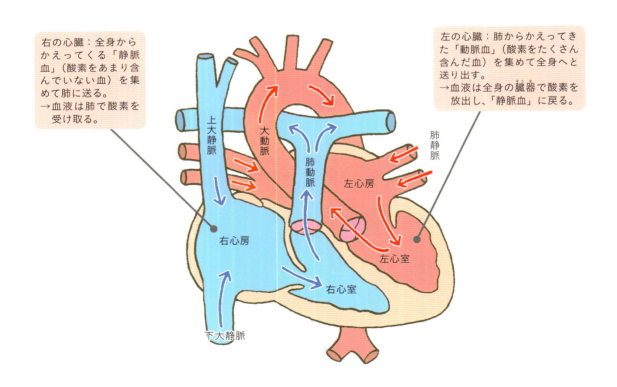

*子どもの主な心臓病は？

　心臓に明らかな異常が残る場合には、生命が維持できませんから、そのままでは自宅に帰れません。在宅医療を目指せる子どもたちは、幸いなことに手術治療がひと段落ついていたり（先天性心疾患）、内科的治療方針がきちんと決まっていたりして（不整脈や心筋症など）、ある程度落ち着いた状態が保てているはずです。

形の異常（先天性心疾患）

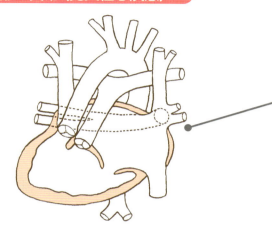

・穴が開いている。
・心臓の部屋の数が違う。
・血管が狭い／閉じている　など。
→全身の低酸素や、全身や肺の血流過剰／過小などが生じる。

リズムの異常（不整脈）

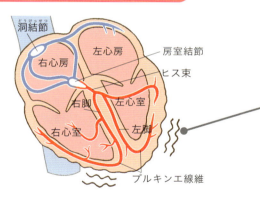

心臓のリズムの指揮系統に問題あり。
・脈が乱れる。
・脈が異常に速い／遅い。
→血液を押し出す量が減っている。

ポンプの異常（心機能低下）

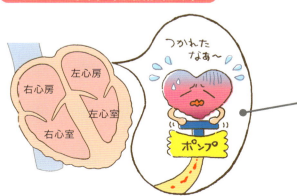

・生まれつき心筋が弱い
・手術
・薬剤
・全身の低酸素の影響など。
→筋肉自体の働きが悪い。

＊「循環」を保つ4要素と、良くするための治療を知ろう

> 心拍出や血圧を保つのに必要な要素には、以下の4つがあると考えられています。

❶心機能

心臓が、十分な量の血液を受け入れて（拡張能）、よく動いてその血液を押し出せるか（収縮能）、という能力です。心臓自身への血流低下（冠動脈異常）、心筋細胞の悪化（心筋症・心筋炎・薬剤性）、弁逆流・狭窄など持続的な心臓への負担などで、心機能は低下します。

1) 心機能が落ちると、心不全になります。
2) 治療
- ポンプ機能の増強：強心剤
- ポンプ機能の改善：アドレナリンβ受容体遮断薬（β遮断薬）、ACE阻害薬など

❷前負荷

心臓は、「ボリュームが入ったら入った分だけ押し出す臓器」です。このボリュームのことを、心臓よりも前（上流）の「静脈」からかかる負担という意味で、「前負荷」と呼びます。

1) 心機能が落ちた状態で「前負荷」が多すぎると、「ただでさえ」疲れている心臓がボリュームを受けきれなくなり、静脈に血がたまる「うっ血」になります。
2) 治療
- ボリュームを減らす：利尿薬
- ボリュームを増やさないようにする：ミルク制限、水分制限、塩分制限など

前負荷が少なすぎると、心臓は仕事が少なく楽だが、流入する血液が減るので押し出す血液も減って、血圧が下がる。
原因：脱水、出血など。

前負荷が多すぎると、押し出す血液量は増えるが、心臓にとっての仕事量も増える。
原因：過剰な点滴など。

後負荷が少なすぎると、心臓は楽に血液を押し出せるが、すぐに流れて行ってしまうので血圧は下がる。
原因：急な立位、敗血症、強いアレルギーなど。

後負荷が多すぎると、血圧は上がるが、心臓は細い血管に血液を押し出さないといけなくなる。
原因：緊張、興奮、疼痛、啼泣、寒冷、加齢による高血圧など。

❸後負荷

寝た状態から、急に立ち上がるとめまいがすることがありますが、少し時間が経つと大丈夫になります。これは立った瞬間に、寝ている間は開いていた血管に血液が逃げ込んで、頭の血圧・血流が減り、その後、末梢血管が収縮して上半身の血圧・血流が増加したことを示しています。

このような、心臓よりも下流の「動脈」で末梢の血管を締め、血圧を上げる力を「後負荷」といいます。

1) 心機能が落ちると、血圧を上昇させようと末梢血管は収縮しますが、弱った心臓にとっては「押し出す先の血管」が細くなり、過剰な仕事となり、さらに疲れ、血圧が下がる→血管が締まる→疲れる……の悪循環に陥ります。

2) 治療
- 血管を拡張する：ACE阻害薬、カルシウム拮抗薬、ニトログリセリンなど
- 血管が締まる原因を除去する：鎮静薬、安静・空腹の改善、体温管理（低体温回避）呼吸苦の除去、痛みの除去など

❹心拍数

心臓を早く動かすほど、たくさんの血液が循環します。運動したり興奮したりすると酸素の必要性が高まるので、心拍数が増えます。

1) 心機能が落ちると、落ちた一回拍出量を補うため、拍出回数で挽回しようとし心拍数は上昇しますが、疲れた心臓が鞭打たれて全力疾走させられる状態になり、さらに疲れて、拍出量は落ちていきます。

2) 治療
- 心拍数を落とす：ジゴキシン、β遮断薬
- 心拍数の増える原因を除去する：鎮静薬、安静・空腹の改善、体温管理（低体温回避）、呼吸苦の除去、痛みの除去など

心拍数が少なすぎると、当初心臓はゆっくり動くので疲れにくいが、血流が異常に減って臓器の障害が起きる。
原因：徐脈性不整脈、薬物性徐脈、身体の極端な酸性など。

心拍数が多すぎると、心臓は簡単に疲れ、また十分拡張する前に収縮するので、血流はかえって減ってしまう。
原因：頻脈性不整脈など。

✳ 心不全で出る症状は？

> これらの症状が明らかなときには、早めに主治医にご相談ください。

- ボーっとして元気がない、泣き声が弱い（脳血流低下）。
- 皮膚が青白く冷たい。
- 太い動脈の触れが悪い（皮膚血流低下＋血管収縮）。
- 首の血管が浮き上がっている（うっ血による頸静脈怒張）。
- 苦しそうに息をしている（心機能低下で心臓から血液が出ていかない。→肺からも血液が出ていかない＝肺うっ血）。
- ミルクの飲みが悪い。
- 便秘や下痢が続く（消化管血流低下＋うっ血）。
- 全身の皮膚のむくみ（全身皮膚のうっ血）。
- 医療上のサインとしては
  ・心拍数上昇
  ・血圧低下
  ・呼吸数上昇など。
- おしっこの量が少ない（腎血流低下）。

✳ 日常生活で気をつけることは？

ここまでの話を踏まえて、一般的な注意を考えましょう。

1) きちんと受診：指示通りに定期的に受診し、子どもと固有の問題を医療者とこまめに話し合いましょう。
2) しっかり内服：症状に応じた必要な薬は忘れずに内服しましょう。
3) 心地良い温度：暑すぎても寒すぎても、後負荷・心拍数に影響があります。
4) かぜに注意：高熱も呼吸の苦しさも、心臓の負担になります。かぜにかかったら早めの受診をしましょう。
5) 穏やかな生活：泣くのはしかたがないですね。でもあまりに泣き過ぎると、心拍数も後負荷も上昇します。
6) 適切な水分摂取：多すぎても少なすぎても前負荷が過剰に増減し、心機能に影響が出ます。

酸素投与はして良いの？

「心臓病の一部では、酸素は使用不可」といわれますが、酸素を使ってはいけない患者さん（「動脈管依存性疾患」や「著明な高肺血流」など）は、病院に入院していなければなりません。

在宅医療の場では、不調なら酸素は豊富に使ったほうが良いことが圧倒的に多いのですが、主治医に一応の確認をとりましょう。

✽困ったときの相談相手は？

❶主治医
　これまでの経過も、今の状態も、今後の問題点も、いちばんよくご存じのはずです。心臓に関連すると思われる心配事は、何でも相談しましょう。

❷かかりつけ医
　ちょっとかぜをひいたとき、軽めの症状でどうしたら良いかわからないとき、自宅のそばに子どもの病状を知っておられるかかりつけの先生がいたら、とても安心です。

❸訪問看護、地域の保健センター
　かかりつけ医と同じように、より家族に近い目線で子どものことを見守ってくれる訪問看護師や地域の保健師は、きっと心強い味方になってくれます。

❹患者さん同士の互助組織
　各地域で患者さんの家族同士で情報を交換し、助け合う会も活発に活動されています。医療機関だけではわかりにくい実生活の問題、将来への不安などを分かち合う場として、大きな手助けになるかもしれません。

❺家族
　たとえば、お父さん・お母さんが1人だけで在宅医療も通院も、また心配や悩みも抱え込んでいたら、疲れ果ててしまうことだってあるでしょう。そんなとき、いちばん頼りになるのは、家族です。借りられる手は全部借りて、みんなで元気に、心穏やかに過ごしましょう。

✽心臓病とともに退院する子どもたちの成長に伴って問題となることは？

　心臓病は、治療の発展に伴い、たくさんの患者さんが助かり、自宅へ帰って暮らせる時代になりました。今では「より良い生活の獲得」が医療上の主な課題になり、子どもたちもさまざまな問題に直面するようになっています。代表的なことを考えてみましょう。

❶運動能力
　筆者の施設では「できることは最大限やらせてあげたい」と考えています。人によっては「短距離走は得意だが、マラソンをすると調子が悪くなる」「普通に泳げるが、潜水すると酸素濃度が異常に低くなる」など、運動そのものの能力とは別の問題も生じます。その患者さん固有の血行動態（けっこうどうたい）が大きく関連しますので、個別の対応が必要です。幼稚園や学校の先生とも情報を共有して、「安全にできる運動の最大値」を見つけましょう。進学や就職にあたっても、どのレベルを目指せるかという問題とも密接に関わってきます。主治医とよくご相談ください。

❷精神的な問題
　子どもであっても、物心がつくにつれ傷跡や運動能力など、「他の子との違い」に気づき、さまざまな葛藤を抱えているケースは少なくありません。筆者の施設では、ご両親と相談の上、子どもたち本人の年齢に応じて必要な病状の説明（なぜ傷跡があるのか、ほかの人と同じように運動できないのはなぜなのか、薬は何のために飲んでいるのか、どんなことに気をつけて暮らすのが良いか、将来どんな生活を目指せそうか、など）をしています。ご両親から折に触れ、小さい頃どれだけがんばったのか、どれだけたくさんの人が関わってくれて今があるのか、などをお話しいただくのも効果的かもしれません。

❸医療費

　患者さんによっては通院が長期にわたり、治療費や薬代などがかさみます。小児期の「子ども医療費助成制度」「小児慢性特定疾病」「特別児童扶養手当」などのサポートは、成人に達するにつれ適応外となりますが、「指定難病」や「身体障害者」に該当する方は、国からのサポートが受けられます。またこれに該当しない方でも、「高額療養費制度」により一定額以上の負担は免除されます。地域の保健所や役所の福祉課とよくご相談ください。

＊さいごに

　心臓病の病状は、一人ひとり大きく違い極めてさまざまですので、「全員に共通の方針」はありません。主治医の説明で、子どもの病態・現在の治療・長期方針などをよくご理解ください。それが、在宅医療と向き合うご家族の最も大事な糧になると思います。

　病状に関しては、いつもお子さんを見守ってくださっているご家族が「はっきりしないけれど何だか変」と気づいてくださることが、状態把握の唯一の手掛かりになることがしばしばあります。怖いイメージの先行しやすい心臓ですが、気をつけるべきポイントを知っていただき、平常時と何が違うかに気を配って、どうしても気になる症状は本当に遠慮なく主治医に相談すれば、きっと上手に付き合っていけると思います。

〈石戸博隆〉

各論・4章 循環器ケア

在宅ケアでの早期療育

✱ 子どもごとの成長・発達を支える療育

　療育の目的は、その子らしく成長・発達し、社会とのつながりをもち、健康的な暮らしができるようになることです。

　近年、新生児集中治療室（NICU）や小児科から初めて家に帰ってくる子どもたちが多く、小児在宅ケアの対象となる子どもたちは、ますます低年齢化しています。子どもたちの早期退院が可能になり、目覚ましく発育する子どもたちを支援するには、早期療育の考えかたがとても重要になってきています。

　医療的ケアや配慮が必要な子どもたちは、生まれたときから心と身体とにアンバランスな部分があります。しかし、情緒は月齢・年齢相当に育っています。小児在宅ケアでは、自宅に訪問して体調が整い暮らしが安定したら、できるだけ早期に外出が可能になるように支援していきます。子どもたちは外出して自然と触れ合ったり、人に出会ったりすることが大好きです。それらも含めて早期療育ということなのです。

✱ 低緊張な子どもたちへの支援

　医療的ケア児や配慮が必要な子どもたちの多くは、正常新生児より子宮内運動の経験不足のため、乳幼児期より筋緊張が弱くてゆるい、低緊張児（以後、やわらかい子）である場合が多いと思います。四肢体幹の筋力ばかりではなく、顎を動かす筋肉なども弱いためか、噛むことも苦手な子どもが多いです。

　関節は筋肉と腱などがテントの張りのように突っ張る力をゆるめたり縮めたりしながら上手に調節して動かしていきますが、その張りがゆるくて運動がうまくいかず、筋肉疲労から血行不良となり、筋肉もつきにくいような状況です。重症心身障害児などは、脳性麻痺により筋緊張となり、やわらかい子でありながら過緊張で、筋肉をうまく使えない状態と捉えます（表1）。

　やわらかい子は呼吸、循環、嚥下、排泄、栄養、スキンケアなどに問題を抱える子が多く、それらの医療課題も解決しながら経験不足や二次障害にならないように、その状態でも最善策を考えて、心と身体の繋がりを意識しながら、食べる、排泄する、正しい効率的な姿勢運動など家族だけでは獲得しにくい育児を、訪問看護師や在宅生活にかかわるスタッフで応援していきます。

　子どもは決して受け身の存在ではなく、積極的に周囲に働きかけながら自ら育って行く強い力を持っています。子どもが「これならできる」と感じられる経験が積めるように支援しましょう。

　やわらかい子は、体幹部の大きな筋肉が弱いため、何とか持ちこたえようと手を握りしめて肩に力を入れて、ぎゅっと緊張しています。力を抜くことが苦手なため、常に筋肉疲労で血流が悪く筋肉量もなかなか増えません。自分で動きたくても動けないのです。

　やわらかい子には、特に正しい身体の使いかたによる抗重力運動が必要です。また、筋肉を十分に使うことができないため胸腔・腹腔のスペースが狭くなり、変形しやすくなります。さらに心臓・肺や胃腸、膀胱などの重力を受けながら育っていく臓器にも影響を及ぼします。

　口腔や上気道は、頭蓋骨や下顎などの骨や筋肉に覆われて空洞になっていますが、抗重力姿勢で前傾姿勢になることで、嚥下や呼吸しやすいスペースが作られます。口は食物が入る入り口で、食物を消化し栄養に変えて身体に吸収する

内臓の入り口でもあり、肛門や尿道は出口です。内臓は入り口から出口まで、骨と筋肉の器で覆われていますから、その動きやかたさ・ゆるさ、弱さ・強さの影響を受けながら成長発達します。このことを意識しながら看護ケアやリハビリのプランを考えてみてはどうでしょうか。

子どもの「これならできる」という気持ちや感覚は、心地よく感じるという積み重ねでできていきます。関わりに対する子どもの反応が理解しやすくなる感覚として私たちが意識しているのが、前庭覚、固有受容覚、触覚です。

正常新生児

手足を屈曲させ、適度な筋緊張がある。

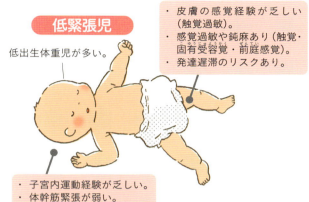

低緊張児

低出生体重児が多い。

- 皮膚の感覚経験が乏しい（触覚過敏）。
- 感覚過敏や鈍麻あり（触覚・固有受容覚・前庭感覚）。
- 発達遅滞のリスクあり。

- 子宮内運動経験が乏しい。
- 体幹筋緊張が弱い。
- 手足の緊張が強い。

表 | 配慮が必要な子どもたちの身体の特徴

●全身の筋緊張がゆるい
- 筋肉と腱などをうまく使って身体を動かすことが難しい、関節可動域が広く、身体全体のゆがみにつながりやすい。
- 重力に適応するために必死で、周囲からの感覚を感じにくい。
- 筋力をうまく使えないので、伸展するか屈曲するかのほうが楽である。運動体験が乏しくなる。
- 胃の内容物が逆流しやすい。胃酸などによる胸やけや口腔内の不快刺激を受けやすい、胃腸の蠕動運動も弱い。
- 不機嫌などで強い吸気が起きやすく、随意筋の咽頭・喉頭なので不快時にもギュッと力を入れるなど喉頭軟化症や気管軟化症も併発しやすい。
- 身体の歪みは血流を悪くするので、筋肉が疲労しやすい。そして筋肉量は増えにくい。

●体幹の筋緊張が弱い
- 骨盤の位置を正しく保つことが困難で、前屈または背屈しやすい。
- 腰のぐらつきを防ぐために伸展か屈曲、仙腸関節の動きが不十分なために粗大運動が不足する。
- 原始反射が残存しているとなおのこと、コントロールが困難。
- 横隔膜の動きが弱い、骨盤周囲の筋肉もゆるい。その結果、呼吸機能も育ちにくく、血液やリンパ液の循環機能にも影響する。

●手足の緊張が強く、感覚も鈍麻になりやすい
- 体幹を支えようとして、手足に力を入れている。
- 力を抜くのが苦手。手の指を開き物をつかむ、足の指を開いてしっかり床につけるなどの経験がしにくい。
- 手足の過敏が残りやすい、手足を道具としてうまく使えない。

●重い頭蓋骨を支えることに必死
- 肩甲骨をうまく動かせないため、粗大運動が不足する。
- 成長により首の長さが変化したり、体調不良で筋力が弱まったときに嚥下と呼吸機能に影響が出やすい。

●皮膚の感覚経験が乏しい
- 動きが弱いので、外からの働きかけがないと皮膚の擦れの経験ができない。
- 肌の擦れなどの経験が弱いと体験不足は触覚の原始系を強くして、触覚過敏になりやすい。

●感覚鈍麻や感覚過敏がある
- 触覚や固有受容覚の感覚が乏しいので、前庭覚鈍麻と感覚過敏が存在し動かずにはいられない、運動がうまくできない、目の使いかたがうまくいかない。
- 動かされることが嫌いで怖くなる。
- 感覚の鈍麻は、快も不快も感じる前にパニックになり、自分自身を冷静に感じることができず認知力がつきにくい。
- 食物が身体に入ると、内臓の粘膜や胸腔・腹腔を支えている筋肉や骨、関節から多くの感覚が入力されるが、それに対しても感覚鈍麻と感覚過敏が存在する。吸啜反射や嚥下に関係する筋肉もゆるく疲労しやすいため、経管栄養になることが多く、食に対する経験値が次の成長につながりにくい状況になる。

✱ 感覚と身体の育てかた

心と内臓と運動発達を意識した支援を

出生後の子どもは、外界からのさまざまな刺激を大脳辺縁系（心の脳・感じる・本能・情動）と連動させて、大脳皮質（考える脳・言葉）や脳幹（身体の脳・生命の中枢）とも連携しながら、自律神経系やホルモンの分泌、免疫力、生体リズムなどを整えていきます。

「身体」と「感覚」に分けて考えてみましょう。「身体」は循環（血液やリンパの巡り）、呼吸、栄養の取りかたです。これは高度医療が介入していきます。心臓の手術や気管切開、経管栄養や点滴などです。「感覚」は、羊水の中の無重力状態から急に重力を受けるので前庭覚、固有受容覚などの身体の内部から感じとる感覚に大きな変化が起きます。私たち支援者は、前庭覚、固有受容覚、触覚を意識してケアをしていきましょう。

❶ 前庭覚

前庭覚は身体の傾きを感じ取り、視機能にも影響しています。いろんな場面で怖がる子どもや、急な抱っこで泣いてしまう乳児などには、前庭覚不安があるのかもしれません。

❷ 固有受容覚

固有受容覚は、すべての子どもが欲しがる感覚です。背中をトントンする、バスタオルでギュッと巻いてあげると落ち着くのもこの感覚のおかげです。固有受容覚の受容器の多くは関節

 子どもが触れられることを受け入れやすいケアの組み立てかたはありますか？

 まず、触れられることが不快・不安な子どもの気持ちを考えてみましょう。

人は命の危険に直面すると「防衛反応」が働きます。この反応はすべての人に備わっています。危険を感じている間は感覚が研ぎ澄まされて、感覚を過剰入力しやすい状態です。

家族や私たちがケアをする中で子どもの身体に触れることは多くあります。特に触覚は、さわり心地を区別するもので、快か不快かで識別します。

→触って（触られて）気持ちがいい＝（快）安全
→触って（触られて）気持ちが悪い・痛い＝（不快）危険

私たちが普段接する子どもたちは、乳幼児期に命の危険にさらされ頑張ってきた子どもたちが多いです。手足を触られるときは、痛い経験（採血など）が多かったり、気管切開をしている子は痰（たん）が溜まっても、吸引されてもどちらも苦しかったり、首回りを触られるときの経験は不快に感じているかもしれません。

背景要因を読み解き、状態や状況に合わせて感覚刺激を入力していきます。感覚の未発達がわかって、どう接するとよいのか対策が明確になると、子どものケアに対する不安を減らすことにつながります。

● 具体的なケア方法

① 日常的に身体を触れられることに慣れる。マッサージや抱っこが気持ちいいという経験を積み重ねる（触る順番や声掛けはとても重要）。

② これから何をするのか、目を見て説明して子どもに伝える。そして心の準備ができてからケアを始める。できれば身体の力がフーと抜けてからケアを開始するのがよい（感覚の過剰入力の軽減）。

③ ケアが終わったら、たとえ泣いたとしてもたくさん褒める。

④ 泣かないでできたときは（さらに大げさに）褒める。協力できると早く終わるし、褒められると子どももうれしくて誇らしげな表情になる。

⑤ されていることは自分に必要なことだとわかり、納得して子どももケアが受けられる（そうなると、バスタオルに包んだりしなくても大丈夫）。

子ども自身が納得してでき、褒められることで成功体験につながります。この体験は、後の親子関係や他者との関係性にも影響してきます。

や腱にあり、見えなくても足の位置を知ることができます。

❸触覚

触覚は皮膚や粘膜から感覚が入力されますから、飲む、呼吸するなどの粘膜刺激や、オムツや衣服、入浴などで皮膚刺激を受けるなど、さまざまな場面で感じ取っていきます。触覚は身体の外側からの刺激を感じ取る、記憶の中にそれは熱そうだと思ったら熱く感じるなど身体の内側の感覚とつなげていきます。家族など一番身近な人が共感しやすい感覚です。

視覚や聴覚などの大切な感覚が上手く働くためにも、身体の内側の感覚である前庭覚や固有受容覚と、内側と外の感覚をつなぐ触覚とが互いに連携し合って、総合されていくことが大切です。視力・聴力が弱く、見えないかも聴こえないかもと言われた子どもでも、「見えている、聴こえている気がする」と感じることがあります。それはこのような誰もが備えている感覚で、自分の弱い部分をカバーして、外界の刺激をキャッチして知力を身に着けていく、子どもの自ら育つ強い力だと思います。

✱日頃のケアで触ることの大切さ

私たち Tama ステーションなる訪問看護事業（以下、なる）の訪問看護師が、日ごろ大切にしている取り組みをご紹介します。

❶保湿のすすめ

やわらかい子の多くは乾燥肌で、入浴後の保湿ケアを行う際には、肌がざらざらしている子が多いです。大変かもしれませんが、1日に最低でも2回、できれば3〜4回保湿剤を塗ってあげましょう（p.186参照）。オムツ交換のときに、お尻や股関節周りに塗ってあげるのも良いです。

日頃の保湿ケアで皮膚が整っていると、子どもの肌がざらついていたら胃残が増えるな、痰が増えるな、といった体調の変化を早めにキャッチすることができます。

❷マッサージのすすめ

洋服の上からでもさすったり揉んだりするだけで気持ちが良いものです。やわらかい子は鈍感さを持っている子が多いので、先の見通しがつかないと怖がります。入浴前にマッサージをすると、触覚から自分の全身を確認できるので、安心してシャワーや入浴を楽しむことができます。

「なる」ではオイルマッサージをしています。保湿剤はひんやりしますがオイルは温かく感じて

肩や背中のマッサージ

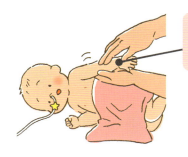

手を持ってぶらぶらさせて力を抜くことを覚えさせる。

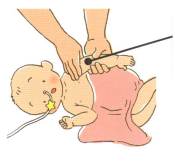

肩が下に下がり、首が長くなった感じがする。首肩を伸ばせるようにケアする。

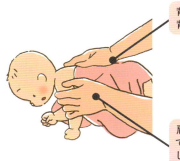

背中を触って、背骨も触る。

肩甲骨を動かして、粗大運動と同じような効果を得るようにする。

マッサージもさらに気持ちが良いです。オイルを使用して、滑らかに身体に触れることで特別な技術がなくても大丈夫で、関節や皮膚が重なっている箇所や気管切開などの固定ベルトの周囲など、皮膚を伸ばすようなイメージでマッサージしましょう。

マッサージは、皮膚を清潔でやわらかにするだけにとどまらず、心地よい刺激で心身の緊張を解きほぐし、「ケアする・される」の相互関係を育てることに役立ちます。具体的には、日本タッチケア研究会「https://touchcare.net」のタッチケアマニュアル等を参考にしています。

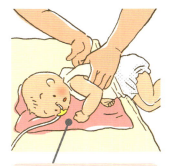

腰が布団から落ちるだけでも、その落差でストレッチになり、固有覚刺激が入る。

足や骨盤のストレッチ

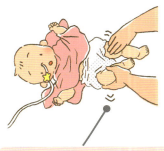

足も腰同様、ぶらぶらさせると、その後に自転車こぎ運動をする。これは肛門括約筋や尿道括約筋をゆるめる練習にもなる。

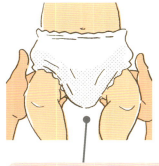

骨盤をゆすったり、動かすことで粗大運動と同じような効果を得る。

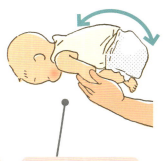

骨盤を前屈させたり、後屈させたりする。

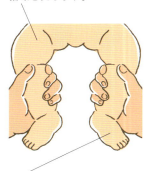

足の筋肉をケア者が握ったり離したりすることで循環を促します。

関節がゆるいので、ゆっくり丁寧にマッサージしましょう。

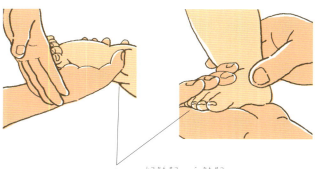

足底から膝関節・股関節・骨盤と固有受容覚の刺激を入れていきます。

❸入浴のすすめ

医療的ケア児や配慮が必要な子ども達はやわらかい子が多いので、重力に影響されやすく浮力を使って動きやすい環境が欲しいと思っています。お湯に浸るというのは、お母さんのお腹にいた時同様に温かく、自由に動けて、自分自身を安心して感じ、前庭覚不安も軽減され、気持ちよさだけが記憶に残っていきます。

もしも湯船に入っても泣き続ける子がいたら、それは裸になったときや、先にシャワーをかけられてびっくりした、急に抱き上げられて前庭覚不安になり、そして泣いてしまい呼吸が苦しくさらにパニックになっているのかもしれません。事前にマッサージ等をすれば入浴は大好きになります。できるだけ浴槽できれいなお湯に浸かれるように、住環境、入浴に必要な物品、人手などの環境を整えて、安全で継続できるケアプランを考えていきましょう。

＊食事を楽しむための支援

❶経口での離乳食

母乳やミルクを飲んでいた赤ちゃんは、生後5～6カ月になると離乳食が始まります。離乳食を食べることは、鉄分や微量元素など母乳やミルクでは不足する栄養素を補うほかにも、食べる力や消化など体の機能を育てていく大切な成長過程です。病気や障害がある子どもも成長の速度がゆっくりで、身体機能が弱い部分はありますが、同じようにミルクは卒業を迎えます。

「離乳の進行は精神運動発達と密接な関連性がある」と言われていますが、訪問看護していると、在宅で過ごす子どもと家族にとって「食事を摂ること」の難しさを感じる場面が多々あります。

一般的に離乳食に困難を感じていることには表2のようなものがあり、子ども側と母親（介護者）側双方の問題があるようです。

●子どもへの支援

やわらかい子も、身体の準備を整えていく支援が必要になってきます（表3）。たとえば、指しゃぶりやおもちゃを舐める、口を閉じられる、首のベストポジションを自分で調整できることなどを目指します。遊びや生活の中で、うつ伏せで自分の身体を支えながらおもちゃに手を伸ばす、おもちゃや自分の手を舐める、仰向けで膝や足を触る、座って遊ぶことを取り入れると良いです。うつ伏せのなりやすさや、運動を促すためにも、離乳期が来たら経鼻胃管でも固形食にしていけるような準備もしていきます。

食事介助のときは、子ども自身に、スプーンに何がどれくらいのっていて口の中に入ってくるかを見せて確認してもらうことで、目で見たものと口に入ってきたものの感覚を一致させていくことが、口の中での処理の方法を学ぶことにつながります。

表2　離乳食で困難と思うこと

子ども側
・もぐもぐ、かみかみといった咀嚼が少ない
・食べる量が少ない
・偏食
・食べることを嫌がる
介護者側
・食べさせるのが負担
・離乳食を作るのが大変
・乳汁と離乳食のバランスがわからない

表3　食べるために必要な身体の準備

・顎を引いて安定した座位姿勢が取れる
・食べ物を見ることができる
・狙ったところに手を持っていく
・目と手の協調運動が取れる
・口腔内の動きは、舌が前後に動き顎も連動して動く
・口を閉じて食べ物を奥に送り込める

● 介護者への支援

　また、自分の食べたいものを自分のペースで食べられることも大切です。介助者が食べる量にこだわり、無理やり食べさせると、子どもは食べることが嫌なことになり、後々の問題にもなってきます。安全に食べること（機能的な発達）と、楽しく食べること（社会的な発達）のためにも、まずは支援者が食事を楽しめるように支援していくことが必要です。

❷ 経管栄養の子どもの離乳食

　胃管や十二指腸チューブが入っている子どもには、一般的に離乳食を食べさせるという認識は薄いと思います。母乳やミルクからラコール、エネーボといった栄養剤に変更することが多く、家族もそれを普通に受け入れることが多いです。離乳食をわざわざ準備しなければならないとなるのも、家族にとって大きな負担となっているようです。

✳ 食事を楽しめる将来のために今できること

　経管栄養が必要な子どもたちは、経鼻チューブから胃瘻になっていくことが多いです。胃瘻チューブになれば、ペースト食を注入することが

✳ その他の取り組み

● 排泄ケア

　呼吸苦がないように、常に安楽な呼吸ができることを意識しています。便秘やガスで腹部膨満があると、呼吸に悪影響が出るので、排便回数ではなく1日1回はすっきりとしたお腹になるように観察しケアを変更します。排泄時はポジショニングも重要で、腹圧をかける、骨盤底筋を弛緩させるなどの協調運動を行いやすいようにしていきます。

　オムツの時期なら、抱っこして排便させる、姿勢介助ができるなら、またがれるおまるを使うなどの提案も積極的に行います。消化吸収や腸内

栄養剤は手軽にバランスのとれた栄養を摂ることが可能で、うまく利用すれば非常に便利です。しかし、ただ栄養剤を注入している時間は、食事を楽しむ時間にはなりにくいように感じています。

　離乳食として食事を準備することが、経管栄養という医療行為ではなく、食事という育児を楽しむ支援になればよいなと私たちは考えています。経管栄養でも大好きなご飯や果汁がお腹に入ってくると、子どもたちはニッコリと嬉しい表情を見せてくれます。

　経鼻胃管が6Frになると、中期食〜後期食をミキサーにかけてミルクやラコール®などと混ぜて注入することができます。市販の離乳食やフリーズドライのお粥などを手軽に混ぜて使えます。アレルギーへの配慮や食材の進めかたは、医療的ケアのある子どもでも、育児書に書いてあることと変わりありません。主治医や看護師にぜひ相談してみてください。

できるようになりますが、離乳食を経験していない家族は、食品を注入することにかなり抵抗感を示します。限られた栄養剤だけではなく、子どもが大好きな味を求められる力を、成長とともに獲得してほしいと願っています。離乳食がその大切な一歩であると考えています。

環境にも配慮して、家族のいい塩梅を見つけられるように調理などの得手不得手を把握しつつ、食事内容も改善させていきます。時には一緒に調理することもあります。できるだけ家族と一緒に食事を楽しめるように心がけています。

● レスパイト・外出支援

　きょうだい児支援や家族の就労、またレスパイトのために、長時間（当施設「なる」では4〜8時間程度可能）自宅に滞在が可能な在宅レスパイト事業（東京都の事業）を実施しています。

　外出も積極的に進めています。児童発達支援事業所や、保育園や幼稚園、学校も通えるように地域との連携を深めています。医療的ケア児

各論・5章 発達を促すケア

考えかた

Q どんな料理を作れば子どもに食べさせることができますか？

A ここでは「なる」を利用されている、先輩ママから教えてもらった6Frの経鼻胃管から注入できるレシピをご紹介します。タンパク質をしっかりとれるメニューです。

【準備するもの】
・とりささみ缶詰
・野菜
玉ねぎ・かぶ・キャベツ・ブロッコリー・白菜・大根・ペーストに適度なとろみがつく
※芋類は通りづらいのですすめない

【手順】
①炊飯器にとりささみを汁ごと入れる。野菜は薄めに切って入れる
②炊飯器の底から2～3㎝になるくらいの肉：野菜 1：1.5～2になるように入れる
③お粥モードで炊飯する。ゆっくり熱が通るので、水分が保たれ軟らかに炊き上がる
④温かいうちにブレンダーで十分攪拌（かくはん）する
⑤離乳食用冷凍キューブにしておくと便利
⑥1回量をミルクで溶くたびに茶こしで濾す
＊ささみや鶏もも肉はフォークで刺してから1㎝角に切って炊飯する
＊調味料は白みそ（微量元素が摂れて詰まりにくい）、塩、しょうゆ
＊絹豆腐を加えるのも良い

等保育所支援事業（行政と契約・補助事業）、特別支援学校の通学車両への添乗（東京都の事業）、家族の学校付き添いの代理人（自費負担）、地域の小学校に医療的ケア（経管栄養）に訪問（行政と契約）、医療的ケア児等の地域会議への参加など、地域に密着して看護を提供しています。

● 勉強会の実施

そのほか、子ども支援や暮らしに役立つ研修の開催を行っています。子どもの支援に関わる多職種の方々を対象に、「顔見知りになる・困りごとの共有をし仲間同士で支え合う」ことを目的とした、のびのび育ちの会を定期的に開催しています。

当初は限られた地域の方々を対象にした対面研修でしたが、現在はオンライン研修へと形を変え、全国各地から参加者が集まり、ブラッシュアップしながら学びの場を作っています。

（伊藤百合香、梶原厚子、堀口亜貴代）

column

小児科開業医・訪問看護師・行政との連携がうまくいっている国立市

　国立市では、小児科医会の先生方が中心になり地域の医師たちに声をかけあい、かかりつけ医、保育園の園医、学校の校医、保健センターの小児検診業務など地域包括ケアに貢献しつつ、国立市教育推進科保育幼稚園係と密な連携で、子どもたちのインクルーシブな環境を応援しています。

　「なる」では、医療的ケア児等保育所支援事業の業務委託を受けて巡回型で看護師を配置したり、マネジメントや相談業務、喀痰等研修（3号研修）フォローアップ研修などを行っています。医師は入所相談の会議や、個別のケア会議などに積極的に参加して、基幹病院や療育センターとの連携も助けてくれます。行政は常に保育園に寄り添い、予算組やケア会議の開催、家族面談、保育の現場の視察など、丁寧に関わっていきます。業務委託を受けて5年目となり、卒園児は小学生になりました。地域の学校も当たり前に受け入れて、学校にも訪問して医療的ケアを実施しています。

手技 1 身体の起こしかた、立位のとりかた

✽ ケアのすすめかた

　育ちがゆっくりであったり、身体を思うように動かせない子どもは、自分で姿勢を変えることが難しいことが多いです。そのため、同じ姿勢で過ごすことが多くなり、不安定な姿勢で身体に余計な力が入って、突っ張ってしまう子どももいます。
　身体を思うように動かせない子どもであっても、活動の目的に応じた姿勢をとっていくことは、発達を促すためには欠かせません。何より、日常生活を安心・安全に過ごせるようなケアを行うことが大切です。

❶仰向けの特徴と注意点

　仰向けの姿勢は、いわゆる休息の姿勢です。活動的に過ごそうと思うと、仰向け姿勢はあまり適していないかもしれません。ですが、自分で身体の向きを変えたりできない子どもにとっては、日常生活のなかで仰向けになって過ごすことが多く、慣れた姿勢です。
　仰向けは、うつ伏せ姿勢に比べると視野が広くなるという利点があります。首のすわらない時期の子どもにとって、見て楽しむなどの遊びが楽しめる一般的な姿勢になります。

三角ウェッジを挟んで、背中を少し高くするだけでも、身体を起こして姿勢を変える経験になる。

三角ウェッジ

膝（ひざ）の下にクッションを入れるほうが安定する。

Q 仰向け：自宅で行うときは？

A 日常的にとることが多い姿勢です。床と接する面が多くなると安定しやすいのですが、突っ張って反り返りやすい子どもは不安定になることもあります。
視界は天井が多くなり、受け身の姿勢となります。誤嚥（ごえん）や胃食道逆流（いしょくどうぎゃくりゅう）を起こしやすいです。

ここに注意！

❷うつ伏せの特徴と注意点

　腕でしっかりと支え、頭を持ち上げることができれば、手を使って遊ぶなどの活動につながる姿勢です。手で支える力を育てたり、身体をしっかりさせたりすることを促せます。また、うつ伏せ姿勢からずりばいで動き、座る、立つなどと姿勢を変えていくためにも有効な姿勢であるといわれています。運動の発達を促す点からも、うつ伏せ姿勢がとれることは大切なことといえます。
　ですが、身体を思うように動かせない子どものなかには、寝返りができない子どももいます。仰向けばかりで過ごしてしまうと、うつ伏せ姿勢を知らないまま育ち、嫌がってしまう子どももい

ます。うつ伏せにしたときに、自分で頭を少し持ち上げることができるようになってきたら、クッションなどを使ってうつ伏せ姿勢の練習をしていくと良いでしょう。

クッションを使ったうつ伏せ

クッションを胸の下に入れると頭から胸を持ち上げやすくなり、手で支える練習にもなる。

三角ウェッジを使った自宅でのうつ伏せ

自宅のソファでこのようにうつ伏せ姿勢をとりながら、きょうだいといっしょに遊ぶのもおすすめ。

ここに注意！

 うつ伏せ：自宅で行うときは？

床と接する面が多くなりやすく安定します。唾液が重力で口の外に出るため、誤嚥を防げますし、呼吸が安定しやすい姿勢です。頭が持ち上がると視野が広がります。
口、鼻がふさがってしまわないよう、窒息に注意が必要です。慣れないと、苦手な子どもも多い姿勢です。

❸横向きの特徴と注意点

仰向けやうつ伏せと比べて、手を使って遊びやすい姿勢です。また、うつ伏せと違って、首がすわっていなくてもとることができるので、自宅でも行いやすい姿勢です。腕で身体を支えなくても良いので、両手を使いやすい姿勢でもあります。

ただ、支える面が少ないと不安定になり、怖がったり反り返りやすい姿勢でもあります。タオルなどを用いて身体を支えたり、足はなるべく曲げたり、安定できるように工夫することが必要です。

足を曲げると安定する。

寝返り防止クッション

ここに注意！

 横向き：自宅で行うときは？

手と手を合わせて遊びやすい姿勢です。舌や顎の落ち込みを軽減できるため、呼吸が楽になり、誤嚥防止になります。床と接する面が少ないため、不安定なので、タオルなどで支える必要があります。

手と手を合わせて遊びやすい。

舌や顎の落ち込みを軽減。

❹座る姿勢の特徴と注意点

　活動するときと休息をとるときでは、背もたれの角度などに違いがあります。活動の目的に応じて、座る姿勢を工夫しましょう。首がしっかり起こせないときにも、大人が抱っこをして身体を支えることで、座る姿勢の経験になります。お尻や身体をしっかり支えて、両手が前に出るように支えると良いでしょう。

　少し前に傾けて座る姿勢は、手を使ったり遊びを楽しむことのできる姿勢です。安定した姿勢をとれるように支えることが大切です。

いすを使わなくても、座る姿勢は経験できる。

タオルにくるんでも良いですね！

こんな座りかたも！

Q 座る姿勢：自宅で行うときは？

視界が広がりやすく、手を使って活動しやすい姿勢です。背もたれを倒すと安楽な姿勢もとれます。
床と接する面が少ないため、支える力が必要ですので、いすなどを工夫する必要があります。

ここに注意！

❺立つ姿勢の特徴と注意点

　立つ姿勢は、骨を丈夫に育てたり、身体のバランスを保つ力の発達につながります。自分で立つことが難しい子どもでも、1歳を過ぎたころから立つ練習をしていくと良いでしょう。足からの感覚を感じるために、はだしで行うことがおすすめです。

　大人が少し支えたり、家にあるもので工夫をすることで、遊びながら立つ姿勢を経験することができます。立つ姿勢をとるのが難しい子どもは、膝立ちの姿勢をとることもおすすめです。

身体の小さいうちは、この形のバルーンで立位もとれる。

立ちかたいろいろ

足に挟んで支えます。

足につかまらせて、もう片方の足で支えます。

物につかまらせて、手で支えます。

膝立ち姿勢もおすすめです。

 ここに注意！

Q 立つ姿勢：自宅で行うときは？

A 視界が広がりやすく、重力を感じたり、骨を強くする姿勢です。
床と接する面が少なく不安定です。自宅で立つ練習をするときは、転倒に注意しましょう。

各論・5章 発達を促すケア　手技

気をつけたいケアポイント

- 同じ姿勢を2時間以上はとらないようにしましょう。身体への負担が大きくなったり、痛みや褥瘡などの原因になったりすることもあります。目的に応じて、いろいろな姿勢を経験することが大切です。
- 子どもが怖がったり嫌がったりするときには、何が不快なのかを考えましょう。

安心して安全に過ごせる姿勢を見つける。

目や手を使った遊びの経験をさせる。

身体の変形・拘縮を予防する。

家族に伝えたい NGケア・リスクポイント

☑ 姿勢に慣れていなくて怖いのかもしれません。

☑ 身体の緊張や関節のかたさが影響して、痛みや不快感につながっていることも考えられます。関節がかたくて伸びにくいときには、タオルを入れるなどして隙間を埋めると、支える面が増えて安定しやすいです。

☑ 無理のない範囲で少しずつ、いろいろな姿勢に慣れるように促せると良いですね。

こんなときどうする？

Q うつ伏せが苦手です。どうしたら良いですか？

A　うつ伏せが苦手な子どものなかには、自分で寝返りができずに、いつも仰向けで過ごしているために、うつ伏せ姿勢を知らずに苦手になっていることがあります。急にうつ伏せになるとびっくりしてしまうので、少しずつ慣らしていくと良いでしょう。

子どもと向き合うように縦に抱っこして、ソファや座いすに座り、少しずつ後ろに傾いてみるのはどうでしょうか。抱っこされている安心感もあり、また少しずつ傾けることで、お腹に一気に体重がかからないので、徐々に慣れていくことができます。大人の顔を触ったり、顔を見合わせて遊ぶのも楽しいと思います。

また、頭が前に下がって重心が前方にいきすぎると、前のめりになって不安定になり、怖がってしまいます。クッションやウェッジを使って、前のめりになりすぎないように注意してください。

クッションを使ってもずれてしまって安定しないのですが……。

A 身体は丸みを帯びているため、横からタオルやクッションを入れても、絵のように隙間ができてしまい、身体の動きに伴ってずれやすくなってしまいます。タオルの巻きかたを工夫してみましょう。

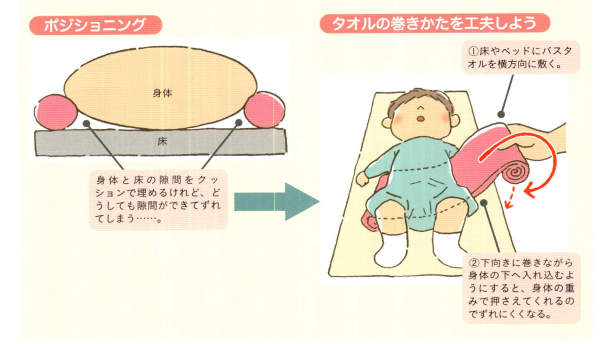

（加藤真希）

● 参考文献
1）高橋 純ほか編著．障害児の発達とポジショニング指導．ぶどう社，1986，208p．
2）Finnie, N. R. 編著．梶浦一郎監訳．脳性まひ児の家庭療育．原著第3版．医歯薬出版，1999，348p．
3）多田智美．重症心身障害児の姿勢管理における理学療法士の役割．理学療法．33（3），2016，221-9．

体位変換

✳ ケアのすすめかた

　子どもは、4～5カ月ごろから寝返りをし始め、自分で姿勢を変えることができるようになっていきます。ですが、身体を思うように動かせない子どもは、自分で姿勢を変えられないため、同じ姿勢で過ごすことが多くなってしまいがちです。姿勢を変えることは発達だけでなく、褥瘡予防や呼吸などの観点からもとても大切です。そして、ただ姿勢をごろんと変えるのではなく、その過程にもぜひ目を向けてください。

仰向け→横向き→うつ伏せの順に行う

　抱き上げてからすぐ勢いよく、ごろんとうつ伏せにしていませんか？

　私たちが、仰向けからうつ伏せになるとき、身体をひねって横向きになりながら姿勢を変えますよね。自分で寝返りができなくても、その動きを子どもにも経験させてください。うつ伏せになることが不安な子どもでも、仰向けと横向きの体位変換を経験することができます。足→腰→胴体→上体の順序で、身体を回転させましょう。

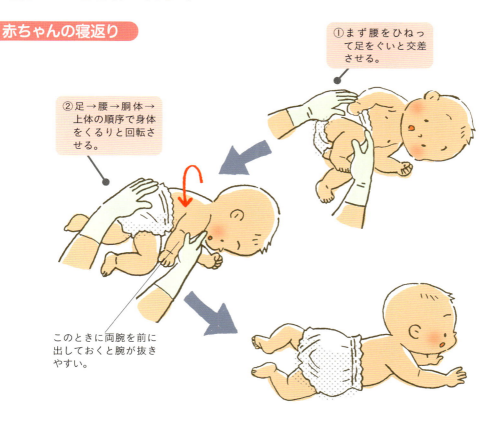

赤ちゃんの寝返り

①まず腰をひねって足をぐいと交差させる。

②足→腰→胴体→上体の順序で身体をくるりと回転させる。

このときに両腕を前に出しておくと腕が抜きやすい。

気をつけたいケアポイント

①関節のかたさがないかなど、姿勢をとるときに無理がないかを確認
たとえば、股関節がかたくてしっかり伸びない子どもが、床でうつ伏せになるのは難しいかもしれません。姿勢を変える前に、関節のかたさや痛みがないかを見ましょう。

②ベッド上での体位変換
介助をする大人に無理な力が入っていると、それは子どもにも伝わります。ベッドの高さが変えられるなら、介助の行いやすい高さにすることで、楽に姿勢を変えることができます。

③注入チューブ、モニター、呼吸器を使っている子ども
チューブや回路、コードなどが絡まったり、引っかかって引っ張られるとケガの原因になります。体位を変える前に、まとめたり長さを確認したりして、十分注意しながら行いましょう。

こんなときどうする？

Q 呼吸器がついているのですが……。

A 呼吸器を使用しているからといって、姿勢を変えられないわけではありません。呼吸のケアのために、姿勢を変えることも大切です。身体の横や下に敷いている枕の位置を変えたり、横向きになるときの角度を少し変えたりするだけでも姿勢を変えることになります。

回路の向き、位置を確認してから姿勢を変えましょう。回路がねじれてしまったり、無理が生じたりする場合には、呼吸器を置く場所を見直してみるのも良いかもしれません。

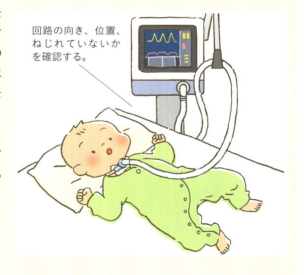

回路の向き、位置、ねじれていないかを確認する。

各論・5章 発達を促すケア　手技

 身体が大きくなってきて重くなり、
姿勢を変えるのが大変なのですが……。

A　手だけで身体を支えて姿勢を変えるのは大変かもしれません。無理に引っ張ったり押したりすることは、身体にも無理がかかるおそれがありますし、何より子どもが不快な思いをしてしまいますよね。不快になると、身体を緊張させて突っ張ったり、力が入ったりしてしまって、余計に姿勢を変えにくくなってしまうこともあります。

姿勢変換用のグッズなど、便利なものも販売されていますので、適宜使用するのも1つの方法です。高価で買えなかったりすぐに手に入らないときには、バスタオルがおすすめです。

バスタオルの使いかた

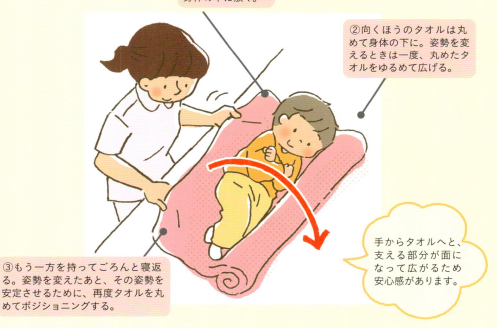

①縦半分に折って身体の下に敷く。

②向くほうのタオルは丸めて身体の下に。姿勢を変えるときは一度、丸めたタオルをゆるめて広げる。

③もう一方を持ってごろんと寝返る。姿勢を変えたあと、その姿勢を安定させるために、再度タオルを丸めてポジショニングする。

手からタオルへと、支える部分が面になって広がるため安心感があります。

（加藤真希）

● 参考文献
1）高橋 純ほか編著．障害児の発達とポジショニング指導．ぶどう社，1986，208p．
2）Finnie，N.R.編著．梶浦一郎監訳．脳性まひ児の家庭療育．原著第3版．医歯薬出版，1999，348p．
3）多田智美．重症心身障害児の姿勢管理における理学療法士の役割．理学療法．33（3），2016，221-9．

移動、移乗のケア

✽ はじめに

　日常生活を行う上で、移動（買い物や受診に行くなど）や移乗（ベッドからバギーに移るなど）は、欠かすことのできない生活行為の１つです。日常生活のなかで欠かすことができないために、子どもも、介護者、両者にとって負担なくケアを行っていくことが必要であると考えられます。

　本項目では、移動・移乗が負担なく安全にケアしていけるような方法やポイントを中心に、紹介していきたいと思います。

✽ ケアのすすめかた

❶緊張が強い子どもの移動

1） 身体から出ている腕を胸の前にまとめます。大きめのバスタオル（おくるみ）などで、身体を包むと落ち着く場合が多く見受けられます。

2） 介護者の手を子どもの首の横から回し、もう一方の手をお尻から回し、腰を支えます。股関節、膝関節を可動域の範囲で、できるだけ屈曲します。

3） 身体を介護者に密着させて、子どもの腕が落ちないようにします。

移動するときは身体をコンパクトにまとめてから移動する。

抱きかかえる際には、広い面積で支える。

おくるみで包んだ場合。

各論・5章 発達を促すケア　手技

4) バギーに移る際も、介護者の身体を密着させながら座らせます。

Q 緊張の強い子どもをうまく移動させるためのポイントは？
A
- 大き目のバスタオルは常に敷いておくと、身体の向きを変える際にも有効的に活用でき、移動時にも使用できます。
- 緊張した際には、「なぜ緊張してしまうのか」原因を探ります。痙性なのか、アテトーゼ（意思とは関係なく、不規則でゆっくりとした動きが繰り返し起こる状態のこと）なのか、緊張なのかなどを観察していきましょう。
- リラックスして移動を行えるよう、子どもの力の抜けるポイントを把握しておきます。
- できるだけ身体をコンパクトにまとめて抱っこします。
- 歌いかけながら移乗を行うと、緊張が和らぐこともあります。
- 子どもと介護者が共に緊張なくリラックスして行うことが最も重要です。
- 抱っこの際には介護者の身体を密着させ、接する面を多くすることで、子ども、介護者が共に負荷なく安定した移動ができます。

❷ 低緊張の子どもの移動

1) 両手を身体の前にまとめます。

移動するときは身体をコンパクトにまとめてから移動する。

2) 介護者の手を子どもの首の横から回し、もう一方の手をお尻から回し、腰を支えます。

抱きかかえる際には、広い面積で支える。

3）抱き上げる際に、腕が落ちないようにします。腕が落ちると、腕の重みで肩関節が脱臼（だっきゅう）する恐れがあります。

Q 低緊張の強い子どもをうまく移動させるためのポイントは？

A
・首が後屈しないように、支える腕を首の後ろから子どもの脇の下に通し支えます。
・抱っこしたときに、子どもの腕が落ちないように、移動前に子どもの手をお腹の上に乗せ、介護者の身体で受け止めながら移動します。

❸呼吸器などを使用している子どもの移動

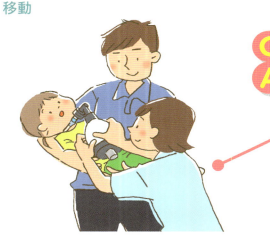

Q 移動のポイントは？

A
・移動先を事前に見据えてから移動します。
・移動後に、すぐに呼吸器が装着できるようにしておきます（事前に呼吸器を移動先に載せ替えるなど）。
・2人以上で移動できる場合には、1人が自己膨張式バッグでバギング（用手換気（ようしゅかんき））を行いながら移動します。

✻ 気をつけるポイントは？

❶ 自宅からの外出時などの移動

病院の受診や外出、買い物、旅行など自宅から自家用車を使用して移動することもあるかと思います。しかし、人工呼吸器を装着している子どもや医療的なケアが必要な子どもにとっては、自家用車へ乗車することも大変で、移動を躊躇してしまうことも多いかと思います。そこで、本項目では自家用車への移動がスムーズにできるようなポイントを紹介します。

❷ 呼吸器を使用している子どもの、自家用車（福祉車両への改造なしの場合）への移乗

1) 移動する前に準備をすべて整えておき、子どもが乗車してすぐに出発できるようにしておきます。
2) 2人以上の介護者がいるときは、1人は自己膨張式バッグでバギング（用手換気）を行いながら移動します。呼吸器を離脱できる場合には、先に移動先に呼吸器を移動させておきます。
3) 自家用車へ移乗したら、すぐに呼吸器を装着します。

助手席に乗車して、移動している子どもの例（上から見た図）

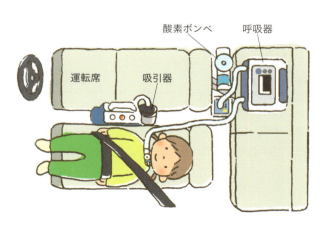

ここに注意!
Q 自家用車への移乗のポイントは？

- 座席に呼吸器を置く場合、呼吸器が動かないよう、がたつかないように雑誌やタオルなどで水平を保ちます。
- 液体酸素を使用する場合には、倒れないようにベルトなどを用いて座席に固定します。
- 吸引器は運転手がすぐに吸引できる位置に設置します。
- 可能であれば、運転手のほかに1名乗車し、吸引などのケアを行えると良いと思います。受診などの際には、訪問看護スタッフなどが同行できる場合もあるため、相談してみてください。

❸将来を見据えて……

　子どもの体重が増えてくると、介護者への負担は増加してきます。抱っこでの移動も介護者にとっては身体に負担がかかります。その負担が蓄積されると腰痛や膝関節痛などの身体症状となって現れてきます。

　介護者が心身ともに健康で介護していけるように、子どもの体重が約20kgを超える頃より、家庭内リフトの導入も選択肢として考えておくと良いと思います。また、リフトを使用することで子どもを支える面がより多くなり、安定した移乗ができます。家庭内リフトの設置に対しては、市区町村により給付（市区町村により給付金額、範囲は異なる）があります。

気をつけたいケアポイント

- 抱えて移動する際には、移動する床上に障害物がないか確認を行ってから移動します。障害物にぶつかり転倒してしまう恐れがあります。
- 気管切開をしている子どもの移動の際には、気管切開部をふさいでしまっていないか、首が後屈しすぎて気管カニューレが抜けそうになっていないか、呼吸は苦しそうにしていないかなどを確認しながら移動します。
- 移動や移乗時に、緊張などにより、手や足が伸びてしまって家具などにぶつけてしまい、思わぬ事故につながることがあります。移動や移乗をする前に、ぶつからないように家具の配置を工夫することも対策の1つです。
- 座位保持いすや車いすなどに移動する際には、移動先の固定（ブレーキがかかっているかなど）を確認してから移動します。

こんなときどうする？

Q ギプス固定をしていますが、移乗時に気をつけることはありますか？

A ギプス固定の分、重さが加わります。また、抱き上げた際に、ギプスをしている近くの関節に負担がかかる場合があります。ギプス固定時の移乗は複数名で行うことが最も良い方法です。無理に抱っこして、ほかの部位（関節など）に負荷がかかり、健康な部分が損傷する恐れがあります。

Q 股関節を脱臼している子どもをベッドから移動する際にはどのようにしたら良いですか？

A 膝関節を抱え上げると股関節の脱臼している部分に負荷がかかるため、下半身を抱き上げる際には、膝関節の部分から腕を通しその手を臀部に回し支えます。また、身体を密着させ、介護者の腕に太ももを添わせるようなイメージで抱えます。

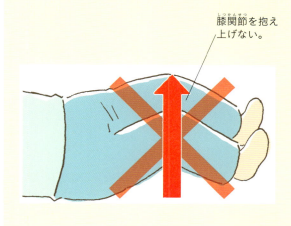

膝関節を抱え上げない。

首から手を回し、臀部を下から支えることで安定して支えることができる[1]。

（箱崎一隆、大谷聖信）

● 参考文献

1）八代博子 編著．写真でわかる重症心身障害児（者）のケア：人としての尊厳を守る療育の実践のために．鈴木康之ほか監修．インターメディカ，2015，272p．

手技 4 入浴ケア

在宅で行う場合

　入浴は皮膚を清潔に保つだけでなく、心身の活性化や心地良い体験としてさまざまな効果をもたらします。医療的ケアが常時必要な場合や、子どもの身体が大きく移動が困難な場合など、いわゆる「手が足りない」状態になると入浴は容易なケアとはいえません。浴室の場所や動線などの居宅環境によっても入浴の方法は変わります。

　乳児期の子どもから成人している方まで、在宅での入浴方法について紹介します。

✻ ケアのすすめかた

入浴前の気をつけたいケアポイント

- 入浴前にオイルマッサージをして、心と身体にこれから入浴することを伝えます。
  オイルは介助時に滑るので、いったんタオルで拭き取りましょう。
- 乳児の頭皮が乾燥してボロボロになったり、かさぶたのようになったりすることがあります。オイルやワセリンで頭皮マッサージをしてタオルを巻いて、数分たってからシャンプーをします。新生児期から乳児期になり、皮脂が増えてきたらベビー用シャンプーから子ども用シャンプーを使うことをおすすめしています。
- 脱衣の場所や室温等に注意しましょう。

入浴時の気をつけたいケアポイント

- 入浴中に加湿されると痰が出やすくなるので、すぐに吸引ができる準備をしておきます。
- 移動中の転倒、転落、チューブ類の抜去に注意します。
- 温度差や水圧による血圧の変動、てんかん発作を誘発するなど、体調の変化に注意します。
- 体温低下を防ぐため、必要物品は入浴前に準備しておき、室温や湯温に注意します。
- 十分に洗い流した後、湯船に入ってから上がります。
- デバイスを固定している部分を、スキンケアの原則を踏まえて、できるだけ洗浄して良い状態を保てるようにします。なお、入浴前に部分洗浄してから入浴介助をするなどの工夫もあります。

入浴後の気をつけたいケアポイント

- 保湿ケアで、肌はいつもしっとりしている状態を保ちます。
- 入浴は呼吸に良い影響があります。入浴後には排痰ケアもスムーズに行えます。

＊年齢に合わせた入浴方法の一例

乳児～幼児の入浴

入浴中に吸引などのケアが必要なければ、介助者1人で入浴が可能です。

● 実際の入浴
・浴槽は2個準備する。簡易浴槽（ベビーバス）・シンクなど。シャワーチェアも準備する。

拘縮が強い、緊張や発作があるなど、身体状態によっては介助者と補助者2人で行います。
新生児期や乳児は、キッチンのシンクや沐浴槽のなかで身体を洗った後、上がり湯をかけて流す方法をとりがちですが、身体を洗う浴槽と上がり湯を入れた沐浴槽は分けて準備して、最後にきれいなお湯にしっかり浸かれるようにします。

シャワーチェア
簡易浴槽（ベビーバス）、シンク

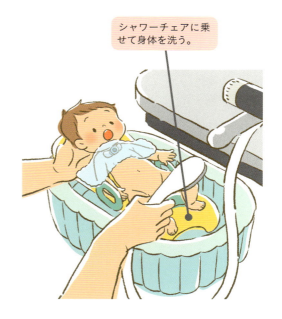

シャワーチェアに乗せて身体を洗う。

気管切開をしている1歳児の入浴手順

バイタルサインを確認して、入浴に必要な物品（タオル、着替え、入浴用の人工鼻、バックバルブ、吸引器など）や浴室の準備をします。

1) 入浴前に排便を促します。浣腸が必要なときに入浴前に行います。
2) 入浴前にオイルマッサージを行います。オイルは乾いた布でふき取ります。
3) 湯温の確認などをした後に、吸引してから浴室まで移動します。
4) 入浴時は、カニューレ内に水が入らないように気管切開孔周りを布などで保護します。入浴時に痰が上がってくることがあれば、家族を呼んで吸引します。
5) シャワーチェアで全身を洗った後、気管切開孔の周りや顔も石けんをつけて洗い、水が入らないように気をつけながら洗い流します。
6) きれいなお湯の湯船に入ります。身体が大きくなったときは、ベビーバスから浴槽で浸かるように変更します。このときは、ヘルパーや家族と2人で身体を支えます。
7) 身体が温まったら、バスタオルにくるんで部屋に戻ります。このとき、家族やヘルパーに迎えにきてもらうなど、あらかじめ家族と方法や役割を確認します。
8) 水気を拭き取り、保湿剤を塗布します。
9) 更衣して、気管カニューレのバンドを交換します。バンドと皮膚の間に指を入れてくるっと一周させ分圧させると、圧が一定になりスキントラブルや肉芽の予防になります。

①入浴前の準備

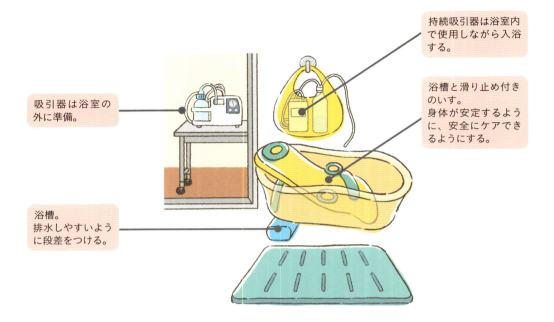

- 吸引器は浴室の外に準備。
- 持続吸引器は浴室内で使用しながら入浴する。
- 浴槽と滑り止め付きのいす。身体が安定するように、安全にケアできるようにする。
- 浴槽。排水しやすいように段差をつける。

②身体を洗う

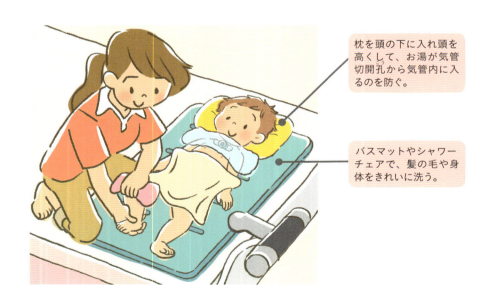

- 枕を頭の下に入れ頭を高くして、お湯が気管切開孔から気管内に入るのを防ぐ。
- バスマットやシャワーチェアで、髪の毛や身体をきれいに洗う。

③入浴する

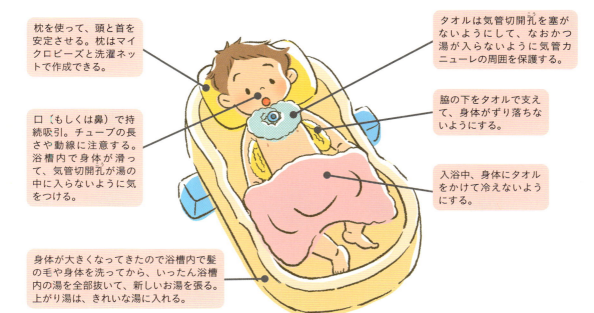

- 枕を使って、頭と首を安定させる。枕はマイクロビーズと洗濯ネットで作成できる。
- タオルは気管切開孔を塞がないようにして、なおかつ湯が入らないように気管カニューレの周囲を保護する。
- 口（もしくは鼻）で持続吸引。チューブの長さや動線に注意する。浴槽内で身体が滑って、気管切開孔が湯の中に入らないように気をつける。
- 脇の下をタオルで支えて、身体がずり落ちないようにする。
- 入浴中、身体にタオルをかけて冷えないようにする。
- 身体が大きくなってきたので浴槽内で髪の毛や身体を洗ってから、いったん浴槽内の湯を全部抜いて、新しいお湯を張る。上がり湯は、きれいな湯に入れる。

幼児以降児で医療的ケアが必要な児

寝たきりや抱きかかえての入浴が困難な子どもなど、自宅の浴槽が使えないときには簡易浴槽が使えます。日常生活用具のなかの入浴補助用具として、給付が可能なものもあります。

体重が15kg前後では、入浴介助は介護者の腰や膝の負担を減らせるよう2名で行います。快適に入浴を継続できるように、子どもの成長を見通して物品や支援方法を考えていくことが必要です。

部屋のなかやベッドの上などでも使える、介護用の簡易浴槽の紹介をします。

●簡易浴槽を使用するときの準備物品

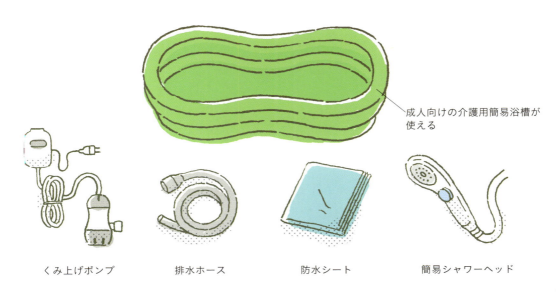

成人向けの介護用簡易浴槽が使える

くみ上げポンプ　　排水ホース　　防水シート　　簡易シャワーヘッド

学童期以降の入浴（入浴用リフト）

体重が20kg前後になると、抱きかかえての入浴が困難になってきます。身体の拘縮などがあり、より安定した移動を行いたいときには機械を使用して移動させる方法もあります。介護者の身体的な負担はかなり軽減できますが、機械を設置したり住宅の工事が必要となったりするため、費用がかかるなどの負担があります。

移乗・移動時の安全のため、介助者は2名以上で行います。

①入浴前の準備

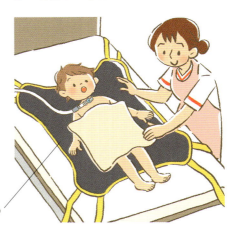

リフト移動用のネット

②リフトに乗せる

看護師、ヘルパー、反対側に母親の3名で移動させる。看護師と母親が前後でリフトを操作する。
ヘルパーが呼吸器を運ぶ。

ベッドから浴室まで移動する。浴室内でも、シャワーベッドと湯船はリフトで移動する。

③リフトに乗って移動

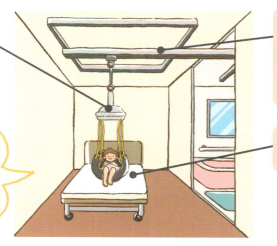

リフトは天井に滑車を吊るす装置があり、電動で上下の移動ができる。ジョイント部分で方向転換や部屋の移動ができる。

購入に関しては「実際に使用しているお宅を見学させていただいてから」をおすすめします。（購入した先輩ママさんより）

レールは部屋に後付けできる。支柱を立ててレールをつける。電動の入浴用リフトは、ほかにも種類があり、価格は 60～200 万くらい。日常用具の給付が受けられるものもある。

水平移動は介助者が動かす。電動で上下に動く安全装置がついている。

④入浴する

湯船にも浸かれる。身体を洗ったり洗髪するときは、入浴用のストレッチャーの上で行う。

呼吸器回路の呼気ポート部分に水がかからないように、ビニール袋を筒状にしてかぶせる。気管切開孔をタオルで保護する。浴室と脱衣室（呼吸器）の間に入浴マットを置いて、呼吸器本体への水はねを防止する。

気管切開孔に水が入らないように注意する。

✱ 入浴後の保湿でお肌はいつもしっとりをキープする

　入浴後は特に乾燥しやすいため、入浴後 5～10 分以内に保湿を行うと効果的といわれています。保湿剤は水分を補う、皮脂を補う、皮膚を保護するなどそれぞれの働きが違うので、皮膚の状態に合わせてローションや乳液、クリームなどを選びます（p.186 参照）。このとき、保湿剤はすりこまず伸ばしていくようにすることがポイントです。

　乾燥は、かゆくて掻いてしまい皮膚を傷つける、イライラして機嫌が悪くなる、発疹が出てきてしまうなど、さまざまな皮膚トラブルにもつながります。入浴後だけでなく、普段から保湿してみずみずしい健康な皮膚を目指します。

　入浴で身体の緊張がとれると、呼吸が深くなり、たっぷりと加湿されることで痰も柔らかくなり気道の分泌物も排痰しやすくなります。

　私たちが、日々訪問している子どもたちの毎日の入浴ケアは、呼吸ケアとしての役割ももっています。入浴ケアで、呼吸も皮膚も健康的に過ごすことは、毎日の快適な生活への基本になっていくケアだと考えます。

（堀口亜貴代）

通所施設の場合

✲ ケアのすすめかた

　入浴は清潔を保つだけではなく、入浴することで心身共にリラックスできます。しかし、医療的ケアの多い子どもたちをお風呂に入れることは容易ではありません。そのようなときには、訪問入浴などの社会資源を利用し、入浴を行うことができます。また、入浴のサービスを実施している「通所施設」もあります。

　本項目では、成人している方が通所している通所施設内での入浴を想定して書いていますが、子どもに応用して取り入れることのできる方法もあるかと思います。それぞれの子どもにあった方法に応用していただければと思います。

❶入浴前の準備

人工呼吸器を使用している子ども（自発呼吸なしの子ども、自発呼吸ありで入浴時は離脱可能な子ども）

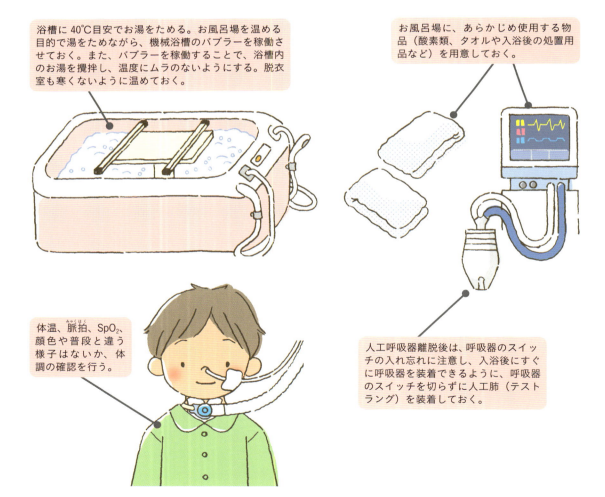

浴槽に40℃目安でお湯をためる。お風呂場を温める目的で湯をためながら、機械浴槽のバブラーを稼働させておく。また、バブラーを稼働することで、浴槽内のお湯を攪拌し、温度にムラのないようにする。脱衣室も寒くないように温めておく。

お風呂場に、あらかじめ使用する物品（酸素類、タオルや入浴後の処置用品など）を用意しておく。

体温、脈拍、SpO_2、顔色や普段と違う様子はないか、体調の確認を行う。

人工呼吸器離脱後は、呼吸器のスイッチの入れ忘れに注意し、入浴後にすぐに呼吸器を装着できるように、呼吸器のスイッチを切らずに人工肺（テストラング）を装着しておく。

❷服を脱ぐ

人工呼吸器を使用している子ども（自発呼吸なしの子ども、自発呼吸ありで入浴時は離脱可能な子ども）

- 服を脱ぐ際には、気管カニューレやカニューレバンド、チューブ類が洋服に巻き込まれたりしないように、チューブ類の位置を確認してから脱衣する。
- 脱衣時は身体の状態（皮膚の異常はないか、発赤［充血して赤くなっている状態］や腫脹［腫れている状態］はないか）を浴室に入る前に確認しておく。

人工呼吸器を使用している子ども（自発呼吸なしの子ども）

- 過ごしている部屋で人工呼吸器を離脱し、自己膨張式バッグで用手換気に切り替え移動する。浴室に入るまではパルスオキシメータを装着して観察する。
- かぶりの洋服を着ている場合には、首元を抜く際に用手換気をしている介護者とタイミングをあわせて洋服を脱がせる。

人工呼吸器を使用している子ども（自発呼吸ありで入浴時は離脱可能な子ども）

- 入浴時、人工鼻は湿度によってフィルター部が閉塞してしまう恐れがあるため、フィルターを外した人工鼻を装着する。

❸入浴する

人工呼吸器を使用している子ども（自発呼吸なしの子ども、自発呼吸ありで入浴時は離脱可能な子ども）

身体を洗うストレッチャーに移動する。移動する際には、チューブ類が洋服を着ている状態より露出するため、チューブ類をまとめて固定するほうが安全に移動できる。

気管カニューレのひもの部分を洗う際には、気管カニューレの抜去のないよう注意して洗う。その際には、タオルなどの土手で気管カニューレの挿入部分が隠れてしまっていると、抜去に気がつかない場合もあるため、注意して観察する。

気管切開孔にお湯が入らないように、タオルなどで土手を作る。洗髪、洗顔時にはネックシャッター®を装着すると、お湯が気管切開孔に流れることを予防できる[1]。

入浴している時間（湯につかる時間）は約5分を目安にする。

褥瘡ができている子どもはシャワーのお湯でよく洗う。また、褥瘡部位をシャワーの圧で刺激することで血行が良くなる。

身体にお湯をかける際には、可能であれば上体を起こし気管切開孔にお湯が入らないように、介護者の腕を胸部に密着させてから、お湯を流す。

身体を洗うときは、スポンジなどを用いて、洗浄剤をホイップクリームのような泡にして洗う。ビニール袋にお湯と液体石けんを入れ、空気を混ぜながら振ることでホイップクリーム状の泡を作ることができる。

浴槽につかる際には、肩甲骨の上部分とみぞおちを結んだ線くらいでつかる。みぞおちより上の部分は濡らしたタオルをあてて、温める。

人工呼吸器を使用している子ども（自発呼吸なしの子ども）

人工呼吸器を使用している子ども（自発呼吸ありで入浴時は離脱可能な子ども）

酸素を流しながら入浴する場合、移動時に酸素チューブが抜けないように、また酸素チューブが引っ張られてしまい、気管カニューレが抜けないように注意する。

・洗身ストレッチャーに移動する際にも用手換気を行いながら移動する。
・介護者3名がつき、1名は用手換気、2名は入浴ケアにつく。
・入浴中はモニターを着用できないため、顔色、口唇色、爪の色、胸の上がり具合や本人の表情（苦しそうにしていないか）などを観察しながら入浴を行う。
・浴槽につかる際には、用手換気している介護者が横につく。支える介護者は本人の上から首の付け根の部分を支える。もしくは用手換気している介護者と反対側で首に腕を回し支える。

❹服を着る

人工呼吸器を使用している子ども（自発呼吸なしの子ども、自発呼吸ありで入浴時は離脱可能な子ども）

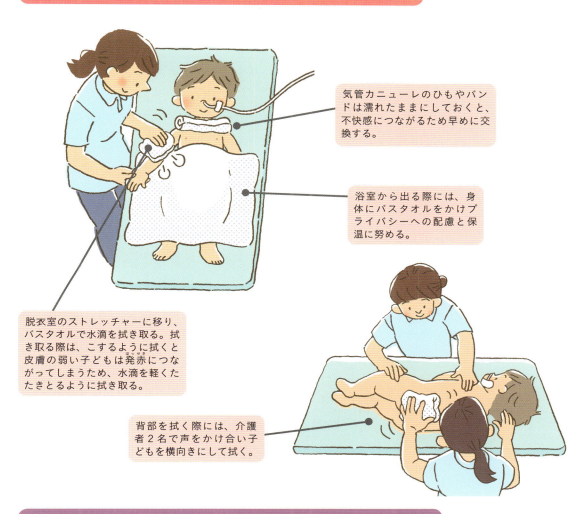

気管カニューレのひもやバンドは濡れたままにしておくと、不快感につながるため早めに交換する。

浴室から出る際には、身体にバスタオルをかけプライバシーへの配慮と保温に努める。

脱衣室のストレッチャーに移り、バスタオルで水滴を拭き取る。拭き取る際は、こするように拭くと皮膚の弱い子どもは発赤につながってしまうため、水滴を軽くたたきとるように拭き取る。

背部を拭く際には、介護者2名で声をかけ合い子どもを横向きにして拭く。

人工呼吸器を使用している子ども（自発呼吸なしの子ども）

・着衣時も脱衣時と同様に洋服を着る。
・洋服を着せ、髪の毛も乾かした後は日中の部屋へ戻り、人工呼吸器を装着する。

気をつけたいケアポイント

- 入浴中は加湿され、痰が出やすくなります。すぐに吸引が行えるように吸引器を準備しておきます。
- 入浴は心身ともにリラックスできる良い機会ですが、転倒、転落、チューブ類の抜去などの事故が最も起きやすい場所です。観察を行いながら、ゆっくりとケアすることが重要となります。
- 入浴中は温度差により、血圧の変動やてんかん発作を誘発するなどの体調の変化が起きやすいため、日ごろから急変時の対応を整えておくことも大切です。

こんなときどうする？

Q カニューレフリーなのですが、入浴時にお湯が気管に入らないようにするためには、どのようにしたら良いですか？

A カニューレフリーの子どもは、気管孔に水がかかると直接気管に水が入り込んでしまうため、注意が必要です。以下に入浴時の気管孔の保護方法の1例を紹介します。しかし、例ですのでそれぞれの子どもにあった方法を、ほかにも選択してください。

②エアーフィルターマスクを首にかぶせる。その際、気管孔の位置を確認しマスクが気管孔を塞いでしまっていないか確認する。

③マスクの首に接する部分のエアーは、抜け気味のほうが首にフィットする。

④ゴムひもをマスクにかけ、首の後ろから1周回し再度マスクにかけて固定する。

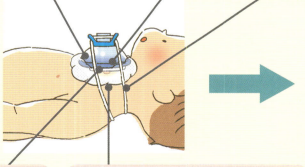

①気管孔にフォームフィルターをかぶせる。

⑤エアーフィルターマスクの周りにタオルで土手を作る。タオルの両端は、首に回したゴムひもの下を通してマスクのずれを防止する。

⑥子どもが不快感を示したり、首が動いたりしたときに、ずれがないか確認する。

各論・5章 発達を促すケア　手技

こんなときどうする？

Q 気管切開をしていて、入浴のときに緊張が強く気管カニューレが抜けそうで心配なのですが、どうしたらよいでしょうか？

A まずは、何で緊張しているのか探ってみましょう。特に入浴時は、うれしくて緊張するお子さんも多くみられます。または、不安があるのか、身体の不安定さで緊張してしまうなどの原因も考えられます。緊張がうまく抜けず、首の後屈や動きで気管カニューレが抜けそうな場合には、入浴時の気管カニューレ固定方法を検討します。

気管カニューレの固定方法として、たすきがけでの固定もありますが（上の図）、長期的にたすきがけでの固定を続けることで、脇の下に赤みや擦過傷が見られたりすることもあります。そのため、入浴時のみ気管カニューレの固定をたすきがけにするか、市販されている気管カニューレのフランジ部分を支えるプレートの導入も検討してみてください（下の図）。

たすきがけでの固定のしかた

たすき型　　たすき型変形　　縦型

下側のひもをベルトやオムツに取りつける。

いずれの型も、ベルトのヨレがないか、気管カニューレにテンションがかかっていないか、装着後に確認する。

フランジ部分を支えるプレート

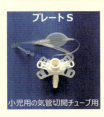
プレートS
小児用の気管切開チューブ用

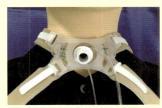
（写真提供：泉工医科工業株式会社）

（箱崎一隆、大谷聖信）

● 参考文献
1）八代博子編著．写真でわかる重症心身障害児（者）のケア：人としての尊厳を守る療育の実践のために．鈴木康之ほか監修．インターメディカ，2015，272p.
2）泉工医科工業株式会社ホームページ．https://www.mera.co.jp/medical/product-info/598/（3月30日参照）

手技 5 人工呼吸器をしている子どもの着替え

✳ ケアのすすめかた

着替えは日々の生活のなかで、皮膚の清潔を保ち、生活のめりはりをつけていくためにも欠かせない生活行為の1つです。気管切開や呼吸器を使用している子どもにとって、着替えを行うことはたやすいことではありません。しかし、着るものやケアの方法を工夫することによって、子ども、介護者ともに負担が軽減できます。

本項目では、着替えをしやすい衣類や着替え時のポイントを中心に書いていきます。

衣類の工夫について

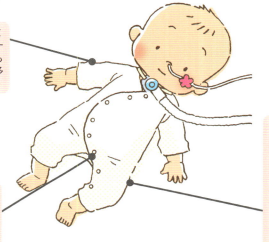

- ロンパースを着られる背丈（90cm）くらいまでは、ロンパースが着替えをしやすく、素材も肌にやさしい綿100％のものが多いため、活用できる。

- できる限り前開きの洋服のほうが、子ども、介護者ともに負担なく着替えをすることができる。かぶりの洋服を前開きに作り変えることも可能。

- 体温の調節が難しい子どもも多いため、外気温に応じて着る物を選択し、夏場はガーゼや天竺（木綿）などの生地が涼しく、冬場は起毛、フリース素材などが適しているが、それぞれの子どもにあわせて、適した素材を探してみてほしい。

Q 着替える際のポイントは？

ここに注意!

- 着替えの前には周辺の整理整頓をして、安全にできるようにします。
- 前開きの洋服のほうが呼吸器を外さずに着替えができます。また、一時的に呼吸器を外す場合も、伸縮性のある素材（ポリウレタンなど）の洋服を選択することで着替えの時間を短縮し、呼吸器を外す時間も短くなります。
- 呼吸器を外して着替えをした後は、呼吸器を装着し忘れないように注意します。呼吸器アラームの消音後は、特に注意が必要です。着替え後に、呼吸器チェックを習慣化しましょう。
- 腕を通すときには、手だけを支えて着替えると肘が重力で下に落ち、肘が脱臼する恐れがあるため、肘を支えて着替えを行ったほうが安全です。
- 着替えの際は、全身の状態を見る良い機会となります。皮膚の状態（赤みがないか、湿疹はないか）や、そのほかの身体の状態（発赤［充血して赤くなっている状態］、腫脹［腫れている状態］がないか）などから、骨折に気づくこともあるため、日ごろから観察しておきましょう。

各論・5章 発達を促すケア　手技

❶ 上衣を着るとき（前開きの洋服）

1） 動きにくいほうの腕から衣服を通します。

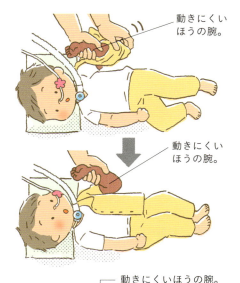

2） 子どもが横を向ける場合には、横向きにして背中の部分を通し、あおむけに戻ります。呼吸器を装着して、横を向く際には、蛇管(じゃかん)内(ない)の水滴が気管に垂れこまないように、事前に水を破棄してください。

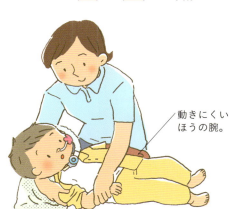

3） 動きやすいほうの手を通し、しわのないように衣服を伸ばします。

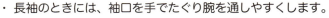

Q 着るときのポイントは？

A
- 長袖のときには、袖口を手でたぐり腕を通しやすくします。
- 着替えた後は、しわやたるみのないよう（特に背部）に確認します。衣類のしわやたるみは褥瘡(じょくそう)の原因にもなってしまうことがあるので、注意が必要です。
- 両腕の動かせる範囲が同じくらいの場合、身体の下に衣服を開いて置き、両腕を通して着る方法もありますが、両腕に無理のない範囲で行ってください。
- 胃瘻(いろう)チューブや腸瘻(ちょうろう)チューブなどを、手で引っかけないように気をつけながら着替えます。チューブが身体から長く出ている場合には、チューブをまとめてから着替えを行うことで、チューブ抜(ばっ)去(きょ)のリスクを軽減できます。

❷上衣を着るとき（かぶりの洋服）

　かぶりの服を着る際には、前述の要領で、動きにくい腕から先に通し、その後首を通します。首を通す際に、外した呼吸器を装着し忘れないよう注意しましょう。

　首を通す際には、衣類の襟ぐりをたぐり寄せて首を入れ、最後に動きやすい腕を通します。動きやすい腕を通す際には、気管切開部をふさいでしまったり、引っかけたりしないように、襟ぐりの部分やたぐり寄せた部分に注意が必要です。

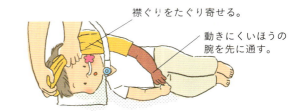

襟ぐりをたぐり寄せる。
動きにくいほうの腕を先に通す。

Q 着るときのポイントは？

- 腕を動かすことが難しい子どもが、かぶりの服を着るときには、腕がどこまで動くのか事前に把握し、できる限り袖口や襟ぐりをたぐり寄せて着替えます。その際も、腕が動く無理のない範囲で動かして着替えを行います。
- 気管カニューレを挿入している場合には、襟ぐりを通す際にできる限りたぐり寄せてから首を通します。
- 経鼻胃管やEDチューブ（成分栄養チューブ）を挿入している場合、かぶりの服を着るときには抜去（ばっきょ）のリスクが高くなります。着る際には（脱ぐ際も）できる限り襟ぐりをたぐり寄せ、まずはチューブの部分および鼻を通したほうが安全に着替えを行えます。

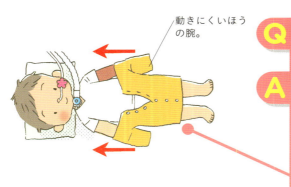

動きにくいほうの腕。

Q かぶりの洋服に着替える際の工夫は？

- 上だけボタンがついている服や、襟ぐりが広い服は足側からズボンの要領で履かせ、下に下ろしたままの手に袖を通すことで、肩や腕が上がりづらい子どもでも着せやすくなります。
- 伸縮性の高い洋服や襟ぐりの開いた洋服で着替えを行ってください。また、腕や手は動く範囲で無理なく着替えをしましょう。

❸上衣を脱ぐとき

着るときと逆（動きやすいほうの腕から）の手順で脱いでいきます。

ここに注意！

Q 脱ぐときのポイントは？

A 脱ぐときも、できるだけ袖口をたぐり寄せて腕を抜いたほうが、スムーズに脱ぐことができます。

❹ズボンの着脱

1）脱ぐ際には膝を立て、腰からズボンを下げます。膝を立てることが難しい場合は、ゆっくりとズボンを引き抜きます。

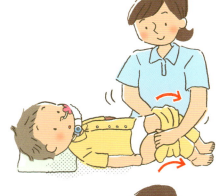

2）ズボンをはく際には動きにくいほうの足から入れて、動きやすいほうの足を後から入れて、徐々に引き上げていきます。
最後に臀部の部分を引き上げる際には、横を向き臀部を入れこみます。

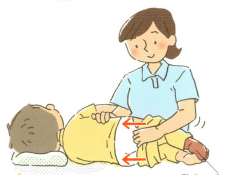

動きにくいほうの足。

> ズボンを足に入れこむ際に、膝関節の裏を支え、上に引き上げると股関節や大腿、膝関節に負荷がかかり脱臼、骨折などの原因になります。

ここに注意！

Q ズボン着脱時のポイント

- 身体の一部に負担がかからないように、できれば左右に向きを変えながらズボンの着脱を行えると良いと思います。
- チューブ類（腸瘻チューブや膀胱カテーテルなど）を巻き込んでしまわないように、チューブの位置を確認しながら脱衣します。
- 排尿のために、カテーテルを常時挿入している場合には、スカートタイプの下衣、チャック式やボタンで前後を留めることのできるズボンもあります。
- 股関節や膝関節がかたくなっている子どもの着脱時に、無理に曲げ伸ばしをすると骨折や脱臼の恐れがあります。ゆっくりと動かしながら、もしくは曲げ伸ばしをせずにそのまま着脱します。
- うつ伏せができる子どもの場合は、うつ伏せのほうがズボンの脱ぎ着をしやすいこともあります。

Q 服を着替えようとすると緊張してしまい、なかなか着替えができません。どうしたら良いでしょうか？

こんなときどうする？

A まずは、何が原因で子どもが緊張してしまうのかを探っていきます。子どもが着替えに協力しようとして力が入ってしまうのか、触れられることに不安が強く力が入ってしまうのか、それともどこか痛みが伴っているのかなどを観察しましょう。協力動作が見られる場合には、その動作をうまく利用して着替えを行うことで、子どもも満足感を得ることができます。また、不安が強く緊張してしまう場合には、やさしく声をかけてから着替えを始め、子どもの好きな話題や音楽、歌などを用いて着替えを行うことも有効です。

また、かぶりの洋服で、顔の部分を通す際に緊張が強くなる子どもも多く見受けられます。その際には、できる限り襟ぐりをたぐり寄せて、顔がすぐに出るようにして着替えをします。痛みが伴っている場合には、無理に身体を動かしていないか、発赤や腫脹している部分はないか確認をして原因を探ります。

Q 市販品だと着られる洋服が少ないのですが……。

A インターネットで検索すると、医療的ケアの必要がある子どもたち向けの洋服を販売しているホームページがあります。そのほかにも、インターネットではミシンを使って洋服を改造したりして、個人のホームページで公開している方もいるので参考にしてみてください。

（箱崎一隆、大谷聖信）

手技 6 口腔ケア

✲ はじめに

口腔ケアは、以前は「口腔の汚れを取り除き、清潔に保つこと」という、狭い意味でのとらえかたが主流でしたが、最近では歯石の除去、フッ素化合物の塗布、義歯の手入れが加えられ、さらに摂食・嚥下訓練やリハビリテーションまでとなり、非常に広範囲の項目となりました。口腔ケアは、先に述べた狭い意味での「口腔の汚れを取り除き、清潔に保つこと」を主軸とした「器質的口腔ケア」と、摂食・嚥下訓練などの、口の機能を回復させ、維持・向上することを目的とした「機能的口腔ケア」を分類して考えるようになりました。

ブラッシング（歯磨き）は歯に付着した汚れを歯ブラシを用いてとることで、「器質的口腔ケア」の代表といえます。ブラッシング（歯磨き）を的確に行うことで、むし歯や歯周病の予防ができますし、誤嚥による肺炎予防や、歯ブラシによる刺激などが機能的口腔ケアの要素も含むことがわかってきました。ブラッシング（歯磨き）は子どものQOL（Quality of Life；生活の質）の向上に非常に役立ちます。そこで、口腔ケアの代表格であるブラッシング（歯磨き）を中心に、器質的口腔ケアについてお話しします。しっかりマスターしましょう！

> **口腔ケアの分類**
> ● 器質的口腔ケア：口腔の汚れを取り除き、清潔に保つケア。
> 例：歯磨き（歯ブラシ、歯間ブラシ、デンタルフロスなど）、ガーゼなどによる粘膜の清掃、うがいなど。
> ● 機能的口腔ケア：機能を回復させ、維持・向上するためのケア。
> 例：唇・頬・舌などの運動、マッサージ、摂食・嚥下訓練、呼吸など。

✲ ケアのすすめかた

❶準備

口腔ケアを行うには基本的に右の物品が必要です。

歯ブラシ選びですが、子どもの口腔や生活環境、介助者の歯磨きのスキルによって違います。しかし、基本的に良い歯ブラシとは、①口のなかで動かしやすくて、②磨き残しが少なく、③歯茎を傷つけることが少ないものです。単純な形のものが良いでしょう。

準備するもの

● 基本的にそろえたいもの
歯ブラシ、ガーゼ（口腔内清掃用、人差し指に巻きつけて使います）。
コップ（歯ブラシ洗浄用と口腔洗浄用、うがい用と3つあるとベスト。水道水でOK）。
ペンライト（口のなかは意外と暗いのであると便利！）、手鏡。
吸引器一式（唾液や汚れを吸うため）。
ガーグルベースン（うがい用）。
タオル、エプロン。
ティッシュペーパー（ちょこちょこ拭くのに便利！）。
● 必要に応じてそろえたいもの
歯間ブラシ、デンタルフロス、舌ブラシなど

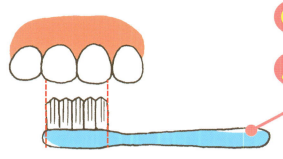

ここに注意！

Q 歯ブラシ選びのポイントは？

A 横から見たときに、全体が一直線で極端に曲がっていないもの。ブラシの部分の大きさは、毛の生えている部分（ヘッド）の長さが、前歯2本分くらいにおさまるもの。材質は、豚毛などよりもナイロン毛のほうが、管理が容易です。かたさは、やわらかめ〜普通が無難です。

❷姿勢とポジショニング

　子どもを寝かせる「寝かせ磨き」が基本です。しかし、身体的な問題で横になるのが難しい場合は、無理のない体勢で行うことが大切です。側彎（そくわん）が強い場合は、背板を少し寝かせ気味にして、車いす上で行うなどの方法が良いでしょう。また、嚥下（えんげ）障害がある子どもが上を向いて寝ると、唾液（だえき）を誤嚥（ごえん）してしまう可能性があります。横向きに寝かせて、唾液や歯ブラシ後の汚れを吸引器で吸引しながら行うのが良いでしょう。

基本：寝かせ磨き

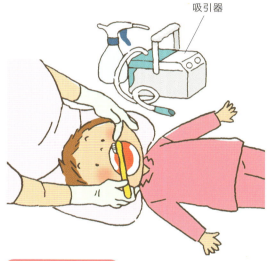

吸引器

車いす上での一例

車いすをティルトにして、少し寝かせて、7〜8時の方向から行う。

横を向かせて

顔の下にタオルを敷く。

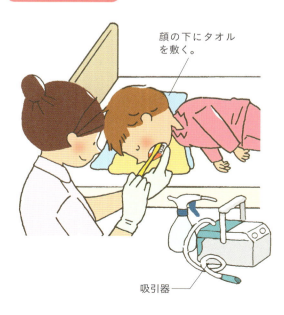

吸引器

各論・5章 発達を促すケア　手技

❸口のなかを見る・大きな汚れを取る

まず最初に、どこが汚れているかを確認しましょう。そして、食べかすなどの大きな汚れをとりましょう。歯の表面や口腔粘膜全体をガーゼ（指に巻き付けて使用）で拭き取り、外に出してしまえばOKです。

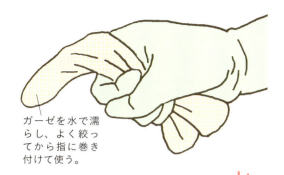

ガーゼを水で濡らし、よく絞ってから指に巻き付けて使う。

ここに注意！

Q 口のなかをしっかり見るコツは？

A 子どもの口のなかを見るときは、しっかりと唇を排除（口唇排除）することがコツです。右図のように指をしっかり入れて排除しましょう。噛まれないように注意！！

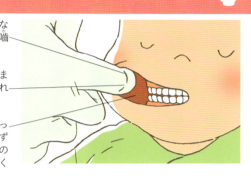

- 歯列まで入れない。入れると噛まれる。
- 指は第二関節までしっかり入れる。
- 入れた指を使って外に口唇をずらし、歯と頬の間に区間をつくる。

❹ブラッシング（歯磨き）

大きな汚れがとれたら、歯ブラシを使って磨きましょう。歯の表面には歯垢（プラーク）と呼ばれる細菌の塊が付着しています。歯の噛む面の溝や、歯と歯の間、歯肉との境に歯垢がたまります。下図を参考に磨きましょう。

ここに注意！

Q 歯垢（プラーク）と歯石とは？

A 歯垢（プラーク）は、細菌と食べかす由来の有機物でできた粘性の物質です。むし歯や歯周病の原因となる細菌が大量に生息し、バイオフィルムという特殊な形態で歯表面に付着しています。歯科医院で赤い染め出し液を用いると確認できます。歯垢（プラーク）を剥がすには、うがいなどの方法では難しく、ブラッシング（歯磨き）による除去がいちばん効果的です。

歯垢（プラーク）が口腔内のカルシウムなどの成分と反応し、かたくなったものが歯石です。吸水性に富み表面がザラザラしているため、歯垢（プラーク）が付着しやすくなっています。歯石はブラッシング（歯磨き）では取れません。歯科医院に行って、とってもらいましょう。

プラークのつきやすいところ

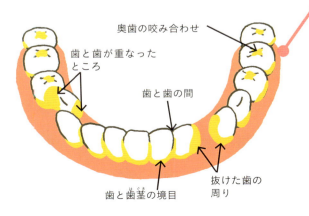

- 奥歯の咬み合わせ
- 歯と歯が重なったところ
- 歯と歯の間
- 歯と歯茎の境目
- 抜けた歯の周り

ブラッシングの一例／ブラッシングのコツ

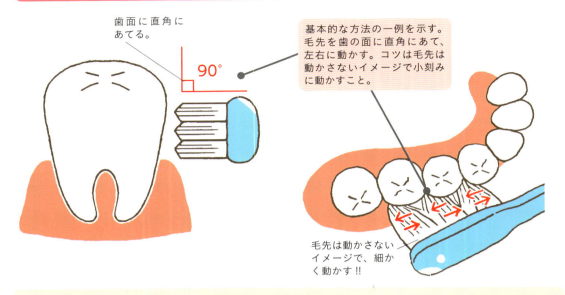

このほかにも歯磨きの方法はたくさんあります。歯科医師や歯科衛生士が患者さんにあった方法を選択して教えてくれますので、通っている歯科医院がある場合は、一度アドバイスをもらうと良いでしょう。

❺舌の汚れ、その他

舌の表面も見てみましょう。汚れがついている場合があります。そのときは舌ブラシ、舌クリーナーなどを使ってきれいにしましょう。各社でさまざまな製品がありますので、「使いかた」「使用上の注意」をよく読んで使いましょう。ただし、やり過ぎると舌の表面が赤くなったりすることがあるので注意が必要です。

舌ブラシの使いかた（一例）

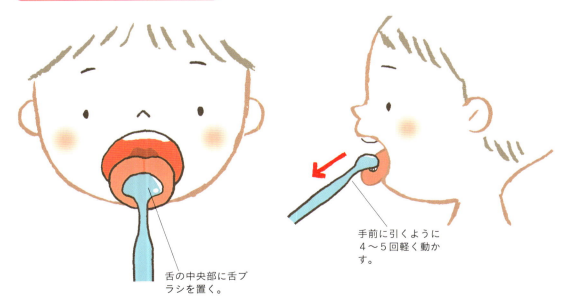

各論・5章 発達を促すケア　手技

❻汚れを外に出す

　口のなかに汚れが混ざった唾液がたまってきます。ブクブクうがいで外に洗い流すのが良いのですが、できない場合は、コップの水で洗った歯ブラシで磨きながら、水分を吸引器で吸ったり、指に巻き付けたガーゼで吸い取りながら行うと良いでしょう。

こんなときどうする？

 口腔ケアは、いつごろから必要ですか？

A　個人差はありますが、おおよそ下顎の真ん中の歯が2本以上生えたあたりから必要です。しかし、すぐに歯ブラシでゴシゴシする必要はありません。口の周りは敏感なので、最初は拒否反応を起こすことが多々あります。まずは口腔周囲、口腔内の指によるマッサージを行い、慣れることから始めましょう。その後、ガーゼによる清掃を経て、上下顎それぞれ4本くらい歯が生えた時期（おおよそ1歳〜）にブラッシング（歯磨き）へと移行できれば最良です。

 うちの子どもは、経管栄養で口から食事をしていません。歯ブラシは必要ですか？

A　必要です。「口のなかに食べ物が入らないのだから、汚れないのではないか？」と思う方も多いと思います。しかし、汚れは食物由来の物ばかりではありません。たとえば口腔内の古い粘膜が剥がれて汚れの元になります。また、「口から食事をする」ことで、歯の表面が清掃されることも知られています。確かに食事をすると食物のかすなどが歯に付着して汚れますが、同時に歯の表面を食物が通るときに、歯の表面を掃除してくれる働き（自浄作用）もあります。経管栄養の子どもは、この作用が働かないので、歯に汚れがつきやすく歯石がつきやすくなるのです。

（稲田　穣）

手技 7 遊び

✳︎ はじめに

　子どもにとって遊びとは、楽しむだけでなく自分の身体を知る手段です。子どもは遊びのなかで、自分の身体に気づき、周りの環境に気づき、自分の身体をどう使うかを覚えていきます。

　はじめはお母さんの抱っこの感覚に安心し、光や声などを感じます。徐々に自分の身体に気づき、手を口にもっていったり足をつかんでみたり、そこから手を伸ばして近くにあるタオルをとってみたり……。このような経験を積んで自分の身体、周囲の環境を知っていきます。

　しかし、身体をうまく動かすことができない子どもは、自分から周囲の環境に働きかける機会が少なくなりがちです。そんなときは自分の身体や環境に気づくための大人のサポートが大切です。

✳︎ ケアのすすめかた

❶まずは感覚遊びを取り入れる

　感じることで子どもは自分を知り、周囲に気づきます。

　自分の身体を動かすことが難しい子どもは、感覚遊びの体験が不足してしまったり、生まれたときからの敏感さが続いてしまうことがあります。遊びのなかで、いろいろなものを感じることで慣れていき、過敏さを軽減させる手助けになるかもしれません。

❷感じるってどんなこと？？

　感じると聞くと、五感といわれる右のイラストのようなことが、ぱっと思い浮かぶと思います。

　このなかで遊びに取り入れられやすいのは、「みる」「きく」「さわる」の感覚です。子どもが、どんなことをしたら安心した表情になったか、楽しそうにしたか、嫌がってしまったか、よく子どもを見て、家族といっしょに探してみましょう！

みる

まずは「見えているかな？」「物を追って見るかな？」「どんなものを見ているかな？」など、子どもの目に注目してみましょう。

はじめは黒や赤などはっきりした色が見やすく、動くものに興味が出やすいです。はっきりした色あいの絵本などもありますね。

きく

「音に気づいているかな？」「音がすると何か反応があるかな？」など、音がしたときの子どもの反応を見てみましょう。お母さんやお父さんの声、音楽、鈴などの楽器が興味をもちやすいです。

さわる

はじめは、人の手やタオルを触る機会が多いです。自分の服や大人の服、髪の毛など触り始めます。スポンジやブラシのようなちくちくしたもの、砂、スライムのようなやわらかい感触の物も楽しめると思います。

チェーンやブラシ類、光るゴムのヨーヨーなど。

はっきりとした色あいの絵本。

✳ 自宅でもできる遊び

❶身体をたくさん触って遊ぶ

抱っこや仰向けなど、大人と顔が見えるようにして身体を触り、声をかけるだけでも遊びになります。関わってもらっているだけでも、子どもはニコニコしてくれるかもしれません。

手を持って「おててだね〜」など、声をかけながら触っていきます。

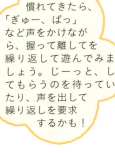

慣れてきたら、「ぎゅー、ぱっ」など声をかけながら、握って離してを繰り返して遊んでみましょう。じーっと、してもらうのを待っていたり、声を出して繰り返しを要求するかも！

❷ 手と手を合わせる

　自分で上手に手を動かすことの難しい子どもは、どちらかの手に気づいていても、もう一方の手に気づいていないことがあるかもしれません。大人がいっしょに両手を持って、手を合わせることで自分の両手に気づきやすくなります。

　また、過敏さのある子どもも自分の手を触ることに対しては受け入れやすいことがあります。

❸ 揺れ遊び

　揺れる遊びをしてみましょう。最初は抱っこでゆっくり揺らしてみてください。気持ち良くなって、うとうとする子どももいるかもしれません。もし楽しそうだったら、シーツでブランコを作って、揺らす遊びにも挑戦してみましょう。

❹ うつ伏せ遊び

　大人の身体の上でうつ伏せになります。お腹を大人に預けて、大人の身体を感じるようにしてみましょう。もしかしたら、顔を見ようとしたり、気持ち良くてうとうとするかもしれません。普段は仰向けが多くなりがちなので、視界が変わって新しい世界の発見につながることもあります。

口や鼻をふさがないようにしましょう！

❺ ビーズやあずき、お米、マカロニなどを触って遊ぶ

大きな入れ物にビーズやマカロニなどを入れて、そこに手や足を入れて遊びます。手を入れてみると物の重さを感じたり、手足を動かして「じゃらじゃら」鳴る音が楽しい遊びです。嫌がったら少量にしてみたり、徐々に触ってみたりして遊んでみましょう。ボールプールがあれば、全身で入ってみましょう。包み込まれる感覚がリラックスにつながることがあります。

誤って飲み込まないように気を付けてください。アレルギーにもご注意ください。

✻ 手作りおもちゃ

100円ショップの道具を使って楽しいおもちゃが作れます。まずは子どもの好きな遊びを探してみましょう！

紹介するような遊びをヒントにしていただけたらと思います。口に入れてしまいそうな物や危ないと思ったものは無理に使用せず、安全に楽しく遊びましょう。

ペットボトルにビーズや水を入れた、音の鳴るおもちゃ（小さいボトルだと持ちやすい）。

折り紙のモビール。天井からつるすと、ゆらゆら揺れるので見るのが楽しい。

洗濯板にビーズをくくりつけたおもちゃ。じゃらじゃら音や感触が楽しい。

こんなときどうする？

Q 過敏があって触られるのを嫌がります。どうしたら良いでしょうか？

A まずは触られて楽しいところから始めてみましょう。もしかしたら、見えないところを急に触られて、びっくりしているのかもしれません。声をかけてから触ってみましょう。また、触る部位が見えるところなら、子どもに見せて、確認してから触ってみてください。触るときも、そっと触れられるよりも手のひら全体で、しばらくの間、少し圧をかけて触れられるほうが受け入れやすいです。はじめは嫌がってなかなか進まないかもしれませんが、時間をかけると慣れていくこともあります。また、ほかの感覚といっしょに行うことで受け入れやすくなることがあります（たとえば、歌を歌いながらなど）。少しずつ気長に取り組んでみてください。

口の周りに触られるのを嫌がる

　声掛けをしながら少しずつ触ってみましょう。このとき、しっかり包むように触りましょう。慣れてくると、歯を磨いたり、顔を拭いたり、食事がとりやすくなるかもしれません。

　鼻の下は嫌がることが多いかもしれません。しばらく触れて嫌がらなくなれば離しましょう。ずっと嫌がるときは無理せず、気長に少しずつ触っていきましょう。子ども自身の手で触ってみるのもよいと思います。

手で物を触るのを嫌がる

　手のひらを握り込んでいる子どもは、触る機会が少なくなりやすいです。

　手のひらが外に大きく開くように、マッサージをすることから始めましょう。1本1本の指を伸ばすことも大切です。手のひらが開いたら、いろいろな物を触ってみましょう。いっしょに手をたたいたり、手のひら全体を使っていっしょに触ってみましょう。

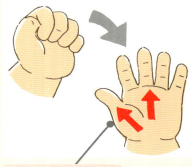

手のひらのマッサージは、手の内側から外側に向かって伸ばす。

足やお尻をつけるのを嫌がる

　お尻や足に少しずつ体重をかけていきましょう。足のマッサージをしたり、抱っこでお尻をお母さんの膝（ひざ）に乗せたり、足が床につくようにしてみましょう。

　そのことに注目しすぎないように遊びながら、テレビを見ながらなどと並行して行うと受け入れやすいことがあります。

各論・5章 発達を促すケア　手技

こんなときどうする？

Q 仰向けができないので、手をあわせられません。どうしたら良いでしょうか？

A 横向きやうつ伏せでも、両手を視野のなかに入れることができます。身体の様子によって姿勢を見てあげてください。うつ伏せでは、口や鼻をふさぎやすいので注意してください。

Q 緊張してしまって、抱っこがなかなかうまくできません。どうしたら良いでしょうか？

A しっかり身体が包まれていなくて怖いのかもしれません。抱っこのときは、しっかり大人の身体に密着させると安心しやすくなります。横抱きや縦抱き、後ろ向き抱っこなどでも試してみましょう。様子を見ながら、安定した姿勢で実施しましょう。

大人の肘の下にクッションや足を入れると、抱っこが安定しやすい。

子どもの両手は前にもってくる。ときどき大人側の子どもの手がお尻の下に入ってしまうことがあるので注意。

股関節が曲がらないなどの変形拘縮のある場合は注意する。

Q 反り返りが強くてうつ伏せができないのですが……。

A しっかりうつ伏せになれない場合は、大人がソファに寄りかかって抱っこをするなど、斜めのうつ伏せでもかまいません。大人が抱っこしているので、落ち着きやすいことがあります。

（須賀美央）

● 参考文献
1）巷野悟郎ほか．赤ちゃんあそぼ！：0～2歳のふれあいあそび．赤ちゃんとママ社，2002，143p．
2）仙台市なのはなホーム編．遊びたいな うん あそぼうよ：発達を促す手づくり遊び．クリエイツかもがわ，2004，132p．
3）高橋 純ほか編著．障害児の発達とポジショニング指導．ぶどう社，1986，208p．

手技 8 言葉の発達やコミュニケーションのとりかた

✴ ケアのすすめかた

育ちがゆっくりな子どものなかには、丁寧な関わりや工夫が必要な子どもがいます。ここでは、言葉の発達を乳幼児の言葉の発達の道筋にそって見ていきましょう。

❶泣くことで要求を伝える時期

赤ちゃんは、「泣くと大人が助けてくれる」といった経験のなかから、愛着が育ち、「その相手ともっと楽しいことをしたい」と思うようになります。これが「相手とコミュニケーションをとりたい」といった、意欲の基礎となっていきます。しかし、発達に心配のある子どものなかには、いくらお世話をしても泣いてばかりいる子どももいます。

通常は、多くの時間を心地良く過ごしているなかで、空腹やオムツが濡れているなどの不快を、一時的に感じることで泣くことにつながります。しかし、身体にかたさ（麻痺）があったりすると、一日中、身体が突っ張っていたり、呼吸が苦しくなったりと、不快を持続的に、頻繁に感じているかもしれません。このような状態でコミュニケーションを楽しむことは難しいので、不快の原因を取り除き、穏やかな時間を過ごさせることが必要になります。

子どもがリラックスできる姿勢はあるでしょうか？　理学療法士などの、身体の専門家に相談するのも良いと思います。身体を丸めて包み込むように抱っこすると、落ち着く子どもも多いです。それぞれの子どもにあった姿勢を検討すると良いでしょう。リラックスした状態で、大人との関わりを楽しめると、コミュニケーションの意欲をより育むことができます。

反り返って泣いている子ども ＋周囲の声掛け

反り返った姿勢では周囲の声掛けに気づきにくい。呼吸も苦しく、コミュニケーションを楽しむ余裕が生まれない。

○○ちゃ〜ん。

抱っこで落ち着いている子ども ＋周囲の声掛け

おいしいね〜。

身体を丸めるような抱っこにより、身体の緊張がコントロールされることで呼吸も楽になり、コミュニケーションを楽しむ余裕が生まれる。視線を合わせたコミュニケーションも大切。

❷両親の認識がはっきりしてきて、人見知りが始まる頃

1）母親の声と心地良い経験の手伝い

最初のうちは、抱き上げるまで泣き止まなかった赤ちゃんも、次第に少し離れたところから声を掛けると泣き止み、少し待っていられるようになってきます。これは、まだ言葉はわからなくても、母親の声から母親をイメージできるようになったことを示しています。これは、毎日の育児のなかで、母親の声がすると、「自分に心地良いことが起こる」といった経験の積み重ねがあったからこそ、できるようになる力です。お世話をするときには、「オムツ、かえるよ」「ミルク飲もうか」など、その行為を言葉にして聞かせてください。また、「気持ち良いね」「おいしいね」などと、子どもの状態や気持ちも聞かせるなかで、そのやさしい声と心地良い経験を結び付けるお手伝いをしてほしいと思います。日常のお世話のなかで、母親がやっている行為を言葉にしながら聞かせましょう。

2）物事の因果関係の理解を手伝う

しかし、発達に心配がある子どものなかには、毎日一生懸命にお世話をしても、このイメージする力が育ちにくい子どもがいます。これは、麻痺のために自分で身体をうまく動かせず、お世話以外の場面でも自分からおもちゃなどに関わる機会が限られてしまうことで、「こうやったら、こうなる」といった因果関係の理解が進まないことが1つの原因かもしれません。「押したら光る」「触ると音が鳴る」などの簡単なおもちゃを、子どもといっしょに遊んでみてください。

また、赤ちゃん向けの手遊び歌「一本橋こちょこちょ」のような遊びのなかで、「いくぞ〜」といった掛け声に続いて、こちょこちょをするなども良いでしょう。いないいないばあのような遊びのなかでも、声の調子を変えたり、くすぐるタイミングを少しずらしてみたりと、変化を加えていくのも楽しめるようになってくると思います。このような因果関係は、言葉を理解する基礎の力となっていきます。

❸身近な言葉が理解できるようになる頃

「パチパチ」「ぽーん」などの声掛けに応じて、手をたたいたり、ボールを転がしたりといったことができるようになり、少しずつ大人の言っていることが伝わるようになってきたなぁと感じられるようになってきます。また、言葉だけで理解できるようになる前に、身振り手振りを見ることで理解する時期があります。言葉で伝えるだけではなく、周囲の大人が身振り手振りをたくさん見せながら関わってほしいと思います。その際に、「パチパチ」などの音を繰り返すような言葉や、「ぽーん」などの擬態語もたくさん聞かせてくだ

さい。このような関わりから、少しずつ身近な言葉を覚えていきます。

しかし、発達に心配のある子どものなかには、言葉を理解できるようになったにもかかわらず、言葉などで表現することが難しい子どもがいます。そのような場合でも、何かしらの手段で、相手に気持ちを伝達することが大切になります。自分の表現が相手に受け取ってもらえたという経験は、さらに表現しようする意欲を育てていくでしょう。

子どもが返す応答は、言葉だけとは限りません。「あー」と声を出したり、小さな表情の変化で表現しているかもしれません。または、指先が少し動いたり、呼吸のパターンが少し変わったりと、表現のしかたは子どもによってさまざまです。まずは、その子どもの様子を注意深く観察してください。赤ちゃんが泣いて訴えるように、心地良さや不快を伝えることは、比較的早くからできるようになることが多いようです。そのためにも、いろいろな経験を通して、子どもの好きなこと、嫌いなことなどを見つけることから始めてみてはいかがでしょうか？　子どものお気に入りが見つかったら、それらを目の前に見せながら、「どっちにする？」などと選択を促すのも、表現手段を獲得することの助けになるかもしれません。

❹自分でやってみたい！　といった気持ちが育つ頃

いろいろとわかることも増え、自分の好きなこと、やりたいことがはっきりしてくると、「自分でやりたい！」といった気持ちも強くなってくると思います。やりたいことも、内容が複雑になり、今まで大好きだった「押せば光る」ような単純なおもちゃでは満足しなくなってくるかもしれません。しかし、複雑なおもちゃは身体が思うように動かせないためにうまく扱えず、イライラしてしまうことも出てくるかと思います。

その際に、簡単なスイッチ操作で動くように改良されたおもちゃなどを使うのも良いかと思います。自分で動かしたといった経験から、より多くの言葉の理解につながってくることも期待できます。また、スイッチの便利さに気づくことで、いずれは AAC（Augmentative & Alternative Communication；支援機器を用いてコミュニケーションを支援する考えかた）といわれる、コミュニケーションを補助する機器の導入につなげていけるかもしれません。

＊AT（Assistive Technology； アシスティブ・テクノロジー） を利用した遊びの支援の例

> このほかにも、さまざまなスイッチなどのATがあります。子どもの興味や使いかたに応じて探してみると、遊びの幅を広げられるかもしれません。

❶乾電池アダプター

電池で動くおもちゃをスイッチにつなぐためのアダプターです。On／Offで動かせるおもちゃの電池部分に挿入するだけで、簡単にスイッチを入れると動くおもちゃができあがります。

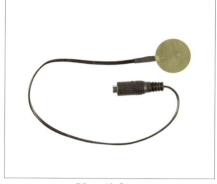

BDアダプター
（写真提供：パシフィックサプライ株式会社）

❷ビッグマック

録音した音声や音楽を、スイッチを押すことで再生する機器です。子どもの好きな曲を録音したり、「おはよう」などのあいさつを録音したりして楽しむことができます。

ビッグマック
（写真提供：パシフィックサプライ株式会社）

❸i＋Padタッチャー

タブレットなどの液晶画面をスイッチで操作するためのアダプターです。スマートフォンなどでも使うことができます。アシステック・オンラインショップ（http://assistech-lab.com/）などで購入できます。

気をつけたいケアポイント

聴力を確認しましょう。
　耳が聞こえていることは、言葉の発達には重要なことです。心配がある場合には、専門機関での検査を受けてみると良いと思います。耳が聞こえにくい場合には、補聴器などの装用の可能性について、主治医と相談してみてください。

Q 耳が聞こえにくい子どもと関わるときに、気をつけるべきことはありますか？

A　耳が聞こえにくいということは、情報の受け取りの多くを目に頼っていることが多いと思います。声掛けをするときには、正面から、口も少し大きめに動かして話しかけてください。また、身振り手振りなどもつけながら関わることで、言葉を育てることができます。

Q 音に敏感で、少しの音にもびっくりしてすぐに泣いてしまいます。どのように関われば良いのでしょうか？

A　音に対して過剰に、敏感に反応してしまう子どもが少なからずいます。私たちも、暗い夜道で後ろから急に声を掛けられたらびっくりして逃げ出してしまいませんか？　しかし、その声を掛けてくれた人の「正体」が親しい友人であるとわかっていれば、それほど驚かないと思います。同じように、その音の「正体」がわからないために、びっくりしてしまっている部分もあるかもしれません。

　お世話をするときなどに、できるだけ、子どもの目の前に使う物を見せてから関わってみてください。「これは、こういう音がするぞ」「こういうときは、お母さんの声が聞こえるぞ」といった認識につながってくれば、必要以上にびっくりしなくて済むことが増えるかもしれません。

各論・5章 発達を促すケア　手技

こんなときどうする？

Q 脳の障害で目が見えないといわれています。物が見えなくても、言葉を育てることはできますか？

A 目が見えないということは、情報の受け取りの多くを耳に頼っている子どもも多いと思います。目から情報が入らないので、周囲からの関わりに対しての心の準備ができず、身体に触れるだけでビクッと驚いてしまう子どももいるかもしれません。関わりを開始する前に、やさしい口調で名前を呼ぶなどして「これからあなたに関わりますよ」といったことを伝えてください。加えて、安心できる環境で、穏やかな時間を過ごせることも大切です。そのなかで、いっしょにいろいろな感触やいろいろな形の物を触り、「ちくちく」「ふわふわ」などの声掛けをしてください。目が見えない分、触覚などを通して言葉を育てていきましょう。

ふわふわだねぇ。

Q 触られることに敏感（過敏）で、特に顔を拭いたり、歯磨きをするときに大泣きしてしまいます。なかなか楽しい雰囲気で声掛けができません。

A 子どものなかには、触れられることに対して非常に敏感な子どもがいます。これは、自分のペースで物に触れたり、指しゃぶりをしたりといった、さまざまな感覚を通して遊ぶ経験の少なさが1つの要因と考えられています。特に口の周りや口のなかに、この感覚の過敏性のある子どもが多いです。相手から触られるのは嫌でも、自分の手であれば受け入れられる子どももいます。介助で手を動かして、顔や口の周りなどを自分で触るような経験をさせてください。慣れてきたら、大人の手でギュッと包み込む（圧迫する）ように触ってください。ギュッと包み込むような触りかたを続けていくと、その触りかたにも次第に慣れていくので、やがてその刺激が安心感につながり受け入れやすくなっていきます。

（中村達也）

● 参考文献

1) 日本聴能言語士協会講習会実行委員会編．コミュニケーション障害の臨床 第3巻 脳性麻痺．協同医書出版社，2002，210p〔アドバンスシリーズ〕．
2) 中川信子．1・2・3歳 言葉の遅い子：言葉を育てる暮らしのヒント．ぶどう社，1999，192p．
3) e-AT利用促進協会．詳解 福祉情報技術 1障害テクノロジー編：福祉とテクノロジーの共存をめざして．ローカス，2011，328p．
4) 八代博子編著．写真でわかる重症心身障害児（者）のケア：人としての尊厳を守る療育の実践のために．鈴木康之ほか監修．インターメディカ，2015，233p．

手技 9 在宅訪問リハビリ：発達を促す環境づくり

＊ケアのすすめかた

病気や障害に関わらず、どんな子どもにも定型発達でたどるような、姿勢、動き、感覚の経験が大切だと考えています。こういった活動が、筋肉や骨格の育ちをはじめ内臓の働きに影響を与えて、呼吸や循環、消化、排泄にも良い効果をもたらします。

身体を思うように動かせない子どもには、サポートしながら姿勢・運動・感覚の経験を重ねて、自分の身体を意識できるような関わりを心がけています。

もちろん、病気によっては気をつけなければいけないことがあります。安全には十分に配慮しながら、「やってはいけないこと」「できないこと」よりも「これはできる」という前向きな視点があると、子どもたちの世界は広がります。

Tamaステーションなる訪問看護事業（以下、なる）では、子どもたちの「やってみたい」「動きたい」「楽しい」を支えられるような発達支援を目指して、さまざまなことに取り組んでいます。基本についてはp.200を参照していただき、ここでは、なるで行っている環境支援、支援に使える具体的な装具やアイテムなどを中心に紹介します。

Q 赤ちゃんはどうやって自分の身体を知っていくの？

A 産まれて間もない赤ちゃんは、自分の体の全体像がまだよくわかっていないため、うまく身体を扱えません。自分の身体だと認識するための情報が足りない状態です。

赤ちゃんが自分の体に触れたり、舐めたりして、絶え間なく動いているのは、全身のさまざまな感覚から情報を入手して、身体の地図を作っているからです。赤ちゃんにとって、感覚が自分と外の世界を知るための手段になります。五感と身体をフル回転させながら、赤ちゃんは自分の思った通りに動けるようになっていきます。

身体を思うように動かせない子どもでも、誰かに触れられる、動かしてもらうことで自分の身体を感じる、身体の地図を作ることにつながります。マッサージをしてもらったときに、自分の肩が凝っていたことや足がパンパンだったことに「気づく」のと似た感覚です。

抱っこやマッサージなど、子どもへの日頃のスキンシップは「自分の身体を知る」とても大事な支援です。

＊子どもたちの姿勢の特徴とアプローチ

仰向け

良くない例

　仰向けは顔が見えるので大人は安心できる姿勢ですが、まだ筋力が弱い子どもの身体では屈筋の力が弱く、伸筋の力が強く働いてしまいます。そのため、全身が反り返り、左右非対称な姿勢をとりやすくなります。反りかえることで首や手足も緊張して動かしづらくなり、頭部のコントロールや手足の運動など、この時期に獲得する抗重力運動をうまく経験できなくなります。

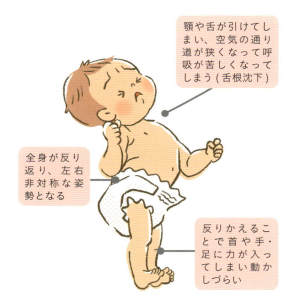

顎や舌が引けてしまい、空気の通り道が狭くなって呼吸が苦しくなってしまう(舌根沈下)

全身が反り返り、左右非対称な姿勢となる

反りかえることで首や手・足に力が入ってしまい動かしづらい

 仰向け姿勢をとるのが難しい子への支援に使えるものは？

　A CカーブベッドとシュクレNなどが使えます。
　Cカーブベッドは、上部体幹・骨盤から丸まることを手助けしてくれるので、左右の対称的な姿勢がとりやすくなります。
　シュクレNは、頭と身体をしっかり支えられるクッションです。身体がサポートされていることで手と口、目と手、手と手などの協調した動きが行いやすくなります。仰向けで足を持ちあげて遊ぶような抗重力運動を行うことができます。また角度を起こして使えるので、サポートされた中で座位などの抗重力活動の経験ができます。

Cカーブベッド
(写真提供：まくら株式会社「iimin Cカーブベビーベッド 永持伸子 監修」)

シュクレN
(写真提供：株式会社アシスト)

Q 動きを促すポジショニング姿勢はどう取りますか？

A ダウン症候群や低出生体重児をはじめとした低緊張状態の子どもは、反りやすさや向き癖、過敏さも伴って落ち着かず、抗重力屈曲運動が制限されやすいです。腹部の筋活動や手足の抗重力運動を促すため、Cカーブベッドやシュクレでのポジショニングを活用しています。

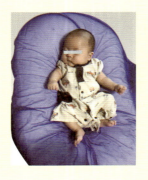

うつ伏せ

良くない例

うつ伏せは、身体の前面の筋肉を使って身体を支えることを学習する大事な姿勢です。身体の前面の筋肉が発達してくると、頭や身体を上げて手で支持できるようになり、足のほうへ体重が移動していきます。しかし、腹筋の働きが弱いと身体を上げることが難しいため胸で体重を受けることとなり、それ以降の発達の経験ができません。

苦しいよ

腹筋の働きが弱くお腹が上がらず、胸で体重を受ける姿勢になりやすい

四つ這い

良くない例

四つ這いは、体幹と手足を分離して使うことを学習する大事な姿勢・運動です。手足で支える力、お腹を挙げて保持し続ける力、体幹の動きや、手足を交互に動かすことなど、さまざまな要素が必要な運動です。

全身の力が弱い場合には、四つ這い姿勢を保持することは難しく、四つ這いでの移動はさらに大変な運動です。

お腹をしっかり支えられず、お尻が下がってしまうため、足を交互に出せない四つ這いとなる

足が左右に開きすぎてしまう

各論・5章 発達を促すケア　手技

Q うつ伏せ姿勢を保持するにはどんなグッズがよいですか？

A 「なる」では、うつ伏せクッションを使用しています。クッションを使うと、下肢が下がって、頭部や体幹を支えることで体幹の伸筋の働きだけでなく、前面の筋肉の活動もしやすくなります。頭を持ち上げ、手で身体を支えて伸び上がる動きや、同時に腹筋を使って身体を安定させることにつながります。

使用例①

上肢支持や体幹を起こすことを練習しながら、姿勢のバリエーションを増やすことができます。

使用例②

呼吸ケアとしてのポジショニングを行った場合。普段からゼコゼコが強く、よく熱を出して、体調を崩しているお子さんに日常的にうつ伏せ姿勢を取り入れて、唾液を口の外に出しやすくしたことで誤嚥を防ぎ、楽に呼吸ができるようにしました。すると、肺炎による入院回数が減り、おうちで過ごせる時間が増えました。リラクゼーションや排痰目的でも活用しています。

Q 四つ這い姿勢の介助方法や、補助具はありますか？

A 足が外転しやすいので、セラピストの足で両側から挟んで支えて介助します。

足が広がらないように介助した状態で、正座からお尻を上げる練習や、身体を前後に動かす運動を促します。

1人で四つ這い姿勢がとれない場合は、お手伝いのアイテムを使います。キャスターを使うと弱い力で動けるので、自分の力を使って動く経験が得られやすいです。自分で手や足に力を入れて動くことができ、交互運動も促せます。

使用例①
スクーターボード
（写真提供：株式会社クレーマージャパン）

使用例②
うつ伏せクッション＋キャスター付きの板

座位

良くない例

体幹の力が弱いと、自力での座位保持ができず、座位がとれるようになっても不安定で、身体を丸めて保持することがあります。逆に背中を反らせて固めてしまうこともあります。

そのような姿勢で、なんとか身体を固めて保持し続けることで、体幹の可動性が低下してしまうと、その後の発達にも影響を及ぼします。身体を固めているので、連動した動きが上手くできず、歩くようになっても転びやすかったり、ギクシャクした歩きかたになったり、手の使いかたが

各論・5章 発達を促すケア　手技

ぎこちない、ご飯を丸飲みしてしまうなどのさまざまな問題が生じてきます。

また体幹の可動性は呼吸にも大きく影響していて、身体を固めてしまうと胸が大きく広がらず、深い呼吸が妨げられてしまいます。

過度に身体を固めない姿勢で保持することは、今後の効率的な身体の使いかたにつながってきます。

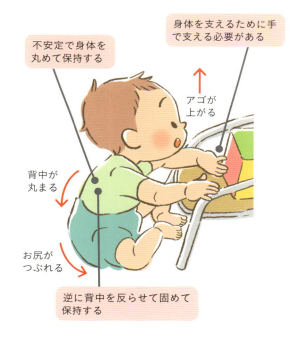

Q 座位の支援やアイテムはありますか？

A 座位から次の動きにつながりやすいように回旋運動を行います。セラピストの足の間に座り、後ろにあるおもちゃをとる姿勢をとったり、身体をねじる練習など行います。

ウレタンを使った座位補助装置を使って、頭が正中位で保持できるようにシーティングを行います。安定して座位を保持することができ、顎を引いた状態で頭を起こすことができるので、活動しやすくなります。頭頸部が安定した状態で活動することで、体幹の運動が促され、回旋運動や骨盤を起こすような動きにつながってくると考えています。

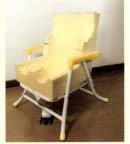

column

実際の座位保持支援〜子どもの成長や変化にあわせて装置をタイムリーに変えていく

　自宅へ訪問した場合は、座位保持装置の使用を実際に確認できる機会がたくさんあります。私たち「なる」では座位保持装置等作製業者を併設していて、座位保持装置の作製も行っています。姿勢保持の考えかたとしては、本人に無理のない姿勢で、なおかつ頭を正中に起こしていられることを目標として関わっています。

　いつも訪問している私たちが作製した座位保持装置を使用されている方には、訪問のなかで、使っている様子で不具合があればすぐに修正対応をしています。ここでは、「なる」を利用しているお子さんが座位保持装置を作製し、その後の変化が大きかった事例を紹介します。

座位保持装置の納品時

　腰は反っているが背中の上の方には丸みがあり、前後方向への凹凸があるのと、側弯もあるお子さんです。右側へ身体が倒れてくる力が強い状態でした。姿勢評価を行える採型機を使用して、クッションの型どりを行います。背中の凹凸や側弯は矯正せず、本人が頭を起こしていられる姿勢となるよう型どりし、モールド型の座位保持装置を作製しました。

　力が抜けるときは、頭がまっすぐにヘッドレストにもたれられる形になっています。しかし、力が入ると右写真のように頭が右へ倒れてきてしまう様子もありました。

・頭が右側へ傾いている
・左肩が上がっている
・両下肢は右方向へ力が入っている

椅子の納品から1週間後

　納品から1週間後には反対側に頭が倒れてくるようになりました。腰が反り、右側へ倒れる方向に力が入りやすい状態でしたが、すっかり力が抜けて身体が伸びてきました。身体がゆるんだことにより、腰の反りや左右差が減少しました。

　身体に合せて作製した座位保持装置ですが、使用したことで身体がゆるんで変化し、クッションの形状が合わなくなり、頭が左側へ倒れてしまうようになったと考えられます。変化した身体の状態に合わせてクッションの修正を行った後の写真が右の写真です。作製時と同じように頭を正中に起こしていられる姿勢を目指して修正すると、また安定して座れます。

　不安定な環境で過度に全身に力が入り、体幹が反って左右差を強めていた状態でしたが、座位保持装置に座ったことで、身体の力がゆるんで、安定した状態で姿勢保持できるようになりました。

 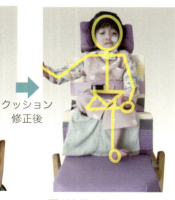

クッション修正後

・頭と体幹は側屈
・右肩が上がっている

・肩が水平になった
・頭は傾かず骨盤の真上に足も身体の中心に揃う

各論・5章 発達を促すケア　手技

立位・歩行

良くない例

　身体の準備が整わずに立位をとり始めると、股関節屈曲位や外転位、または内転内旋位、反張膝、足部の外反扁平、尖足（せんそく）など、違和感のある姿勢で立位をとり始めるようになります。

　そして過度に緊張した部分がある姿勢で歩き出すことにより、誤学習で獲得した協調性の低い立位・歩行を始めます。そうすると、立って止まっていられない、ギクシャクした歩きかた、足の上がりが悪く転びやすい、疲れやすい、ジャンプが苦手など、子どもにとっても困り感が出てきます。

- 肩に力が入ってて首があまりない
- 体幹は前かがみでバランスをとっている
- 足に過度な緊張が入ってしまう

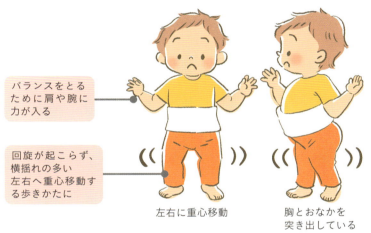

- バランスをとるために肩や腕に力が入る
- 回旋が起こらず、横揺れの多い左右へ重心移動する歩きかたに

左右に重心移動　　胸とおなかを突き出している

Q 立位姿勢保持のため、できる工夫は何ですか？

A 日常に取り入れやすいよう、補装具や立位台を使用して場面に合わせて使えるようにしています。身体が小さい場合は、子ども用のダイニングチェアを利用した手作りの立位台を使用しています。

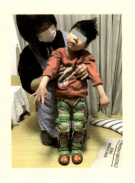   

Q 歩行のため、家ではどんな支援ができますか？ アイテムはありますか？

A つかまり立ちの状態で、振り返る動作の練習を行います。

たとえば、お気に入りのおもちゃを子どもの後ろに置いておき、それを取ってもらうのです。安全のため、必ず何かを持つようにします。

その際、ハイカットシューズやインソールの使用を検討します（p.307 参照）。

また、前述のような困り感に対応できる下肢の運動を獲得するためには運動の積み重ねが必要ですが、歩き始める時期は動きが活発になるので、じっくりとプログラムを行うことは難しく、歩容改善へのアプローチが難しくなります。そこで「なる」では、姿勢や運動方向の学習として、骨盤帯付きの長下肢装具を用いて、座位からの立ち上がりや立位・歩行練習を行う場合もあります。

Q 歩いているから大丈夫？　見過ごされやすい子どもたち

A 身体の使いかたや姿勢・運動に関して、身体の動かしにくさをもつ肢体不自由のある子どもには、色々と気にかけて関わってくれる支援者がたくさんいます。

一方で一人歩きができるようになり、動き回って遊べるようになった子どもたちに関しては、運動発達への心配事が大きく減って、関心が薄れがちです。しかし、そんな子どもたちの中にも、実は身体の困り感を抱えている子どもがたくさんいます。動きがぎこちない、滑らかに身体を使うことが苦手、バランスや姿勢を保つことが苦手、力の強弱を調節することが苦手、落ち着きがないなど、いろいろと身体にまつわる悩みを抱えています。発達障害・知的障害を持ち合わせている子どもや、小さく生まれた子どもたちは、よりその傾向があるといわれています。

一見、「歩いているから大丈夫だよね」と見過ごされがちな子どもたちですが、「なる」ではそういった子どもたちにも、本人が自信をもって取り組めるような、スモールステップでの運動や活動、自身の身体を意識できるようなアプローチ、落ち着ける座位環境の支援など、リハビリテーションの介入をしています。

＊ほかの環境支援

食事の支援

　座位支援にも関連しますが、安定した座位がとれることで、姿勢を保つための余計な力を使わずに、食事に集中することができます。姿勢が整うことで、しっかりと顎を引いてスプーンを捉えやすくなります。

　唾液の処理や嚥下が弱いお子さんでも、いつでも口から出せる横向き（側臥位）姿勢を整えることで、口から味わうことや、食後のゼコゼコを軽減させることができます。

排泄の支援

　自力排便を促すには、腸が働きやすい排便姿勢（足を着いた前傾座位）をとって、しっかりと腹圧をかけて、踏ん張ることが大切です。一人で座ることが難しいお子さんでも、身体の支えかたや寄りかかる場所などを工夫して、身体を起こして排泄できるような環境を作っています。

よりかかってもしゃがむ姿勢がとれることが大事

移動の支援

子どもたちは好奇心旺盛です。おもちゃに触りたい、自分で探検したいと思っていますが、身体が支えられず、うまく身体が動かないことから、自力での移動が難しい場合もあります。そんな時は前述したようなアイテムを使って四つ這いの移動を促したり、歩行器を使用したりしています。

❶姿勢のバリエーションを増やすためのうつ伏せ練習を行っているうちに、足が偶然床に触れて蹴れることに気づき頻繁に蹴るようになって、そのうち前進できるようになりました。

❷クッションにキャスターを付けると、さらに移動できるようになりました。

❸うつ伏せクッションで交互に蹴ることを学習したことにより、歩行器でも交互に足で蹴って進めます。自分で動ける経験はやる気も育ちます。

・BabyLoco を使った移動支援

ほかにも、座位保持椅子を BabyLoco という機械に取り付けると、スイッチを操作して自分で行きたいところに移動することができます。自分でできた体験はやる気や意欲を向上させ、自立を高めます。友達や家族と一緒に、自立して動くことで社会性も育っていきます。

BabyLoco：
https://www.imasengiken.co.jp/product/idokiki/babyloco.html

コミュニケーション支援

指伝話メモリはiPadで使うコミュニケーションアプリで、音声やことば、カード、写真などを使って、さまざまな種類のスイッチや音声、視線で選択して操作することで、気持ちを伝えることができます。

コミュニケーションは生きるために必要であり、指伝話をきっかけに、会話のかけあいを楽しみ、人と人の関わりを豊かにしています。

指伝話：https://www.yubidenwa.jp/

＊日々の生活のなかでより多くの体験を

脳性麻痺や重度の低緊張により、運動発達が進まない重度の肢体不自由があると、自力で運動機能を獲得していくことは難しくなります。動けないからといって、本人に動く機会を与えないでいると、経験することができません。さらに姿勢や運動の誤学習を重ねると、間違えた姿勢運動パターンや変形拘縮などが増強されてしまいます（二次障害）。二次障害を防ぐためにも、頑張りすぎて身体を固めないような身体のサポートをしながら、効率的に運動を促していきましょう。

またさまざまな経験ができないことで、認知面や社会性が発達する機会を逃してしまいます。早期からの運動経験や、意欲を引き出す支援は、子どもらしく遊べるようになるために大切です。子どもをよく見て観察し、どんな運動が引き出せるのかを考え、子どものやる気を信じて伸ばすことが重要です。

そして幼児期には、お友達と一緒に遊べる環境支援を行うことが、社会性を育てることにもつながります。立って歩く目線に合うように、歩行器の導入や立位の支援、安定して座って活動できるような座位環境の支援が大切です。

日々の生活の中で、リラックスした呼吸、安心して食事ができる環境、自力排便を促せるような排泄支援は、健康的な身体を育てる基盤となります。健康に元気に過ごせると、身体にも心にも余裕が生まれます。子どもの年齢やライフステージに合わせた関わりを意識しながら、もっと動きたい、もっと遊びたいと意欲的に活動ができて、より生活が豊かになることを目指しています。

（川島　瞳・辻　悦子）

※使用した写真はすべてご家族の許可を得て掲載しています。

子どものリハビリテーション

✳ リハビリテーション専門職

リハビリテーションを専門的に行う職種は、理学療法士、作業療法士、言語聴覚士です。3職種とも共通していること、職種ごとに得意なことがあります。お子さんにどんなかかわりができるのか、専門職に相談しながら、いっしょに考えていきましょう（表1）。

表1　リハビリテーション専門職

職種	略称	共通していること	得意なこと
理学療法士	PT	・安楽な姿勢を見つけること ・いろいろな遊びを提供すること ・よい反応や動きを引き出していくこと	粗大運動（寝返り、立ち上がり、歩行など）、呼吸リハビリテーション、装具や車いすに関すること
作業療法士	OT		巧緻運動（手や指先を使った運動）、道具操作（ペンやはさみなど）、日常生活動作（衣服や靴の着脱など）
言語聴覚士	ST		コミュニケーション、摂食嚥下リハビリテーション

✳ リハビリテーションの対象と内容

お家でのリハビリテーションの対象は、身体的なかかわりが必要なお子さん（肢体不自由児）、精神的なかかわりが必要なお子さん（知的障害児や発達障害児）、身体的・精神的なかかわりが必要なお子さん（重症心身障害児）など多岐にわたります。また、気管切開や人工呼吸器を使っているお子さん（医療的ケア児）も対象になります。1人で動くことができないお子さん、動くことができるがサポートが必要なお子さんのどちらもリハビリテーションの対象です。

リハビリテーションの対象となるお子さん

肢体不自由児	重症心身障害児	知的障害児 発達障害児
医療的ケア児		

✳ リハビリテーションの考えかた

子どものリハビリテーションでは、成長発達を促すという視点と、二次障害を予防するという視点が大切です。子どもは障がいがあっても少しずつ成長し、発達していきます。年齢、病気や障がいの特性、発達の状況を理解し、お子さんに合わせて身体の動かしかたや遊びかたを工夫することが大切です（表2）。

二次障害とは、主には成長期にみられる身体の機能低下のことです。身体がかたくなったり、曲がってきたり、痛みやしびれが現れることがあります。過剰な動き（過用）、動きが少ない、動きのバリエーションが少ない（廃用）、間違った動き（誤用）が要因となります。早くから二次障害を予防する意識をもち、症状がみられたら、姿勢や動きかたの修正、道具・補助具の使用、整形外科等の受診を考えましょう（表3）。

表2 成長発達を促すポイント

ポイント	成長発達の促しかた
年齢	実際の年齢に相当するようにかかわり、遊びや活動は発達の状況に合わせて提供する
病気や障がいの特性	成長発達がゆっくりなタイプ、発達がゆるやかに低下するタイプなど、病気や障がいの特性を理解してかかわる
発達の状況	発達に凸凹がある場合、粗大運動・巧緻運動・精神発達のつながりを意識しながらかかわる

表3 病気や障がいのあるお子さんによくみられる二次障害

二次障害	おもな要因
手足の変形や拘縮	緊張が強いこと、動きが少ないこと、動きのバリエーションが少ないことなど
側弯	偏った姿勢をとること、動きが少ないことなど
痛みやしびれ	過剰に動いてしまうこと、動きが少ないことなど

＊リハビリテーションのポイント（身体のこと）

子どもは大人の言う通りに動いてはくれません。時には泣いてしまったり、緊張して力を入れてしまったりすることもあるでしょう。まずは、お子さんが安心してリラックスできるようにかかわることが大切です。声の掛けかた、触れかた、身体の動かしかたに配慮する必要があります。

❶声のかけかた

子どもの反応が小さいと思うと、つい大きな声で話し掛けてしまいます。そうすると、びっくりして目を閉じてしまったり、力が入ってしまったりするかもしれません。お子さんの表情をよく見て、アイコンタクトをしながら適度な声の大きさで話し掛けましょう。

声の掛けかたのポイント

急に大きな声で話しかける

こ〜ん〜
に〜ちは〜

アイコンタクトをしながら
適度な声の大きさで話しかける

こんにちは

❷ **触れかた**

　子どもが緊張しないように、心地良い触れかたをしましょう。指先に力を入れすぎないようにして、手のひら全体で子どもに触れます。力を入れすぎないようにやさしく触れましょう。

触れかたのポイント

指先に力が入っている　　　　　　　　　**手のひら全体で触れている**

❸ **動かしかた**

　子どもの身体を動かすときには、声を掛けながらゆっくりと行います。ストレッチを行う場合でも強く動かすのではなく、子どもの動きに合わせて動かしましょう。

動かしかたのポイント

強く動かしている　　　　　　　　　**子どもに合わせてゆっくり動かしている**

✴ リハビリテーションのポイント（生活のこと）

　まずは1日の生活を考えてみましょう。寝ているとき、起きているとき、食事をするとき、排泄のとき、遊ぶとき、リラックスするときなど具体的な場面をイメージしてみます。そのなかで困っていることや大変なことがあれば、リハビリテーション専門職に相談してみましょう。日常生活のなかにリハビリテーションを取り入れ、お子さんに対して、いつ、どこで、誰が、どれくらいかかわるのかを考えていきます（表4）。

　「手足や身体を柔らかく保つこと（表5、p.274）」、「姿勢援助と座位のとりかた（p.284）」、「呼吸リハビリテーション（p.294）」、「歩行練習、靴の調整（p.301）」の内容を参考にして、リハビリテーションを行っていきましょう（表5）。

表4 日常生活にリハビリテーションを取り入れるポイント
　　　例:「足がかたくならないように運動をしよう!」

		例1	例2
いつ	時間	朝、起きたときに	お風呂に入った後に
どこで	空間	ベッドの上で	いすの上で
誰が	仲間	お母さんが	看護師が
どれくらい	期間	5回くらい曲げ伸ばしをしよう	5分くらいマッサージをしよう

表5 リハビリテーション手技

1. 手足や身体を柔らかく保つ
・肩関節、肘関節、手関節、指関節 ・股関節、膝関節、足関節 ・頭と首のまわり
2. 姿勢援助と座位のとりかた
・仰向け ・横向き ・うつ伏せ ・座ること(抱っこといす)
3. 呼吸リハビリテーション
4. 歩行練習、靴の調整
・歩行練習 ・靴の調整

(長島史明)

● 参考文献

1) 田村正徳ほか監. 日本小児在宅医療支援研究会編. はじめよう! おうちでできる 子どものリハビリテーション&やさしいケア. 東京, 三輪書店, 2019, 218-21.

手足や身体を柔らかく保つ

リハビリテーションの目的とポイント

✲ 手足や身体を柔らかく保つ

　手足の関節はたくさんの骨と筋肉でできており、さまざまな方向に動かすことができます。しかし手足がつっぱっていたり、動かす頻度が減ってくると関節がかたくなります。関節がかたくなると動きが制限されるばかりではなく、血液の循環が悪くなったり、痛みが出たりすることがあります。またいろいろな表情をしたり、食べ物を食べるときには顔の筋肉を使います。筋肉の柔軟性が足りないと感情表現が乏しくなり、飲み込みにも影響を与えます。
　筋肉のマッサージや関節の運動のポイントを学び、日常的に手足や身体を柔らかく保つようにリハビリテーション（リハビリ）をしましょう。

✲ リハビリのポイント

　手足や身体を柔らかく保つためには、まず筋肉を十分にほぐしてから関節を動かすことです。次ページ以降の解説で出てくる語句の意味を示します（表）。

STEP1（筋肉のマッサージ）
　まずは、関節の周りの皮膚や筋肉をやさしくなでたり、軽く押したりしてマッサージをします。

STEP2（関節の運動）
　次に関節が動く範囲でゆっくりと動かしてみましょう。手足を動かすときには関節に近いところを持ちましょう。また、子どもが緊張しないよう、声を掛けながら行いましょう。

表　使用する語句の意味

語句	意味
拘縮（こうしゅく）	筋肉や関節の周りの靭帯が短く硬くなること
変形（へんけい）	骨そのものや関節の形が変わること
脱臼（だっきゅう）	関節がはずれること
牽引（けんいん）	関節を引っ張ること
側弯（そくわん）	背骨が曲がること
屈曲（くっきょく）	関節を曲げること
伸展（しんてん）	関節を伸ばすこと
内転（ないてん）	関節を内側へ動かすこと
外転（がいてん）	関節を外側へ動かすこと
内旋（回内）（ないせん（かいない））	関節を内側へひねること
外旋（回外）（がいせん（かいがい））	関節を外側へひねること

※ 次ページ以降の解説では、ご家族やリハビリ専門職以外の方がわかりやすいように、筋肉や関節を模式化し、省略している箇所があります。

各論・6章 リハビリテーション　手技

肩関節のリハビリテーション

✳ 肩関節

- 肩関節は肩甲骨、上腕骨、鎖骨の3つの骨でできています。
- 三角筋、僧帽筋、大胸筋、菱形筋、小円筋、大円筋、上腕二頭筋・上腕三頭筋など、多くの筋肉があります。
- 屈曲、伸展、内転、外転、内旋、外旋などさまざまな運動が可能ですが、拘縮や脱臼などが起こりやすい関節です。

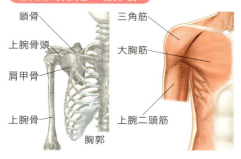

前側（骨格・筋肉）
鎖骨／上腕骨頭／肩甲骨／上腕骨／三角筋／大胸筋／上腕二頭筋／胸郭

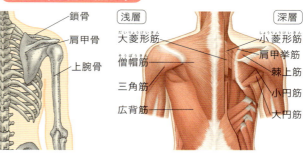

後側（骨格・筋肉）
鎖骨／肩甲骨／上腕骨
〔浅層〕大菱形筋／僧帽筋／三角筋／広背筋
〔深層〕小菱形筋／肩甲挙筋／棘上筋／小円筋／大円筋

✳ リハビリのポイント

重症児の特徴：肩甲骨が引きあがり内側へ引かれてしまう。

STEP1：僧帽筋や菱形筋の周りをマッサージします。

STEP2：呼吸に合わせて肩甲骨を押し下げ、外側へ引き出します。

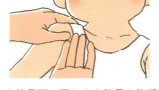

重症児の特徴：上腕骨が後ろに引かれ、手が外側に向いてしまう。

STEP1：上腕骨頭の周りや上腕骨と胸郭の間をマッサージします。

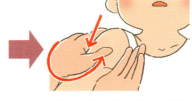

STEP2：上腕骨を軽く引っぱり、関節を内側に広げながらまっすぐにします。

275

肘関節のリハビリテーション

＊肘関節

- 肘関節は上腕骨、橈骨、尺骨の3つの骨でできています。
- 上腕二頭筋、腕橈骨筋、上腕三頭筋、円回内筋、方形回内筋、回外筋などの筋肉があります。
- 屈曲、伸展に加え、前腕の回内、回外の動きがあり、橈骨と尺骨が交差するようにして動きます。

前側（骨格・筋肉）

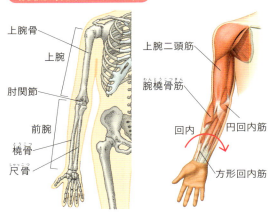

後側（骨格・筋肉）

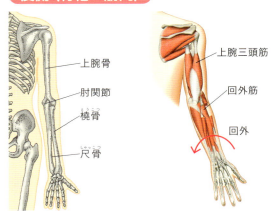

＊リハビリのポイント

重症児の特徴

肘関節が曲がっていて伸びづらい。

→

STEP1

上腕二頭筋や腕橈骨筋をマッサージします。

→

STEP2

前腕を引っぱりながらゆっくり伸ばします。

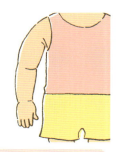

手のひらが内側を向き外側に返しづらい。

→

前腕全体をマッサージします。

→

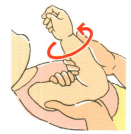

肘を曲げてから手のひらを外側に向けます。

各論・6章 リハビリテーション

手関節のリハビリテーション

✻ 手関節

- 手関節は橈骨、尺骨、手根骨（＋中手骨）でできています。
- 前腕の筋肉（屈筋群と伸筋群）と手のひらの筋肉（手内筋）があります。
- 手関節は、手のひら（掌屈・屈曲）・手の甲（背屈・伸展）・橈骨（橈屈・外転）・尺骨（尺屈・内転）の各方向に動きます。

前側（骨格・筋肉）

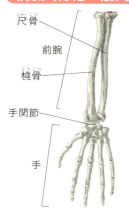
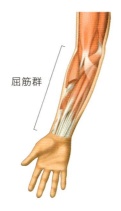

後側（骨格・筋肉）

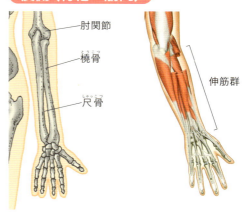

✻ リハビリのポイント

重症児の特徴	STEP1	STEP2
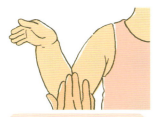		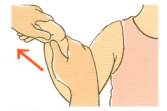
手のひら方向に曲がっていて動きづらい。	屈筋群と手関節の周りをマッサージします。	手関節を少し引っぱりながら手の甲の方向へ伸ばします。
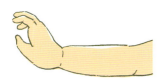		
手の甲の方向に曲がっていて動きづらい。	伸筋群と手関節の周りをマッサージします。	手関節を少し引っぱりながら手のひらの方向に曲げます。

指関節のリハビリテーション

❋ 指関節

- 指関節は手根骨、中手骨、指節骨でできています。
- 親指の周りの母指球筋、小指の周りの小指球筋、指と指の間には虫様筋があります。
- 屈曲、伸展、内転、外転の動きを組み合わせて、つかむ、つまむなど複雑な動きをします。

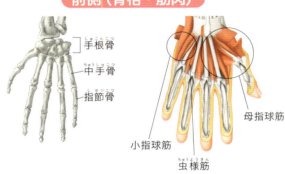

前側（骨格・筋肉）

手根骨 / 中手骨 / 指節骨 / 母指球筋 / 小指球筋 / 虫様筋

❋ リハビリのポイント

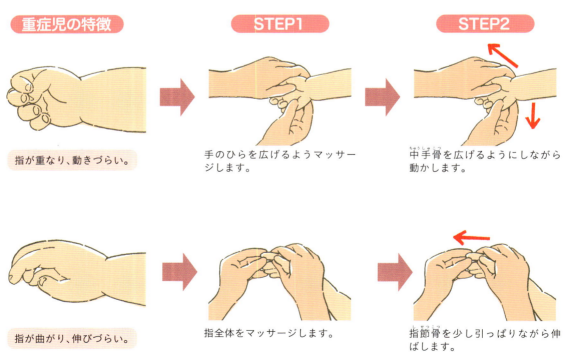

重症児の特徴：指が重なり、動きづらい。
STEP1：手のひらを広げるようマッサージします。
STEP2：中手骨を広げるようにしながら動かします。

重症児の特徴：指が曲がり、伸びづらい。
STEP1：指全体をマッサージします。
STEP2：指節骨を少し引っぱりながら伸ばします。

股関節のリハビリテーション

✷ 股関節

- 股関節は骨盤、大腿骨でできています。
- 腸腰筋（大腰筋＋腸骨筋）、大腿四頭筋、大臀筋、中臀筋、ハムストリングス、内転筋群など多くの筋肉があります。
- 屈曲、伸展、内転、外転、内旋、外旋の方向に動きます。

前側（骨格・筋肉）

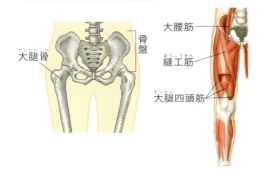

背側（骨格・筋肉）

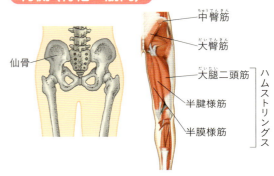

✷ リハビリのポイント

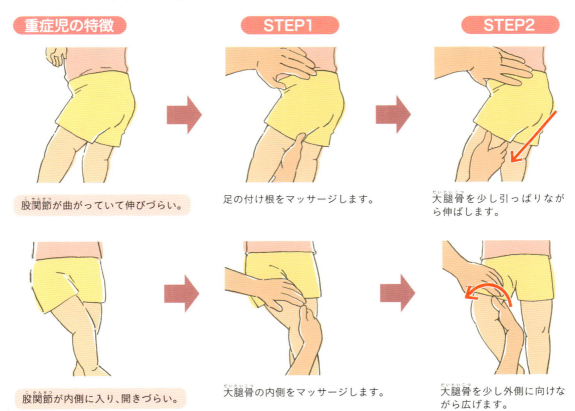

重症児の特徴: 股関節が曲がっていて伸びづらい。
STEP1: 足の付け根をマッサージします。
STEP2: 大腿骨を少し引っぱりながら伸ばします。

重症児の特徴: 股関節が内側に入り、開きづらい。
STEP1: 大腿骨の内側をマッサージします。
STEP2: 大腿骨を少し外側に向けながら広げます。

膝関節のリハビリテーション

✳ 膝関節

- 膝関節は大腿骨、脛骨、腓骨、膝蓋骨でできています。
- 大腿四頭筋、ハムストリングス、下腿三頭筋などの筋肉があります。
- 屈曲、伸展、内旋、外旋の方向に動きます。

前側（骨格・筋肉）

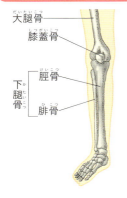
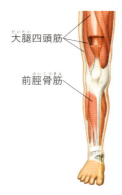

後側（骨格・筋肉）

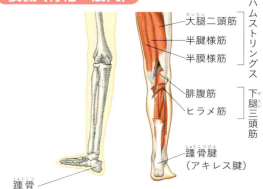

✳ リハビリのポイント

重症児の特徴	STEP1	STEP2

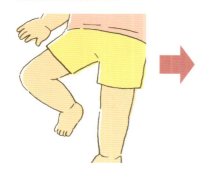

膝関節が曲がっていて伸びづらい。

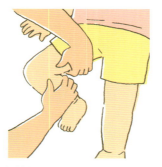

膝関節の後側の筋肉をマッサージします。

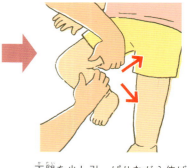

下腿を少し引っぱりながら伸ばします。

膝関節が伸びていて曲がりづらい。

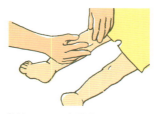

大腿四頭筋、膝蓋骨周囲をマッサージします。

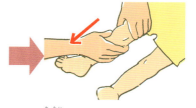

下腿を少し引っぱりながら曲げます。

各論・6章 リハビリテーション

足関節のリハビリテーション

✱ 足関節

- 足関節は脛骨（けいこつ）、腓骨（ひこつ）、足根骨（そくこんこつ）、中足骨（ちゅうそくこつ）、趾節骨（しせつこつ）でできています。
- 下腿筋（前脛骨筋（ぜんけいこつきん）、下腿三頭筋（かたい）など）と足の筋（屈筋、伸筋など）があります。
- 足関節は上下の2方向に動き（背屈、底屈）、内側と外側にひねる動きがあります。足の指は屈曲、伸展、内転、外転の方向に動きます。

前側（骨格・筋肉）

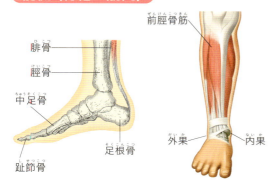

後側（骨格・筋肉）

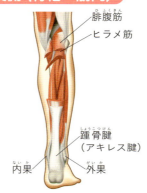

✱ リハビリのポイント

重症児の特徴 / STEP1 / STEP2

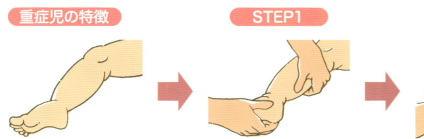

足裏の方向に曲がり（底屈）、甲の方向へ動きづらい。

ふくらはぎと足の裏の筋肉をマッサージします。

踵部分を引き下げながら足関節を上側に動かします。

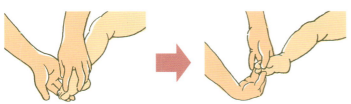

指が重なって曲がり、動きづらい。

指の屈筋群、指と指の間をマッサージします。

指を引っぱりながら伸ばします。

281

頭と首まわり

✲ 頭と首まわり

- 頭は複数の頭蓋骨が合わさってできています。
- 表情を作る筋肉や顎を動かす筋肉があります。
- 首のまわりには、胸鎖乳突筋や脊柱起立筋など多くの筋肉があります。

前側（骨格・筋肉）

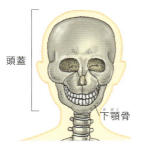
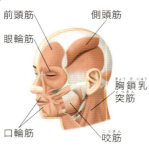

後側（骨格・筋肉）

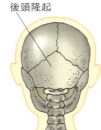
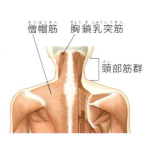

✲ リハビリのポイント

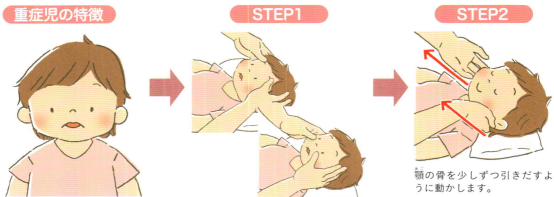

重症児の特徴：表情筋が硬く、まぶたを閉じたり、口を閉じたりしづらい。

STEP1：顔の筋肉を真ん中の方向に向かってマッサージします。

STEP2：顎の骨を少しずつ引きだすように動かします。

首が反ってしまい曲げづらい。

首と肩の周りをマッサージします。

首の後ろを少し引っぱりながらまっすぐにします。

各論・6章 リハビリテーション　手技

Q 足の変形が気になります。防ぐ方法はありますか？

A 足の関節は尖足や偏平足などの変形が起こりやすい関節です。日ごろから筋肉のマッサージや関節の運動を行って、柔らかく保つようにしましょう。また、靴を適切に使用すると、足関節や足の指を正しい位置に保つことができます。

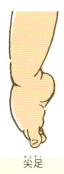
尖足

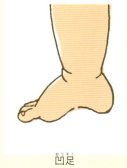
凹足

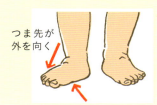
つま先が外を向く
土踏まずがない

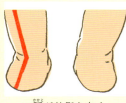
踵が外側を向く

偏平足

Q 靴選びのポイントがあれば、教えてください。

A 踵部分の支えがしっかりしている靴を選びましょう。足首の変形がある場合は、くるぶしを覆うハイカットタイプがよいです。立ったり、歩く練習をする場合は、中敷きの部分に土踏まずを補うサポートがあり、足指の部分が柔軟に曲がるものを選ぶとよいです。中敷きを使用して正しい歩きかたを促すことができます。

ハイカットの靴

中敷を入れ土踏まずを補うサポート

（長島史明）

※本項目の解剖イラストは、林正健二編. 解剖生理学. 第4版. メディカ出版, 2016, 432 p（ナーシング・グラフィカ 人体の構造と機能①）から転載引用.

手技 2 姿勢援助と座位のとりかた

リハビリテーションの目的とポイント

✽ 良い姿勢を保つ

人は寝返りをする、座るなど、さまざまな運動や姿勢を経験しながら発達していきます（表）。しかし筋肉がつっぱっていたり、手足の力が弱いと自分で動くことができません。手足がいつも同じ方向を向いていたり、動きが減ってくると関節が変形したり、筋肉が拘縮したりしてしまいます。リハビリテーション（リハビリ）で身体の位置を整えることやポジショニングのポイントを学び、日常的に良い姿勢を保つようにしましょう。

表　各姿勢の特徴

姿勢	メリット	デメリット
仰向け	床と接する部分が多く、比較的安定する 周りの人が子どもを観察しやすい	呼吸には不利なことが多い
横向き	両手足で遊びやすい 呼吸が安定しやすい	床と接する部分が少なく、比較的不安定
うつ伏せ	身体の力が抜けやすい 呼吸が安定しやすい	慣れないと苦手な子どもが多い
座る	視界が広がり、活動しやすい	身体の力が弱いと長時間は困難

✽ リハビリのポイント

良い姿勢を保つためには、まず姿勢がなるべくまっすぐになるように整えます。それから、床と身体の間のすき間を埋めるようにして支えます。

STEP1（体の位置を整える）

リラックスさせながら、頭や手足の位置を直しましょう。

STEP2（ポジショニング）

タオルやクッションを使って、良い姿勢が長く保てるように支えましょう。

一つの姿勢だけではなく、いろいろな姿勢をとるようにしましょう。生活の流れのなかで自然と取り組めるように工夫をしましょう。

✻ 仰向け

仰向けは、身体と床が接する部分が多く、安定感があります。また周りの人が子どもを観察しやすい姿勢です。しかし、手足の位置が身体から離れていたり、身体と床との間のすき間が多いと、とても不安定に感じる姿勢です。

姿勢の特徴

頭　：左右どちらかを向きやすい。首の後ろに
　　　すき間があく
体幹：腰が反っていると、すき間があく
手　：身体から離れていると、重く感じる
足　：身体から離れていると、重く感じる
　　　伸ばしていると腰が反りやすい

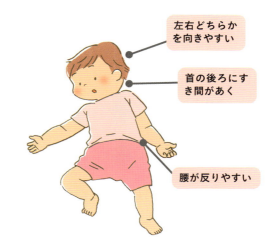

✻ リハビリのポイント

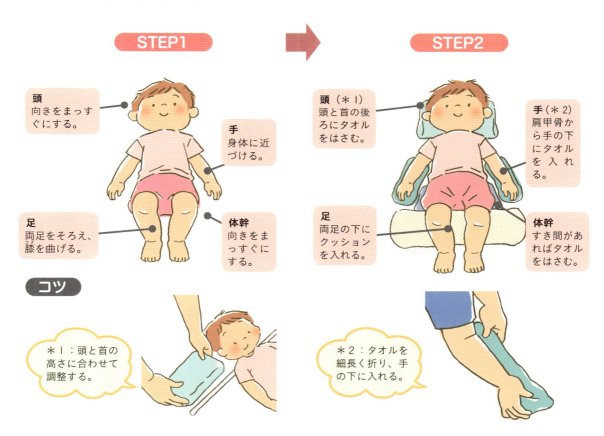

✴ 横向き

　横向きは、自分から動きやすく、同じ向きでも角度を変えることによってバリエーションが広がります。また両手を合わせたり、手で顔を触ったりしやすい姿勢です。しかし、仰向けにくらべて床と接する部分が少なく不安定に感じます。また手が身体に圧迫されやすい姿勢です。

姿勢の特徴

頭　：左右どちらかの向きが苦手なことが多い
　　　首が反りやすい
体幹：床と接する部分が少ない
手　：下側の手は身体から圧迫されやすい
　　　上側の手は身体を圧迫しやすい
足　：伸ばしていると姿勢が不安定になりやすい

✴ リハビリのポイント

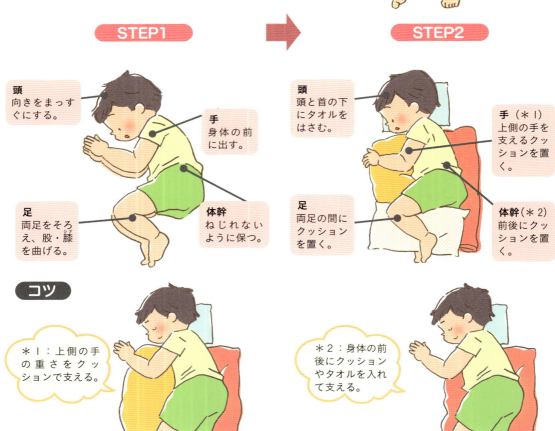

各論・6章 リハビリテーション　手技

＊うつ伏せ

うつ伏せは、身体の前側で支えるため、床と接することが多い背中側の負担が減ります。また手足も前側が床と接することで、普段とは違った感覚刺激になります。しかし、胸やお腹を圧迫することがあるため、長い時間は難しい姿勢です。手足も楽な位置になるように工夫する必要があります。

姿勢の特徴

頭　：左右どちらかの向きが苦手なことが多い
体幹：身体の前側で支えることが苦手なことが多い
手　：身体から離れた位置にあると重く感じる
足　：身体から離れた位置にあると重く感じる

＊リハビリのポイント

STEP1
頭：楽な位置にする。
手：身体に近づける。
足：両足をそろえ、股・膝を曲げる。
体幹：向きをまっすぐにする。

STEP2
頭（＊1）：頭の位置に合わせてタオルを入れる。
手：手の位置に合わせてクッションを置く。
足：両足の間にクッションを置く。
体幹（＊2）：胸の下にクッションを入れる。

コツ
＊1：顔を圧迫しないようにタオルの形を整える。
＊2：胸を支えるようにクッションを入れる。

慣れないと苦手に感じることが多い姿勢

287

こんなときどうする？

Q 足が横に傾いてしまい、姿勢が崩れてしまいます。どうしたらよいですか？

A 仰向けで足が左右どちらかに傾いていると、腰の位置がずれ、背骨も曲がりやすくなります。また、側弯（そくわん）が強いと腰の位置が左右非対称になり、足が傾きやすくなります。腰と足の位置をなるべくまっすぐ保つようにしましょう。

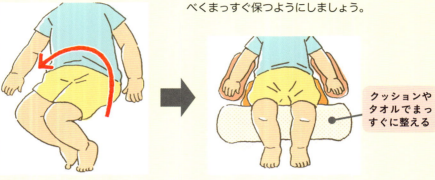

クッションやタオルでまっすぐに整える

Q 身体が大きくなって、うつ伏せが難しくなってきました。

 身体が大きくなると、うつ伏せ姿勢になることが大変になっていきます。完全にうつ伏せをとらなくても、横向きの姿勢を利用して、同じような効果を得ることができます。横向き姿勢から手足をさらに前方に出し、クッションを抱えるようにしてうつ伏せに近い姿勢になります。身体を持ち上げることなく姿勢を変えることができます。

Q うつ伏せがイヤで泣いてしまいます。

 うつ伏せ姿勢は慣れないうちは長い時間は難しいものです。身体が小さいうちは、対面して抱っこをしたり、膝（ひざ）の上でうつ伏せの練習をしましょう。また、バランスボールに寄りかかってゆらゆらするなど、遊びながらうつ伏せの姿勢に慣れましょう。

座位

　座位は、寝ている姿勢から身体を起こすことで、骨格や筋肉の成長を促します。また視野が広がり、手足が動かしやすく、さまざまな活動が行いやすい姿勢です。しかし、寝ている姿勢と比べて、身体を支える力がより必要になるため、負担は大きくなります。

姿勢の特徴

頭　：左右前後ともまっすぐ保たなければならない
体幹：筋力が不十分だと身体を支えきれない
手　：しっかりと支えることができないと重く感じる
足　：しっかりと支えることができないと重く感じる

✼ リハビリのポイント

抱っこ

頭：後頭部と肩を支える。
手：重さを支える。
足：重さを支える。
体幹：重心の位置を近づける。

いす

頭：後頭部を広く支える。
手：重さを支える。
足：重さを支える。
体幹：状態に合わせクッションを入れる。

✱ 座位(ざい)(抱っこ)

　抱っこは、子どもに大人の身体を密着させて座位(ざい)をとります。子どもの力の入れ具合や気持ちの変化に合わせて、身体の位置を微調整します。しかし、身体が大きくなればなるほど、抱っこを長い時間続けることは大変になるため工夫が必要です。

✱ リハビリのポイント

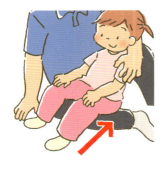

お互いに密着し、腰や背中全体を支える。

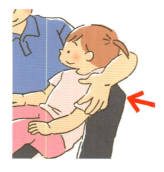

背中を支えてあげると、とても楽になる。

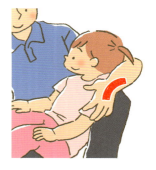

後頭部から肩を、腕全体で支える。

＊つっぱりが強い子どもの場合

つっぱりが強い子ども（筋緊張が強い子）の抱っこの場合は、つっぱる力を受け止めるイメージで抱っこすると比較的楽にできます。まず、子どもの斜め後ろに座ります。このときには、つっぱっている側から抱っこすると安定します。つっぱっている側の反対側から抱っこすると、身体を受け止めきれず大変になってしまいます。

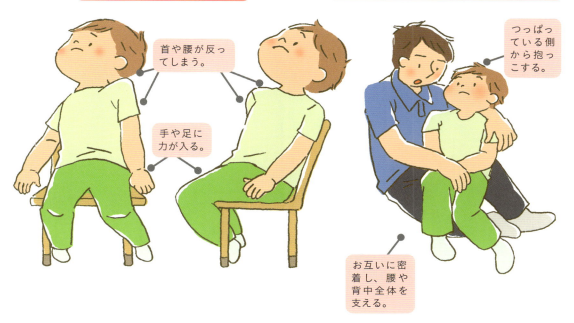

＊リハビリのポイント

子どもの斜め後ろから抱っこする。

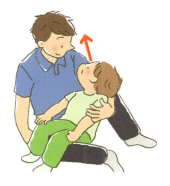

つっぱっている側から抱っこすると安定する。

つっぱっている側の反対側から抱っこすると大変。

＊身体が柔らかい子どもの場合

　身体が柔らかい子どもの場合は、身体をしっかり支えるイメージで行うと比較的楽にできます。まず、子どもの腰や背中をしっかり支え、手足を身体の中心に持ってきます。後頭部と肩の周りも全体的に支えます。

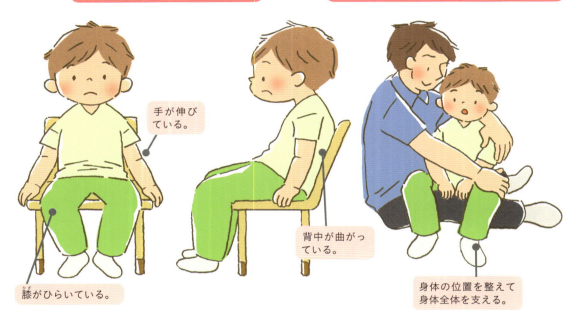

＊リハビリのポイント

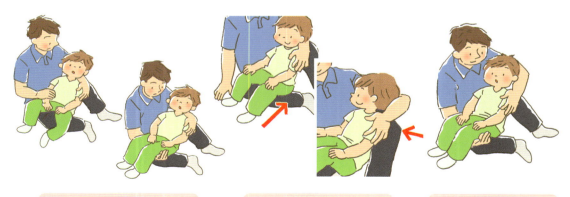

各論・6章 リハビリテーション　手技

＊座位（いす）

いすを使用して座位をとると、良い姿勢を長く保つことができます。また、子どもの前側から表情をしっかりと見て関わることができます。しかし、身体の同じ場所が圧迫されやすく、座りっぱなしにせずに時々姿勢を変えることが大切です。いす自体も定期的なメンテナンスが必要です。

リクライニングやティルト機能を使って、身体に負担がかからないようにしましょう。

＊リハビリのポイント

リクライニング（背中が倒れる）

○身体を伸ばしてリラックスしやすい。
△お尻の位置がずれやすい。

ティルト（背中と座面が倒れる）

○身体の位置を変えずに背中に重心が移動する。
△同じところが圧迫されやすい。

リクライニングやティルト機能を使って、身体に負担がかからないようにしましょう。

（長島史明）

手技 3 呼吸リハビリテーション

✳︎ 呼吸と子どもの成長との深い関わり

予定よりも早く生まれてきたり、生まれつきの病気を抱えていたりする子どもたちは、なんらかの呼吸障害をもつことが多くあります。呼吸に困難さがあると、子どもたちには表1のような様子が見られます。

身体が小さいときには呼吸に問題がないように見えても、身体の成長（大きさ、首の長さ、顎や舌の大きさの変化）や筋肉の緊張の変化などによって呼吸が苦しくなってくることもあります。身体が成長するということは、呼吸をするためのエネルギーや運動量が増えるということでもあり、それが赤ちゃんの身体の負担になるのです。

また、心の成長も呼吸に影響を及ぼします。外界の認識がぼんやりとしていた赤ちゃんの時期から、少しずつ周囲について感覚を通して理解できるようになり、自分なりの快・不快、好き・嫌いの感覚をもつようになります。子どもたちがより周りの状況を認識できる状態になってくると、眠っているときよりも活動性が高くなり、呼吸の苦しさのサインが出てくることもあります。

自我の芽生えや自己主張、さらには成長したい

表1 呼吸困難がある子どもに見られる様子や傾向

- 苦しそう
- 体重が増えない
- 笑顔が見られない
- 余裕がない
- 緊張が強い
- 遊べない
- 外出しづらい
- ケアが多くなる
- 病気になりやすい
- 吐きやすい
- 情緒が安定しない
- お腹が膨らんでいてつらそう

という欲求が子どもたちの中にあります。その欲求が満たされるような生活環境を整える必要があります。生活リズムが整っていなかったり、生活空間が限られたりしてしまうことで過ごしかたが単調になると、成長の欲求が満たされません。そうすると、子どもたちもイライラしたり、不機嫌になったりします。このように情緒が不安定な状態では、呼吸は浅くなり、緊張も強くなり、唾液のコントロールも悪くなるのです。

✳︎ 呼吸に関わる体の器官

身体の内側にある内臓、それを囲む骨格、その上にある筋肉、そして、鼻・口から気道、肺に至るまでの呼吸器と呼ばれる部分、これらの器官が呼吸と関係があります。具体的にどのような器官で、何が起こるのかを理解しておきます。呼吸の苦しさがあるときには、これらの器官のど

こかで、何か問題が起きています。その問題の原因は一つではなく、複数の原因が影響しあっていることが多くあります。関係しあっている原因のなかでも、最も影響の大きな原因を解決していくと、呼吸が楽になっていきます。

何が問題になっているのかを考えるときには、次ページの表2にあげる6つのポイントから考えていくとよいでしょう。

各論・6章 リハビリテーション　手技

呼吸に関わる身体の器官

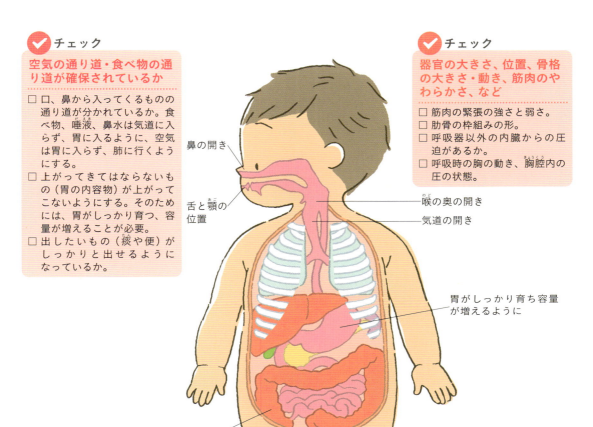

✓ チェック
空気の通り道・食べ物の通り道が確保されているか

☐ 口、鼻から入ってくるものの通り道が分かれているか。食べ物、唾液、鼻水は気道に入らず、胃に入るように、空気は胃に入らず、肺に行くようにする。
☐ 上がってきてはならないもの（胃の内容物）が上がってこないようにする。そのためには、胃がしっかり育つ、容量が増えることが必要。
☐ 出したいもの（痰や便）がしっかりと出せるようになっているか。

✓ チェック
器官の大きさ、位置、骨格の大きさ・動き、筋肉のやわらかさ、など

☐ 筋肉の緊張の強さと弱さ。
☐ 肋骨の枠組みの形。
☐ 呼吸器以外の内臓からの圧迫があるか。
☐ 呼吸時の胸の動き、胸腔内の圧の状態。

図中ラベル：鼻の開き／舌と顎の位置／喉の奥の開き／気道の開き／胃がしっかり育ち容量が増えるように／出したいものが出せるように（便）

表2　呼吸機能を育てる6つのポイント

① 空気、痰の通り道が確保されているか。
② 食べ物、唾液がそれぞれの通るべき道を通るようになっているか。
③ 器官（内臓含む）の大きさ、位置が適切になるように育っているか（小さすぎないか、逆に大きくて肺、気管などを圧迫していないか）。
④ 骨格の形・大きさ・動きが育っているか。
⑤ 筋肉の柔らかさ・動きが育っているか。
⑥ 安定した情緒と自律神経の働きが育っているか。

Q 目指したい呼吸の状態と器官の成長とは？

A 見るポイントは、①呼吸に使うエネルギーが大きすぎないか、②呼吸に関わる器官が適切な大きさ、適切なかたさ・柔軟性があるか、③通るべきものが通って出て行っているか、の3つです。

① 呼吸に要するエネルギー量・運動量が適切である
呼吸に関する検査や測定の結果が基準値であっても、呼吸回数が多かったり、身体の動きが大きくて汗をかいていたり、肋骨の間や喉元が呼吸のたびにくぼんでしまう（陥没呼吸）、そういった場合は、呼吸に要するエネルギー量・運動量が大きすぎると判断できます。

② 各器官が必要な大きさに成長し、収まるべき場所に収まり、必要なかたさや柔軟性がある
空気の通り道である鼻・口から喉頭、気管、肺にかけては形が複雑になっている場所もあり、必要な大きさ・広さに成長し形が保たれていることが必要です。必要な大きさ・広さになっていない場合は、呼吸に努力が必要だったり、呼吸時に音がしたり、空気が通りにくくなったりします。そのほかにも、肺を包む胸郭の大きさ、筋肉の柔らかさ、気管のかたさ、舌の位置、鼻腔の大きさなど、さまざまな器官の大きさ、場所、かたさが呼吸に影響します。

③ 通るべきものが通る場所を通り、排出すべきものは滞らず排出される
私たちは外界から生存に必要なものを取り込み、不要になったものを排出して生きています。取り込むものとしては空気と食物があります。空気と食物は同じ入り口から入り、途中で道が2つに分かれて、体内に取り込まれていきます。この分かれ道の仕組みはとても緻密な構造になっていて、間違いが起きると体調や命に関わります。食べ物と口・鼻の中で生まれる唾液・鼻汁が気管に入らないこと、空気が胃に入っていかないことはとても大切なことなのです。
また排出されるものとしては便や痰があり、これも毎日生まれてくるので、必ず定期的に排出する必要があります。これらがうまく出されないと、痰の場合は気道が塞がれて呼吸が困難になり、便秘の場合は腸に便やガスが残ることで容積が大きくなってしまい、肺を圧迫します。どちらも、スムーズに気持ちよく排出できるようにしたいものです。

✱ 呼吸の見かた

呼吸の状態が良いのか、何か問題があるのかは、以下のような項目から評価を行います。年齢、子どもによって値の幅は広く、定まった正常の値というものがありません。体調が良いときの値・状態を知り、体調が崩れてくるときにはどの値・状態が変化してくるのか、お子さんなりの基準をもつとよいでしょう。

評価項目は、数値として誰が測っても同じ客観的なもの、また、評価者の主観によるものの2種類があります。

客観的評価

客観的な数値

SpO_2、脈拍、呼吸数、1回換気量（呼吸器を使用している子どもは呼吸器の値から状態や問題点がわかります）などは、自宅でも測定でき誰が測っても同じです。

各論・6章 リハビリテーション　手技

Q 体調が良いとき、体調が崩れているときは、具体的に、どんな数値のときですか？

A 日頃の数値と体調が崩れるときの数値の目安を示します。
- 【例1】 通常はSpO₂が98%。痰が動き始めると急にSpO₂が80%台に下がり、喀出されるとSpO₂が90%台になり徐々に上がっていく。
- 【例2】 眠っているときの脈拍は80回、目が覚めているときは100回前後、発熱しそうなときは110回に近い値になる。
- 【例3】 呼吸器を使用しているが、体調が良いときは呼吸数25回で呼吸器に合わせて呼吸ができる。痰が増えたり、体調が悪いと呼吸数が増えて、呼吸器に合わせて呼吸ができなくなり、呼吸数の設定を30〜35回に変更する。

主観的評価

音

主観的評価の代表として音が挙げられます。喉元が狭くなっている音、痰が上がってきた音、口からの唾液や鼻水が垂れ込んだ音、胸に触れると響く音（痰のある位置、痰の動きがわかる場合）、胸は動いているが空気が入っているかどうかの音（聴診、手で触れてわかる感覚）などがあります。

Q どんな音が聞こえたら、こう対応したらよい、など教えてください

A
- 【例1】 喉元が狭くなっている音がするときには、うつ伏せや前受け座位、横向きの姿勢を取り顎を引き出すなど、空気の通り道が開く姿勢をとる。自己膨張式バッグでの送気の実施、呼吸器の使用も検討する。胸は動いているが、空気が入っている音がしなかった場合も同様のことを実施して、空気の通り道を確保する。
- 【例2】 「ゴクン」と飲み込みをした後に、急にゴロゴロと音がしたり、ずっと静かだったのに急に口に近いところでゴロゴロと音がした場合、吸引した内容が水っぽいものばかりの場合は、唾液や鼻水の垂れ込みの可能性が高いです。このときは、唾液を出しやすいうつ伏せや前受け座位、横向きなどの姿勢を取り、口から唾液や鼻水が出るようにします。
- 【例3】 胸の中のほうで音がしているときは、痰があると考えます。姿勢を変えて、胸を動かして痰を動かすと良いでしょう。かなり上まで上がってきている場合は、吸引で取れるかどうかの判断が必要です。吸引では取れない場合は、カフアシストや自己膨張式バッグでのバギングを行って、痰の喀出を助けることもあります。

全身の観察

これも主観的な評価になりますが、首の長さ、鼻の穴の大きさ、胸の上がりかた、肋骨の間・喉元(のど)の陥没、筋肉の緊張の強さなどは、いずれも、どのくらい努力をして呼吸をしているかを表しています。1カ月くらい体調と様子を見ながら、どの程度になると苦しいのかそうでないのか、家族と基準を決めていくと良いでしょう。もっと長い、成長というスパンで見た場合にも、これらの評価を基準とすることができます。

✳姿勢を育てる

姿勢を変えていくことには、表3のような意味があります。赤ちゃんの頃は、寝た姿勢や抱っこが多いですが、うつ伏せや横向きも1日の姿勢の中に取り入れましょう。

抱っこの向きも左右両方を経験できると良いです。1歳を超える頃から抱っこの方法を変えて、背中を伸ばす、顔をしっかり上げて良く見えるようにする、お尻で座るようにしてお尻が大きくなるよう育てるなど、変化をつけていきましょう。人の手でないものを支えにできるようになるのも成長です。

寝た状態から、座る、立つ姿勢の経験をしていき、身体を起こしていきましょう。いすに座るようになってから、排便が自分の力でできるようになった子どももいます。

表3　姿勢を変えていく意味

- 発育・成長のため（形を育てる、丸い膨らんだ胸郭、長い首、下がった肩、前に出ている顎、筋力を育てる、重力への適応を育てる）
- 空気、痰(たん)の通りを良くするため
- 消化、便通を良くするため

Q 姿勢を変えるときのポイントは？

A 身体の動かしかたを丁寧に行うほかに、口の中に唾液(だえき)がたまっていないか確認しましょう。口の中に唾液(だえき)がたまったまま、寝ている姿勢から動かされると、唾液が口から気道に垂れ込むことがあります。動く前に口の中を確認し、垂れ込みそうなら、唾液(だえき)を出したり、吸引したりしてから身体を動かしましょう。

✱ ケアのすすめかた

空気がしっかり通って、痰を出しやすくなるために行うリハビリテーション（直接、胸郭に触れて動かす方法）を紹介します。

❶ 背中に手を入れる

ずっと寝たきりでいる子どもは、常に背中が床について圧迫されている状態です。横向きにして背中の面を圧迫から離して、動きやすくしたりします。背中に手を入れて体の重みを手で支えると、呼吸がしやすくなります。手はぴったりと胸郭の骨の形（肋骨）に沿うように広げます。

背中に手を入れる。

❷ 横向きにする

横向きになるときは、背中に三角形をしたマットを入れると便利です。

横向きにする。

❸ 手を胸郭の前と後ろに添えて呼吸に合わせて動かす

手を胸郭の前と後ろに添えて、呼吸を介助します。後ろの手は胸郭の重みを支えるように、前の手は胸郭の動きを邪魔しないように圧迫しないように優しく添えます。呼吸の動きに合わせて、上下・前後に手を動かします。

手を呼吸に合わせて動かす。

❹ 手の位置を変える

胸郭は縦に長いので、手の位置を変えて、胸郭全体を触ってください。

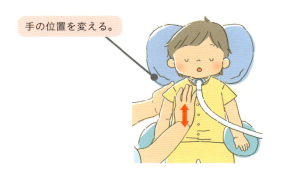
手の位置を変える。

❺ 腕を開く

胸郭が広がりやすくなるように、腕を開いて、胸を広げます。

❻ マッサージする

肋骨の間の筋肉、肩周りの筋肉をマッサージするのも有効です。

腕を開くことで胸が開きます。

❼ 適切に器械などを用いる

自分の力だけで、深い呼吸をして肺をしっかり広げるのが難しい子には、自己膨張式バッグを使った深呼吸の練習も行います。痰が出にくい子どもは、カフアシスト®（排痰補助装置）も使用します。

深呼吸の練習

気をつけたいケアポイント

マッサージで外の世界を受け入れやすくする

　子どもたちは、成長発達の過程でたくさん身体を動かして、自分の身体がどうなっているのかを理解したり、自分の外側にあるものについて理解したり、目を使って見る方法を学んだり、たくさんのことを学習しています。体を自分で動かすことが難しい子どもは、その経験が少なくなってしまうので、マッサージをたくさんして、人とのコミュニケーションを取り、身体の動かしかたを知り、小さい頃から触覚をたくさん使って外の世界を受け入れやすくしましょう。マッサージには、触覚を育てる、筋肉の緊張を和らげる、感覚過敏を減らす、人との関わりを楽しく感じるなどの効果があります（5章の考えかた p.200〜参照）。

お腹のケアも大切に

　「呼吸に関わる器官」でも説明しましたが、胃や腸に物が残っていると、横隔膜を押し上げ、肺を押して、呼吸がしにくくなります。「ウンチは毎日出ているか」「ガスがお腹にたまっていないか」「お腹が膨らんでいないか」を気をつけてみましょう。気になることがあるときは、訪問看護師や主治医の先生に相談してみましょう。

遊ぶこと・人と出会うこと：十分なケア、健康で安定した生活からもう一歩成長するために

　子どもたちが年齢を重ねていくと、自我の成長や自己主張、面白いことを経験したいという欲求も芽生えてきます。このような成長の欲求が満たされないと、イライラしたり、不機嫌になったりします。このイライラや不機嫌は呼吸にも影響し、呼吸は浅くなり、緊張も強くなり、唾液のコントロールも悪くなるでしょう。自宅での生活が健康で安定してきたら、生活や経験を広げる、地域の通園サービスや、児童デイサービスへの参加を検討していきましょう。子どもがお母さんから離れて過ごせるのは成長と捉えましょう。成長の欲求が満たされると、さらに健康が促されます。障がいが重くても、年齢なりの活動をしていくことを、心がけましょう。

（中川尚子）

手技 4 歩行練習・靴の調整

歩行練習

✲ 歩くとはどういうことなのか

歩くことは、そのお子さんのもっている興味やわくわく感といった世界観を一気に広げていく行為であり、何かをするためにすばやく自力で移動できる手段でもあります。しかし、2本の足を交互に出しながら身体のすべての動きを支え続けるため、とても不安定で高度なバランスを要求される運動でもあります。

身体の不自由なお子さんや医療的ケアの多いお子さんは、関節の動きにくさ、酸素療法・呼吸器などの医療デバイスによる重さや行動範囲制限、感覚の過敏や鈍麻などが影響し、立つことや歩くことが困難になってしまうことがよくあります。しかし、ほかのお子さんと同じ目線でいっしょに何かをするということは、子どもにとってとても大きな経験となり、自信となりますので、可能な方法をお子さんといっしょに模索してみると良いでしょう。

力がすごく入りながらも立つ

呼吸器をつけながら歩く

✲ 歩行練習のポイント

歩くことは、あくまで移動手段の1つです。「歩行練習」と聞くと、歩くことが目的になってしまいがちなので、歩いて何がしたいのかを考えながら動くことが大切です。特別に何かを用意する必要はなく、ここからそこまで歩いたら「お母さんが褒めてくれる」「お父さんが抱っこしてくれる」でも、十分な目標になります。子どもの変化一つひとつを家族、支援する皆さんで楽しみましょう。

✴ 歩行へのすすめかた

座るときから歩く準備は始まっている

身体を起こして座れるようになった時点で下半身でもバランスをとろうとし、足にも力が入ります。特に、歩くためにはお尻周りの筋肉がしっかり発達していく必要があります。まずは上半身の動きに合わせてお尻でバランスをとれるようにしていきましょう。

あぐらで体重移動

座ったまま左右前後にたくさん手を伸ばして、お尻全体で体重移動を覚えていく。

いす座位で体重移動

前へ行くときは腰を起こすように介助。

後ろへ行くときは腰を引くように介助。

手をつきながら右へ左へ手を伸ばす

まだ歩くことに慣れていない立ち始めの時期は、両手で上半身を支えやすいお腹〜胸くらいの高さのテーブルを用意してあげましょう。はじめは片手をテーブルの上、もう一方の手は放しながらおもちゃなどで遊ぶ時間を作り、左右のバランスを徐々に崩していきます。

片手支え、片手を伸ばしながら遊ぶ

おもちゃの配置も1カ所にならないように工夫しよう。

お尻をちょっと後ろにつける「半分座り」も経験

ちょっと離れたおもちゃにも手を延ばせるようになってきたら、高めのいすやご家族の膝（ひざ）などにお子さんのお尻が半分乗った状態の半分座りの姿勢にも慣れていきましょう。身体の重さが足からお尻に少し移るため、下肢の負担が減り、膝（ひざ）の曲げ伸ばしがしやすく、立ったときにバランスをとりやすくなります。

半座り

高さがあることで立つ力も少なくてOK。

各論・6章 リハビリテーション　手技

歩く練習は囲まれた空間が理想的

テーブルなどを2つ、90°に直角に置いて行ったり来たりできる空間をつくりましょう。

すぐに手が伸ばせたり、寄りかかれる所があったりするだけで倒れる怖さも少なくなり、倒れそうになる身体を自力で戻すきっかけも増えます。

行き来する間にちょっと座れるものを置いてあげると、立ったり座ったりする機会も増えます。

上から見たところ

たまに高さを変えてあげると動きの幅が広がる。

斜めから見たところ

囲まれて歩く。

段ボールテーブルでもOK。寄りかかったときに動かないように注意する。

慣れてきたら正面に歩いてみよう

立ち上がるときはお子さんの手を前に引いて、足への体重移動を手伝ってあげてください。足がピンと前に伸びてしまうようなら少し膝を曲げて、立つお手伝いをしましょう。立ったらすぐには歩き出さずに一度座りましょう。この手間1つで子どもが安心して動ける空間が増えます。お尻を後ろに引いてしまうお子さんは、大人が後ろから支えてまっすぐ立たせ、楽に歩ける経験をさせてあげると良いでしょう。

手を前に出して前傾姿勢で立ち上がる

手前に引く。

後ろからの支えかた

介助者がお子さんのお尻を外側から軽く支えることで、足を振り出しやすくなる。

短い距離をたくさん歩くようにしよう

　一気に長い距離ではなく、数10cm〜1mくらいの短い距離をたくさん歩くことで自信もついてきます。歩いた先に胸〜お腹くらいの高さのテーブル、慣れてきたら少し低めの台などに手をついて「ゴール」とすることで、手を前につく習慣も養われていきます。壁にも寄り掛かったり手をついたりする経験を繰り返すことで家全体が安心な場所になります。

　自宅で倒れても痛くないクッションなどがあれば、遊びで倒れたりすることで、倒れる怖さの克服にも繋がり、より安定した歩行に繋がります。

歩くとき

ゴールをつくる。

倒れかたの練習

前→膝から、しっかり手を伸ばして倒れる。

後ろ→身体を丸めてお尻から倒れる。

少しずつ支える量を減らしていこう

　歩く自信がもてるようになれば、自然と倒れないようにバランスをとれるようになってきます。足も前に出てきます。手を引くのではなく「何となく手があると安心」くらいの気持ちで手を繋いであげると、自力でできたという達成感も強まります。

手をつないで支える

少し支える。

各論・6章 リハビリテーション　手技

歩く手段は１つじゃない

移動をより効率良くするための手段として、歩行補助の道具があります。いわゆる歩行器や下肢装具です。

1）歩行器という選択肢

身体をしっかり支えながら歩くことを持続できる歩行器は、身体の不自由なお子さんにとっても良い手段になり得ます。

前傾型歩行器

4点支持（車輪付き）歩行器

2）下肢装具という選択肢

下肢の力のコントロールが難しいお子さんは、適した装具を着けることで動きを補えるようになります。「補装具」として給付を受けられるものもありますので、お住まいの役場や通っている病院・療育施設などに相談してみましょう。

短下肢装具

（株式会社 y-brace）

長下肢装具

（三浦医工デザイン株式会社）
※ご家族の許可を得て掲載しています。

305

3）抱き歩きという選択肢

　身体がまだ小さいお子さんであれば、家族に支えられながらいっしょに歩くことを1つの遊びとして楽しむのも良いでしょう。親の足の上に子どもが立つ形で、親が歩けばいっしょに足が出るなど。中腰姿勢でずっと支えるのは大変ですので、抱っこひもなどの補助具に頼るのも良いでしょう。

ローラーいすを使った歩行補助

膝の間で子どもを支える。

抱っこひもなどを使った歩行

抱っこひもで支えながら、いっしょに歩く。

呼吸器回路や酸素チューブなどへの配慮

　歩くことで転びそうになったり、テーブルや壁に寄りかかったり、手足を頻繁に動かすことになるため、健康を維持するのに必要な回路やチューブ類はできるだけ動きの少ない部位に沿わせて固定してあげることが大切です。

上着の前に回路固定

上着の首元、胸、ズボンなどお子さんの動きにより邪魔になりにくい部位に固定する。

靴の調整

✳︎ 靴の調整・ソールの調整

靴は履くことにより歩きやすくなる代表的な補助具でもあります。歩行がうまくいかないときは靴もいっしょに見直していくと良いでしょう。

ソールとは、足を支える土台となる部分で、外側をアウトソール、中敷きをインソール（足底板）と呼びます。

本項では、市販のクッション材などでも容易に手直しができるインソールの調整について紹介します。p.283 の Q&A では「靴選びのポイント」を紹介しています。そちらも参照ください。

インソールの調整

対処方法と対象となる症状・現象の一例を紹介します。

- **踵の補高**：踵の下のクッションの厚みを増やす。
  対象：膝が伸びきってしまうとき、尖足で踵が床に着けられないとき。
- **横アーチの修正**：足の指の間を広げるように横幅のあるクッションを貼る。
  対象：指が重なってしまうとき、前足部が左右へ偏ってしまうとき、前足に体重が乗りにくいとき。
- **縦アーチ**：土踏まずの下の隙間を埋めるようにクッションを付加する。
  対象：偏平足・凹足があり体重移動がうまくいかないとき、膝が内側に倒れてしまうとき。
- **ウェッジ**：三角形状のクッションを足の内側や外側に付加する。
  対象：足全体が横へ倒れてしまう。

足の裏の変化は姿勢全体に大きく影響するため、手を加えるときは 2～3mm のクッションから始めて、立つ姿勢や歩行の様子を見ながら調整していきましょう。

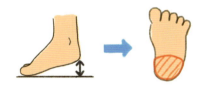

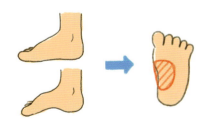

現れる異常な動きには必ず理由があり、弱い力を補うためにあえてその姿勢をとっていることもあります。修正することで歩くことが難しくなってしまう場合もありますし、過度な調整は悪影響を及ぼす可能性もありますので、注意してください。

それ以外の靴の加工

インソールの調整以外にも靴で調整できる部分はたくさんあります。部品の交換は装具業者や靴のお直し屋などにお願いできることもあります。
- ひもをベルトへ：足が大きくなってくると市販品はひも靴が主流になり、ベルト靴は少なくなってきます。ベルトにすることで靴の着脱をしやすくしたり、足の締め付けの調整が可能になります。
- 側壁の強化：樹脂材などを側壁に貼り、足が横に倒れにくくします。
- ベロを開きやすくする：ベロの下方の縫い目に少し切り込みを入れることで指先の確認をしやすくします。

市販の靴では難しい場合

足の関節の固さや変形などで市販の靴を履くことができなかったり、痛みが出てしまったりする場合は装具の適応となる場合があります。健康保険や福祉制度の補装具費支給制度などにより補助が出る場合もありますので、病院や療育施設などで医師やリハビリ職の方へ相談しましょう。

立たせたときに突然カクンと下半身が崩れるように倒れてしまいます。

こんなときどうする？

A まだ立つことに慣れていないお子さんに、よくみられます。

原因はいくつかありますが、1つは股関節や膝を曲げてバランスをとる習慣が身に付いてしまい、立つときも同じように力が入ってしまうこと。ほかには股関節や膝の動きがかたくて、伸ばしたくても伸びない状態にある場合、下肢のどこかに痛みがある場合などです。

痛みがなければ、先に股関節周りや膝裏のストレッチをしてあげることで改善する場合があります。また、突然力が抜けて怖くなってしまうこともあるので、力が抜けても倒れないように、すぐに座れる高めのいすなどを用意しておいてあげると、安心してまたすぐに立ち上がることができます。

痛みがある場合は、早めに医師に診てもらいましょう。

股関節が脱臼していると言われました。立ったり歩かせたりしても良いのでしょうか。

A どれくらい、どの姿勢で体重をかけても良いのかなどの基準は医師と相談しましょう。

足に体重をかけすぎない方法としては、いすに浅く座りながら足を着いたり（p.302）、またがって乗るタイプの歩行器を使用したりする方法もあります。

（菅沼雄一）

各論・6章 リハビリテーション　手技

7章 緊急対応と防災
考えかた

災害時の医療機器の電源確保と家庭での備え

停電時の備え

　人工呼吸器、酸素濃縮器、吸引器、吸入器、輸液注入ポンプ、パルスオキシメータなど、電源を必要とする医療機器を使っているご家庭での停電時の対策を紹介します。

　災害で停電が生じても、内部バッテリーが内蔵されている機器では数時間程度はそのまま使うことができます。内蔵バッテリーまたは外部取り付けバッテリー駆動時間、機器の消費電力、酸素ボンベ残量の計算方法を普段からチェックしておきましょう。

　加温加湿器は起動時に大きな電力を消費します。代替として、呼吸器回路用人工鼻で保湿する方法があります。

✳ 人工呼吸器

　在宅で使える人工呼吸器の機種別の消費電力と内部バッテリー駆動時間を表1に示します。

表1　在宅人工呼吸器と加温加湿器の消費電力と内部バッテリー駆動時間

	取り扱い業者	機種		仕様書記載消費電力（W）	実測消費電力（W）	内部バッテリー駆動時間（時間）
人工呼吸器	株式会社フィリップス・ジャパン	トリロジー Evo		170	18	15（内蔵 7.5 ＋着脱式 7.5）
	コヴィディエンジャパン株式会社	Puritan Bennett™ 560		180	20	11
	フクダ電子株式会社	クリーンエア ASTRAL		120	24	8
	チェスト株式会社	Vivo45LS		150	20	2.5（着脱式 6.5）
	チェスト株式会社	Vivo60		300	27	4（着脱式 8）
加温加湿器	Fisher & Paykel HEALTHCARE 株式会社	MR850		220（VA）	100	なし

注）実測消費電力は、「リハビリ訪問看護ステーションまえあし」のホームページから（https://www.maeashi-labo.com/saigai-taisaku/tools/）。
　　仕様書記載消費電力、内部バッテリー駆動時間は各企業の仕様書、ホームページより。

各論・7章 緊急対応と防災

このほか、酸素濃縮器は5L／分：150〜250W、7L／分：300W、10L／分：400W、電動吸引器は100Wが消費電力です。

人工呼吸器に関しては、医療機関から渡されているバッグバルブマスクで停電を乗り切ることもできます。ずっと1人で押し続けるのは大変なので、ご家庭だけでなく地域の支援者といっしょに練習しましょう。つい高圧力、高頻度でバグッ、バグッとしてしまいますが、お子さんに合った押しかた（呼吸器設定の吸気圧と同じ圧を同じ吸気時間、バーグ、バーグ）で行います。呼気の間は手をゆるめて呼吸回数も同じにします。思ったよりゆっくり、じわっと押し続けるイメージです。

蘇生用バッグバルブマスク

（写真提供：ジーエムメディカル株式会社）

小児用は最大450mL入る。体重（kg）×10mLを目安に換気量を調整しよう。

✳ 在宅酸素療法

酸素吸入器は、ボンベに詰めた液化酸素を少しずつ気体の酸素にする液化酸素装置と、空気中の窒素を除いて高濃度の酸素を供給する酸素濃縮装置があります。

液化酸素装置は電気を必要としないメリットがあり、1回の充填で0.25L／分なら1カ月近く使えます。酸素濃縮装置はメンテナンスが容易ですが、電源を必要とするので停電時はすぐに携帯型酸素ボンベに付け替える必要があります。常時酸素投与している方には内蔵バッテリー付きの酸素濃縮装置が必要です（KM-X3L、小夏3SP、ハイサンソ® 5Sなど）。2時間程度の容量なので次の手段を準備しておいてください（電源確保、酸素ボンベ、酸素会社へ連絡、医療機関へ相談）。

液化酸素装置
交換が必要

酸素濃縮装置
電源が必要

携帯型酸素ボンベは、1L／分で投与するとして、Sサイズ（1.1L）では最大2時間45分、Mサイズ（2.0L）では最大5時間供給できます。満タン時はこの目盛りが14.7MPaになっていますので、残り時間の目安にしてください。

携帯用酸素ボンベ

＊吸引器

在宅用吸引器の多くは、100Vの家庭用コンセント、シガーライターケーブル、内蔵バッテリーの3WAY電源方式です。災害時は、シガーライターケーブルを利用して、車から電源を確保することができます。

また、単3乾電池4個で15分程度駆動する吸引器（キュータム）もあります。

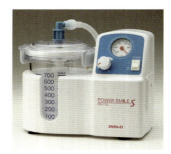
電源を必要とする吸引器

（写真提供：新鋭工業株式会社）

＊電源を使わない吸引器

車を所有していないご家庭や機器が故障したときの備えとして、電源を必要としない吸引器や注射器による吸引の方法を覚えておいてください。

手動式吸引器は、ちょうど血圧測定器のように、ポンプ部をシュポシュポ押すことで吸引できます。軽量で持ち運びしやすく、3,000円程度と比較的安価で手に入ります。選びかたのポイントは、吸引チューブを手持ちの吸引カテーテルと交換できるものを選んでください。

足踏み式吸引器は、シーソーのように交互に前後に踏むものがあります。両手が空くので吸引が楽に行えます。13,000円程度で購入できます。踏む速度を変えることで、吸引圧を変化させることができます。

このほかに、注射器を用いた吸引方法も覚えておいてください。先端が細い注射器20mLまたは50mLに、吸引カテーテルを繋いで痰を吸引します。吸引のコツは、痰のあるところまでカテーテル先端を進めてから注射器を引くことです。吸引バッグに注射器を1つ忍ばせておいてください。

手動式吸引器
（写真提供：ブルークロス株式会社）

足踏み式吸引器
（写真提供：新鋭工業株式会社）

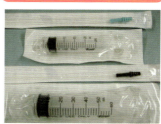
吸引に使う注射器

各論・7章 緊急対応と防災　考えかた

停電時の電源確保

停電時に利用できる電源確保の方法は、下記のようなものがあります。
① 機器の内部バッテリーと外部バッテリー（呼吸器は数時間〜半日、酸素濃縮器は2時間程度）。
② ポータブル電源（家庭のコンセント、ソーラーパネルから充電）。
③ 電気自動車（EV〔電動車〕、PHEV〔プラグインハイブリッド自動車〕など）の 100V コンセントから直接接続して給電、V2H 充電端子から住宅の分電盤へ給電、電気自動車や EV 接続ステーションから充電端子を用いてポータブル電源へ給電。
④ 車載シガーライターソケットから、機器付属のケーブルを吸引器などに接続。
⑤ 自家発電機　など。

ポータブル電源

非常用電源のなかで最も安全とされています。欠点は重いため携帯しにくく、耐用年数が5年程度と短いことです。いろいろな機種があって迷いますが、用途から選択していきます。

選択のポイント
① 家で据え置きして使うか、避難用に持ち運ぶか。
② 何を何時間使うか。

ポータブル電源の性能のポイント
① 電力量（バッテリー容量）: Wh ＝ ○ W を △ 時間使える。
② 定格出力：ポータブル電源が出せる電力量（使用する機器の消費電力がこれよりも高いと使えない）。
③ 重量：重いと避難時に大変（例：Trilogy EVO は 5.8Kg）。

災害時は、自宅で籠るほうが安全と考えられる家庭では、冷蔵庫やケトルなども1週間使えるもの（写真左）。呼吸器だけで酸素ボンベや人工鼻が利用できる方は、軽くて避難時に持ち運びやすいもの（写真右）。気道内の加湿が重要で人工呼吸器や酸素濃縮器も必要な方は、サージ（ミキサーのように2倍程度の起動電力が必要な場合に瞬間的に供給できる電力）や定格出力が大きいものを選びます（写真中央）。

ポータブル電源

DELTA Pro®：EV 接続ステーションからも給電可能、3600Wh、45Kg、約 33 万円
サイズ：63.5 × 28.5 × 41.6cm
電池：リン酸鉄リチウムイオン電池

（写真提供：EcoFlow Technology Japan 株式会社）

RIVER 2 Pro®：768Wh、サージ 1600W、7.8Kg、約 9 万円
サイズ：269 × 259 × 226mm
電池：リン酸鉄リチウムイオン

Anker 521 Portable Power Station（PowerHouse 256Wh）、約 3.7Kg、29,900 円
サイズ：約 216 × 211 × 144mm
電池：リン酸鉄リチウムイオン電池

（写真提供：アンカー・ジャパン株式会社）

車載用インバーター

東日本大震災や2016（平成28）年熊本地震では、自家用車で避難生活をされる方が多くいらっしゃいましたが、車のシガーライターソケットの直流DC12Vを、家庭用電源の交流AC100Vへ変換するインバーターはとても重宝しました。

電気自動車やハイブリッド車から、電気の供給を受けることもできます。

自家発電機

自家発電機には、燃料としてガソリンとカセットボンベを使用するものがあり、長期間使うことができます。しかし、メンテナンスには手間がかかり、エンジンオイルは定期的に交換する、ガソリンは揮発性なので必ず携行缶に保管し3～6カ月ごとに入れ替える、カセットボンベでは2本で2.2時間の駆動時間なので、24時間では24本程度のカセットボンベを準備する必要があります。特に注意が必要なのは、室内で運転すると排気ガスから一酸化炭素中毒を生じる危険があるため、必ず室外で運転しコードリールで室内へ電源を引くことです。

定格出力（何アンペアまで使えるか）によって機種を選びますが、目安としてご家庭で電力会社と契約しているアンペア数と同じが良いと思います（アンペア×100V＝W数）。医療機器だけなら900Wのもの、冷蔵庫（200～400W）、冷暖房（200～500W）、テレビ（100W）など、家電も考慮するときは1600～2600Wのものを選びます。

注）発電機や車載インバーターは「医療機器には使用しないでください」と記載してあります。使用する際には、個人的に動作を確認された結果などを参考にしてください（ηttp://hcea.umin.ac.jp/files/pdf/h24files/keikaku_teiden/resp_hatsudenki_test.pdf）

インバーター

自家発電機

出力	900W	900W	1600W	2600W	5500W
価格	約10万5千円	約13万5千円	約21万円	約31万5千円	約49万円
本体重量 （燃料容量）	19.5Kg カセットボンベ 2本で2.2時間	13Kg ガソリン 2.1L	20.7Kg 3.6L	35.2Kg 5.9L	101.7Kg 13.8L
備考		必要最低限の照明	ほとんどの電気製品	一般家庭の総電力	小型事務所の総電力

災害時対策に使えるリンク集（5月19日参照）

- 国立研究開発法人国立成育医療研究センター 医療連携・患者支援センター 在宅医療支援室.医療機器が必要な子どものための災害対策マニュアル改訂版～電源確保を中心に～.
  https://www.ncchd.go.jp/hospital/about/section/cooperation/shinsai_manual.pdf
- 医療法人稲生会 災害対策委員会.医療的ケア児等の停電時の電源確保について.
  http://yell-hokkaido.net/_sys/wp-content/uploads/2021/08/1c7f9cd260045b85aa79a71c2b4f392a-2.pdf
- 一般社団法人大阪府訪問看護ステーション協会 在宅患者災害時支援体制整備事業委員会.人工呼吸器装着者の予備電源確保推進にむけた災害対策マニュアル.
  https://daihoukan.or.jp/wp-content/uploads/2020/05/6a0157155302e8e5eea69f00e66de24d.pdf
- リハビリ訪問看護ステーションまえあし.まえあしラボ.
  https://www.maeashi-labo.com/
- 国土交通省.災害時における電動車から医療機器への給電活用マニュアル.2022年3月25日.
  https://www.cev-pc.or.jp/xev_kyougikai/xev_pdf/xev_kyougikai_saigaiji_xEV_katsuyou_manual_iryo.pdf

家庭における災害時への備え

急な災害があっても皆さんは何としても生き延びてください。そのために、①災害から何としても逃げきる方法、②安全に過ごせる場所を確保すること、③普段から災害対策の準備をしましょう。ここでは①と②について解説します。

東日本大震災の際には、近くの指定避難所に向かっても入口で止められたり、夜間の吸引の音に躊躇して利用できなかったりした方がたくさんいらっしゃいました。また、災害発生後すぐに福祉避難所が開設される形ではなかったため結局は利用できなかった、初めて過ごす避難所でのストレスから体調を崩しやすかったなどの課題もありました。

これに対して、2021年の災害対策基本法の改正を受け、「福祉避難所の確保・運営ガイドライン」が改定されました。

> 災害が発生したら、すぐに直接、指定福祉避難所へ避難することができる。
> 指定福祉避難所は日頃利用して慣れている施設であり、受入対象者が特定されている。

上記のような支援を得るには、まず相談支援専門員や医療的ケアコーディネーターなどに相談して、災害時要援護者情報登録制度に登録します。次に、個別避難計画を作成して災害時には直接避難できるよう準備します。そして、防災訓練を行い必要なものと人と繋がります。

＊避難行動要支援者

酸素吸入器や人工呼吸器などを持って避難するには、人手が必要です。災害時要援護者情報登録制度に避難行動要支援者として登録すると、災害時に手助けが必要な方のところへ助けに来てくれる方を決めておくことができます。自己申告制で、役所の障害高齢課などの窓口へ用紙を提出します。記入項目は簡便で、氏名、性別、生年月日、住所、町内会名などです。障害者手帳を持っている方は登録することができます。

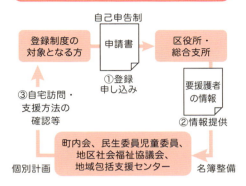

＊指定避難所、福祉避難所と指定福祉避難所

「指定避難所」は、災害で住む家を失った人の一時的な生活場所になりうる場所です。食料や水の備蓄やトイレなどが整備されている、近くの公立の小中学校などが指定されています。

一方、「福祉避難所」は高齢者、障害者、妊産婦、乳幼児など、避難生活に特別な配慮が必要な方の避難所です。バリアフリーで生活相談員等が配置されます。

これまでの福祉避難所は2次的設置の位置付けで、発災直後に避難することはできませんでした。しかし、「指定福祉避難所」は、特定された要配慮者とその家族だけが避難する施設で、日頃から利用している施設へ直接避難できるようになりました。

＊個別避難計画の作成

災害対策基本法の改正により、避難行動要支援者の個別避難計画作成が市区町村の努力義務に位置づけられました。作成にあたっては、普段から信頼関係のある相談支援専門員などが平時の福祉サービスプランをつくる延長で、災害時のケアプランを作成し、防災訓練でプランの検証・改善を図ることが重要です。

近隣の避難場所の探しかた

広域避難場所マーク

検索キーワード

指定避難所	まずは最初に逃げこむ場所 近くの公立の小中学校など	内閣官房　国民保護ポータルサイト http://www.kokuminhogo.go.jp/hinan/index.html
福祉避難所	要援護者に配慮した避難所 災害発生後に開設されます	○○市区町村　福祉避難所
指定福祉避難所	日頃から利用している施設へ 発災後直接避難	○○市区町村　指定福祉避難所
ハザードマップ	居住地区や通学路の 災害リスクを調べる	国土地理院　ハザードマップポータルサイト https://disaportal.gsi.go.jp/

＊ヘルプカード

　災害時に薬を持ち出せなかった、病院へ受診できないなどで薬が不足して困る方がいます。お薬手帳などの情報が手元にあれば、災害時にも役立ちます。

　薬の種類が多く、よく投与量に変更もある場合などは、薬局でもらう情報提供書を変更されるたびにスマホで撮影しておく、ヘルプカードとともに折りたたんで入れ替えておくことも効果的です。

　個人のヘルプカードには、家族の連絡先、医療機関などの連絡先、疾患名、お薬情報、薬剤の保管方法、必要な手助け、緊急時の配慮を書き込みます。

　好きな歌や遊びを書いておくことで、子どものことを理解して関わってくれる人が増えます。地域で子どものことを知っている人、サポーターを増やすことは防災対策の大切な1つです。

ヘルプカード

（日本小児科学会ホームページより転載）

（田中総一郎）

各論・7章 緊急対応と防災

付録1 医療的ケア児を取り巻く福祉・社会制度

　医療的ケア児とは、日常的に医療ケアを必要とする子どものことです。なかでも気管切開がある子どもは、24時間365日昼となく夜となく吸引が必要になるため、保護者の慢性的な睡眠不足が問題となっています。自分で自分の医療ケアをできない乳幼児や発達障害がある子どもの場合は、医療ケアをしてくれる大人が常時付き添っていなければなりません。医療的ケア児を単独で預かってくれる施設はほとんどなく、保護者にかかる養育の負担は非常に大きいのです。

　2021年の診療報酬の統計によると、在宅にいる19歳以下の医療的ケア児は20,180人で、過去10年で1.47倍に増えました。最も多い医療ケアは在宅酸素で10,469人が使用し、経管栄養が7,948人、人工呼吸器が5,027人、気管切開が4,092人、導尿が2,495人と続きます。10年前と比べて経管栄養は2.7倍、人工呼吸器は3.2倍に増えています。しかし、医療的ケア児は社会から十分に認知されているとは言えず、預かってくれる施設は非常に限られています。

　医療的ケア児に関わる支援者が知っておくと良いと思われる制度を紹介します。関連する制度は、医療、福祉、保育、教育、就労に分けることができます。それぞれについて説明します。子どもを取り巻く制度は複雑であり、知らない間に変わっていることはよくあります。そのため、制度の変化を常に注目しなければなりません。

医療

　医療制度のなかの「在宅医療」の位置づけは、入院医療や外来医療とは別枠の独特の制度です。病院勤務の多くの医師は在宅医療をよく知らないため、患者に十分に説明することができない場合があります。医療ソーシャルワーカーに聞いたほうが、制度を熟知しているという点では正確という場合もあります。医師が定期的に訪問して診療することを「訪問診療」と言い、臨時で呼ばれて診療することを「往診」と言います。

　訪問診療では月2回もしくは1回、在宅医が訪問日を決めて定期的に訪問し、医療材料や物品を持ってきてくれ、患者の状態を調べ、医療デバイスをチェックし、処方せんを発行してくれます。看護師が訪問することは「訪問看護」と言い、健康チェックや医療ケアを行い、さまざまな困りごとに対応してくれます。訪問看護は、週3回まで入ることができます。小児では医療保険の訪問看護療養費を算定しており、介護保険の訪問看護費ではないため、ケアマネジャーによる回数制限を受けません。最重症な患者では、複数の訪問看護ステーションと契約してすべての平日に来てもらうこともあります。

　訪問看護ステーションが理学療法士や作業療法士、言語聴覚士を雇用している場合は、リハビリ療法士が訪問リハビリを提供することもできます。特に小児患者では、発達を促すためのリハビリへのニーズが高いです。

　小児慢性特定疾病に該当する小児患者の場合は、医療費の自己負担分を小児慢性特定疾病医療費助成制度が補助してくれます。特に乳幼児医療費助成制度が切れる年齢（多くの地域では高校1年生）以降に非常に助かります。さらに小児慢性特定疾病児童等自立支援事業では、同じ病気の患者同士のピアカウンセリングを受けたり、就労など自立に

向けた相談に応じてくれたりすることがあります。小児慢性特定疾病に関する連絡は、市町村からではなく都道府県（あるいは政令指定都市・中核都市）の保健所から来ます。

福祉

障害福祉サービスの概要を図1に示します。赤字の部分は、医療的ケア児が利用しやすいサービスです。障害者総合支援法には障害福祉サービスが網羅的に書かれていますが、児童福祉法には障害児通所支援と重症心身障害児施設のことが書かれています。障害者総合支援法（次ページ）の中で、介護給付、訓練等給付、相談支援のサービスは全国一律ですが、地域生活支援事業はその内容が市区町村ごとに違います。例えば、日常生活用具給付で過去に前例のない機器の購入が認められなかったり、移動支援サービスがない地域があったりします。次の表で、障害福祉サービスの詳しい内容を列記します。

児童福祉法（p.321）に書かれている障害児通所支援とは、18歳未満の障害児に対して発達を促すサービスのことです。未就学児の場合は児童発達支援（図2）、学童児の場合は放課後等デイサービスと、用語が分かれます。さらに障害児通所支援施設には、主に重症心身障害児が通う施設（重心型施設）と主に発達障害児が通う施設（一般型施設）とのおおむね2種類があります（正確に言うと、難聴児に特化した施設もあります）。重心型施設はもともと医療ケアに習熟した看護師がいるため医療的ケア児を受け入れやすいですが、あまり動かない重心児が集まっている施設に動く医療的ケア児が入ることは嫌がられる場合があります。

一般型施設が医療的ケア児を受け入れる場合、看護師を配置するための加算が令和3年度に改定され、受け入れやすくなりました。また、リハビリ療法士や児童指導員が自宅を訪問して発達を促進させる居宅訪問型児童発達支援を提供する施設もあります。

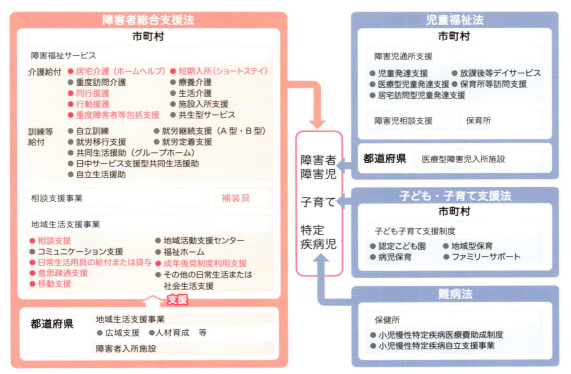

図1　障害者・障害児に対する福祉サービス

障害者総合支援法と児童福祉法に基づく福祉サービス

＊障害者総合支援法

	サービス名		種別	内容
居宅介護等	居宅介護（共生型）	身体介護	介護給付	居宅における入浴・排泄・食事などの介護
		家事援助	介護給付	居宅における掃除・洗濯などの家事
		通院等介助	介護給付	居宅から医療機関への通院および官公署への相談・手続きや、相談の結果生じた障害福祉サービスの見学に際した外出の支援
		乗降介助	介護給付	通院介助同様の外出時ヘルパー自らの運転する車両への乗降、降車の介助（乗車前もしくは乗車後の屋内外における移動の介助、通院先や外出先での受診の手続きや移動の介助も含む）
	重度訪問介護		介護給付	常時介護を必要とする重度の肢体不自由者および行動上著しい困難を有する知的・精神障害者に、居宅における介護、家事、並びに生活等に関する相談及び助言、その他の生活全般にわたる援助ならびに外出時の移動中の介護等を総合的に行う
	重度障害者等包括支援		介護給付	介護の程度が著しく高い、常時介護を要する障害児者に居宅介護などの障害福祉サービスを包括的に提供する
外出支援	同行援護		介護給付	移動に著しい困難を有する視覚障害のある者に対し、移動時および外出先において必要な視覚的情報の支援（代筆・代読含む）や必要な援助を行う（身体介護含む含まないの区別あり）
	行動援護		介護給付	知的障害または精神障害により行動上著しい困難がある者に対し行動する際に生じ得る危険を回避するために必要な援護、移動中の介護、排泄、食事等の介護を行う
	移動支援	移動介助	地域生活支援事業	社会生活上必要不可欠な外出 突発的な通院 余暇活動等の社会参加のための外出
		通学通所支援	地域生活支援事業	通学・日中活動系サービス事業所、作業所などの通所
	入浴サービス		地域生活支援事業	訪問入浴・施設入浴
日中活動系サービス	生活介護（共生型）		介護給付	通所により食事や入浴・排泄等の介護や、日常生活上の支援、創作的活動や生産活動の機会などを提供する
	自立訓練（機能訓練）		訓練等給付	理学療法や作業療法等の身体的リハビリテーションや、日常生活上の相談等を行う（通所・訪問）
	自立訓練（生活訓練）		訓練等給付	食事や家事等の日常生活能力を向上するための支援や、日常生活上の相談支援等を行う（通所・訪問）
	就労移行支援 就労移行支援養成施設		訓練等給付	一般就労などへの移行に向けて、事業所内や企業における作業や実習、適性に合った職場探し、就労後の職場定着のための支援等を行う
	就労継続支援Ａ型（雇用型）		訓練等給付	通所により、雇用契約に基づく就労の機会を提供するとともに、一般就労に必要な知識、能力が高まった者について、一般就労への移行に向けた支援を行う
	就労継続支援Ｂ型（非雇用型）		訓練等給付	通所により、就労や生産活動の機会を提供（雇用契約は結ばない）するとともに、一般就労に必要な知識、能力が高まった者は、一般就労等に向けた支援を行う
	地域活動支援センター・デイ型		地域生活支援事業	通所により創作的活動や文化的活動、機能訓練や社会適応訓練の実施
	地域活動支援センター・作業所型		地域生活支援事業	通所により創作的活動、生産活動の実施
短期入所（ショートステイ） 福祉型・医療型（共生型）			介護給付	介護者（・本人）の社会的理由、私的理由により一時的に障害児（者）に施設等に入所してもらい、見守りや介護を実施
日中一時支援			地域生活支援事業	介護者が社会的理由、私的理由により日中一時的に障害児（者）の活動の場を確保し、見守りや介護などを実施
居住支援	共同生活援助（グループホーム：ＧＨ）		訓練等給付	ＧＨ入居者に対して、主に夜間、入浴、排泄、食事等の介護やその他の日常生活上の援助などを行う
	日中サービス支援型共同生活援助		訓練等給付	重度の障害者等に対して常時の支援体制を確保する
	自立生活援助		訓練等給付	一人暮らしへの移行を希望する知的障害者や精神障害者等について、一定期間にわたり本人の意思を尊重した地域生活を支援する
	施設入所支援		介護給付	施設に入所する人に、夜間や休日、入浴、排泄、食事の介護や相談その他の日常生活上の援助などを行う

	サービス名	種別	内容
居住支援	宿泊型自立訓練	訓練等給付	知的障害または精神障害のある人に、居室その他の設備を利用させるとともに家事等の日常生活能力を向上させるための支援、生活などに関する相談および助言その他の支援を行い、地域移行に向けた連絡調整を行う
	療養介護	介護給付	医療と常時介護を必要とする人に、医療機関で機能訓練、療養上の管理、看護、介護および日常生活の世話を行う
計画相談支援	サービス利用支援	市区町村事業	生活全般相談・アセスメント・サービス等利用に関する情報提供、計画作成、個別支援会議の開催・サービス事業者との連絡、調整
	継続サービス利用支援	セルフプランも可能	生活全般の相談・モニタリング・再アセスメント・継続利用の手続き支援・利用計画変更のための個別支援会議の開催・サービス事業所者との連絡調整
地域相談支援	地域移行支援	地域相談支援給付	地域移行に関する相談・支援(アセスメント・支援計画の原案作成・ケア会議の開催・概ね1週間少なくとも月に2回の面接もしくは同行支援・障害福祉サービス事業の体験的な利用・1人暮らしに向けた体験的な宿泊)
	地域定着支援	地域相談支援給付	地域定着に係る相談・アセスメント・支援台帳の作成・常時連絡体制確保(訪問などによる利用者の状況把握)、緊急事態の対処等(訪問などによる状況把握、利用者の家族、関係機関との連絡調整、緊急一時的な滞在支援など措置)

＊児童福祉法

	サービス名	内容
障害児相談支援	障害児支援利用援助	生活全般相談・アセスメント・サービス等利用に関する情報提供、計画作成、個別支援会議の開催・サービス事業者との連絡、調整
	継続障害児支援利用援助	生活全般の相談・モニタリング・再アセスメント・継続利用の手続き支援・利用計画変更のための個別支援会議の開催・サービス事業所者との連絡調整
障害児通所支援	児童発達支援	療育プログラム(日常生活の基本的動作の指導や集団生活適応のための訓練など)を、個別支援計画に基づき提供する
	居宅訪問型児童発達支援	障害児通所支援を利用するために外出することが著しく困難な障害児に発達支援が提供できるように居宅訪問して発達支援を行う
	放課後等デイサービス	学校授業終了後または休業日において、生活能力の向上のために必要な訓練、社会との交流の促進その他の便宜を供与する
	保育所等訪問支援	集団生活を営む施設などを訪問し、障害児本人に対して集団生活への適応のための専門的な支援を行う。訪問先施設などのスタッフに対する支援方法の指導などの支援を行う
	医療型児童発達支援	医療的管理下での支援が必要な上肢、下肢、体幹の機能的障害児を対象に児童発達支援および治療を行う

＊児童発達支援(未就学児童)

児童福祉法の市町村が行う「障害児通所支援」の児童発達支援は、主に、図2の構成で成り立っています。

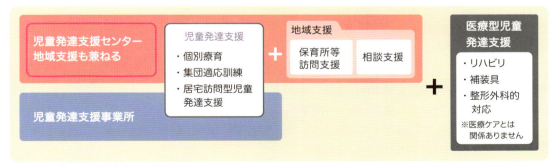

図2 児童発達支援(未就学児童)

相談支援とは、相談支援専門員が障害福祉制度に関する相談に乗るサービスです。さらにその中で計画相談とは、障害児に必要な障害福祉サービスを見極め、月にどのサービスをどれだけ受給するのが適切かという個別支援計画を立てるサービスを言います。この個別支援計画は市町村の審査会を経て実際のサービス支給につながります。しかし医療的ケア児の保護者は、しばしば自分たちで制度を調べて自分たちで子どもの個別支援計画を立てる「セルフプラン」を行い、市町村に提出します。行政としてはなるべく相談支援専門員に計画を作成して欲しいところですが、医療ケアのことをよく知らない相談支援専門員が多い中、セルフプランを申請される保護者は少なくありません。

重症心身障害児（重心児）施設は現在、医療型障害児入所施設と呼ばれており、重心児が入所して日常生活を送る福祉施設であると同時に、家族の休養や用事のために在宅の重心児者を預かる医療型短期入所サービスいわゆるレスパイトを提供することができ、さらに入院させて治療する病院機能も持ち、外来診療でリハビリを提供したりもします。障害児に優しい多機能な施設です。

保育

医療的ケア児の保育所での受け入れは、2017〜2020年度の厚生労働省の医療的ケア児受入れ支援モデル事業から始まり、最終年度は109カ所の保育園で211人の医療的ケア児を受け入れました。1保育園あたり1〜2人の医療的ケア児を受け入れた計算になり、大した負担ではないと思われるかもしれません。しかし実際には、どこの保育園も例外なく多大な準備をし、受け入れ後は子どもにも保護者にも細心の注意を払い、スタッフや施設長はかなり苦労されています。今のところ保育所は、軽度な医療的ケアの子どもを1人預かることで精いっぱいな状態であり、人工呼吸器といった高度な医療的ケアが必要な子どもを受け入れられるところはほとんどないようです。

もともと保育所には看護師が1人配置されていますが、これは0歳児の赤ちゃんの体調管理のために配置されている看護師であって、医療ケアのためではありません。保育所が医療的ケア児を受け入れるためには、受け入れに前向きな施設長と医療ケアに習熟した看護師が必要です。また、保育現場の改修・改築や、必要な建具の購入・配置といった準備をし、看護師以外の保育所のスタッフをよく教育し、保護者と丁寧な面談を積み重ねることで、ようやく1人の医療的ケア児を受け入れられるようになります。さらに、受け入れた子どもの医療ケアを担当する看護師はずっとその子に付き添わなければならず、食事にもトイレにも行けないため、代替の看護師がもう1人必要になります。つまり、医療的ケア児1人に対して2人の看護師を配置するという非効率な雇用をしなければなりません。そのため、保育園での医療的ケア児の受け入れはなかなか進んでいません。しかし、医療的ケア児の家族が「保育園に預けたい」と訴えるニーズは大きく、現実との間に大きなギャップがあります。

子ども子育て支援制度では、市町村が子育てに関する課題を議論し、認定こども園、居宅訪問型保育、小規模保育、一時預かり、ファミリーサポートといったサービスの充実が図られます。しかし、これらの預かり施設が医療的ケア児を預かれることはほとんどありません。また、市町村ごとに子育て世代包括支援センターが設置されて、あらゆる子育て相談に乗るという体制が構築されています。しかし、障害児に関する相談はそのまま市町村の障害福祉の課に回され、従前と状況はあまり変わらず、「包括」は建前でしかないことが多いようです。

教育

　学校での医療ケアの歴史は古く、1990年代から養護学校の中で一部の教員が医療ケアを実施してきました。「医療的ケア」という言葉を生んだのは、当時の大阪府の養護学校校長の松本喜一氏と言われています。それを受けて、文部科学省は特別支援学校の中での医療的ケアの体制構築を推進し、全国の特別支援学校に複数の看護師を配置し、特定行為研修を通じて医療ケアを実施できる教員を養成することで、学校看護師や教員が医療ケアを実施しつつ子どもを教育する体制を整えました。しかし、やはり人工呼吸器などの高度な医療ケアを学校が実施することのハードルは高く、都道府県の教育委員会が個別の患者ごとに対応を検討しています。

　さらに、医療的ケア児支援法の後押しもあり、通常の小中学校への入学を希望される医療的ケア児が非常に増えています。小中学校には看護師がいないため、医療的ケア児を受け入れるには看護師を確保する必要があり、「看護師が確保できない」という理由で断られることはよくあります。地域によっては、教育委員会が看護師を雇用して学校に配置したり、あるいは地域の訪問看護ステーションと契約を結んで訪問看護師に学校に来てもらったりするなど、さまざまな試行が少しずつ進んでいます。

就労

　医療的ケア児数は過去10年で1.47倍に増えており、これらの子どもたちは数年後に確実に成人となるため、今後、成人の医療的ケア者が急速に増えることになります。18歳までは障害児福祉や学校など、子どもへの支援はたくさんありますが、18歳以降は成人として生きていかなければなりません。知的機能が正常で自分自身で医療ケアを実施できる医療的ケア者は、一般の就労を目指すことになります。

　障害者認定を受けていれば、障害者枠で就労することができます。障害があっても労働作業ができる方は、雇用契約を結ぶタイプの就労継続支援A型で就労します。障害があって作業を教わりながらじっくり取り組む方は、自由契約タイプの就労継続支援B型に通います。障害があって労働作業が困難な方は、日常生活行動を訓練するための生活介護に通うことになります。

　これらの就労関連の施設においても、医療ケアを行う看護師を確保できない場合は受け入れを断られます。令和3年度の報酬改定では、生活介護施設に看護師を配置するための「常勤看護師等配置加算」が増額されました。

子どもを取り巻く社会資源

　制度について、実際の例で見てみましょう。下表では、気管切開と経管栄養が必要な先天奇形と重症新生児仮死の子どもの状況を年齢ごとに追ったもので、直面するさまざまな課題の例を挙げました。18歳までは医療やリハビリが強く関わり、児童福祉法、障害者総合支援法、教育などに関連するサービスが提供されます。

　18歳以降は障害者総合支援法のサービスがメイ

表　子どもと社会資源の例（重症新生児仮死・気管切開・経管栄養が必要な場合）

フェイズ	入院	在宅療養の形を確立								
年齢	未就学児						幼稚園		小学校	
	出生	1歳	2歳	3歳	4歳	5歳	6歳	7歳	8歳	10歳
状態像	先天奇形、重症仮死でNICU入院6カ月後に退院	身障者手帳を取得	肺炎で頻回に入院／嘔吐・脱水でときどき入院	痙攣のコントロール困難で頻回に通院	受け入れてくれる児童発達支援を探す	受け入れてくれる保育所を探す	保育所に入るが、頻回に呼び出される／地域の小学校を希望するが、入れてもらえない	数カ月かかる／学校看護師に医ケアを伝授／医ケア指示書を学校に提出／特別支援学校小学部に入学	母の付き添いなしで学校に通えるようになる	身長が伸びて側弯が進行／バギーカーを新調
教育							幼稚園／盲聾学校幼稚部		小学校／特別支援学校小学部	
保育			保育所／居宅訪問型保育							
通所支援						児童発達支援				
訪問系障害福祉									居宅介護／移動支援・行動援護	
在宅医療							医療保険の訪問看護・訪問リハビリ／訪問診療			
病院医療	NICU						病院・重心施設の小児科外来・リハビリ通院・入院			
施設入所								医療型・福祉型障害児入所施設、		

ンになります。医療においても、小児科から成人科への移行が課題となります。65歳以降は介護保険法のサービスを受けることになりますが、特定疾病に当てはまる場合は40歳からの受給になります。高齢者として介護保険サービスを利用することになっても、一部の障害福祉サービス（就労支援、移動支援、行動・同行援護、重度訪問介護など）は併用することができます。しかし多くの例では、どこかの時点で保護者が医療ケア者の介護をできなくなり、障害者入所施設に入所されることが多いようです。

（奈倉道明）

	社会参加									在宅療養	
		中学校		高校			青年期				
12歳	13歳	15歳	16歳	17歳	18歳	19歳	20歳	30歳	40歳	65歳〜
小学校卒業に向けての準備	特別支援学校中学部に入学／学校看護師に医ケア指示書を書き直し医ケアを伝授	中学校卒業に向けての準備	特別支援学校高等部に入学／学校看護師に医ケア指示書を書き直し医ケアを伝授	職業技能や日常生活動作を訓練	成人式、選挙権／就労に向けての準備	就労、もしくは生活介護	酒、タバコが可能？／障害年金の申請・交付	労働、自己実現	介護保険料の支払い開始／特定疾病に認定されれば、介護保険サービス利用開始	介護保険サービス利用開始

- 中学校 → 高等学校 → 大学・専門学校
- 支援学校中学部 → 支援学校高等部
- 放課後等デイサービス
- 生活介護／就労移行・継続支援
- 重度訪問介護
- 介護保険の訪問看護等
- 病院成人科への移行
- ときどき短期入所
- 障害者入所施設＋療養介護・グループホーム・ケアホーム

付録 2 医療的ケア児支援センターの役割

医療的ケア児支援センター設置の背景

　医療的ケア児支援センターは、2021（令和3）年6月に議員立法として成立した「医療的ケア児及びその家族に対する支援に関する法律」（以下、医療的ケア児支援法）の基本理念を全国各地で実現するために、各都道府県において設置が進められています。周産期医療を含めた医療の進歩、高度化に伴って、医療的ケア児は増加傾向をたどっている一方で、これまで医療的ケアがある子どもの相談については、保護者から、「どこに相談をすればよいのかわからない」といった声が多く聞かれていました。

　また、同時に相談を受ける支援者や在宅の支援者は、医療的ケアに関する知識について学べる機会があまり多くなかったことと、相談を受けても在宅生活を支えるための社会的資源が地域に充足していないということから、医療的ケア児の相談の受け入れに不安があり、躊躇してしまうという実態がありました。

　従来、医療的ケア児というと、その概念は重症心身障害児であるという認識が強くありました。しかし昨今では、この基準にあてはまらない、運動機能障害や知的障害がない医療的ケア児の存在が明らかになってきており、医療的ケア児は大きく6類型に分けられるといわれています（図1）[1]。このように医療的ケア児の相談は、幅広い子どもの状態像や医療的ケアの内容、そして家族の思いによって、その相談内容は個別性や専門性がより高くなってきました。

図1　令和3年度障害福祉サービス等報酬改定に関する意見等　医療的ケア児者の6類型

付録 医療的ケア児支援センターの役割

一方で、子どもたちは病院から退院すると在宅では、そのケアを24時間保護者が実施することになります。多くの保護者は睡眠時間が十分に確保できず、緊張感の高い日々を過ごします。さらに子どもの育ちにあわせた発達支援はどのようにしていけばよいのか？　医療的ケア児を抱えて保護者は復職できるのか？　きょうだい児の支援はどのようにしていけばよいか？　そして、緊急時の預け先が不足している等、医療的ケア児と生活をする家族にとって共通した課題も見えてきました。

医療的ケア児支援法では、このような課題を解決するために、医療的ケア児の定義が示され、また立法の目的や基本理念が明記されました。この法律では、当事者である医療的ケア児に対する支援だけに言及せず、子どもを育てる家族に対する支援についても示され、その支援責務の所在が明確になった画期的な法律となりました。医療的ケア児と家族の支援を総合的に対応するために、設置された医療的ケア児支援センターは各都道府県においてその役割を果たすことが期待されています。

また、医療的ケア児支援センターの支援対象者は、医療的ケア児支援法第2条に記された医療的ケア児等ですが、同法の基本理念のなかで、医療的ケア児が成人となった後も適切な医療サービスおよび福祉サービスを受けながら、日常生活や社会生活を営むことができるようにすることの重要性が記されています。18歳に達したり、高等学校を卒業したことにより医療的ケア児から医療的ケア者となる、移行期の方々も引き続き雇用や障害福祉サービスの利用に係る相談支援の支援対象者として含まれています。

医療的ケア児支援センターの役割

医療的ケア児支援センターは、前述した通り医療的ケア児支援法の理念の実現のために、大きく以下のような支援の柱があります（図2）[2]。

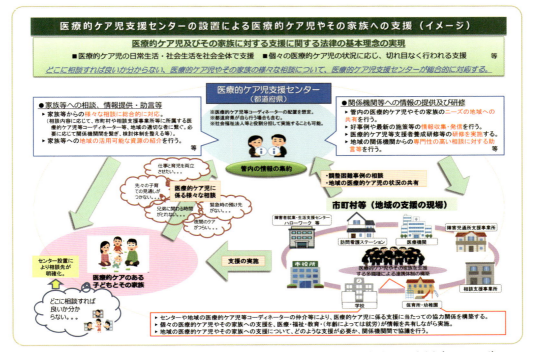

図2　医療的ケア児支援センターの設置による医療的ケア児やその家族への支援（イメージ）

＊医療的ケア児等からの相談への助言等（法第14条第1項第1号）[3]

- 当事者、家族の基本的な相談支援を行います。これまではどこに相談をすればよいのか不明瞭なことが多い地域もありました。これからは、医療的ケア児支援センターがワンストップで相談を受け付け、お住まいの地域の支援機関と連携をし、地域で生活をする第一歩（退院時支援等）や地域生活での困りごとの解決に向けて総合的に支援をします。

＊関係機関等ならびにこれに従事する者への情報提供及び研修（法第14条第1項第2号）[3]

- 都道府県内外各地域の情報を集約し、先進的な取り組みについては横展開ができるよう医療的ケア児支援に関する情報の提供を実施します。
- 地域で医療的ケア児支援に関わることができる支援者を増やすための研修を実施します。研修の実施方法はさまざまですが、たとえば医療的ケア児のことを知ってもらうための標準的な知識を得る全体研修（医療的ケア児等コーディネーター養成研修・支援者養成研修等）から、最新の動向を理解できる研修や各専門分野、地域ごとのニーズ（医療・保育・教育・就労等）にあわせた研修、多職種で共に学ぶ研修等を実施し、地域のなかで医療的ケア児支援に参画できる人材育成を行います。育成された人材（医療的ケア児等コーディネーター等）は、地域支援のキーマンとなり活躍できるよう、医療的ケア児支援センターがバックアップを行います。たとえば、事例検討や医療的ケア児支援を考える協議の場などに、医療的ケア児支援センターが積極的に関わることも期待されています（地域のコーディネーターが行う相談・助言等との関係）。

＊関係機関等との連絡調整（法第14条第1項第3号）[3]

- 医療的ケア児の支援は、1つの分野で完結することができないことが多くあります。たとえば保護者の就労のための保育が必要となると、障害福祉分野だけではなく、母子保健や、保育に関係する支援者が繋がり合いながら支える仕組みが必要です。医療的ケア児支援センターは、医療・保健・福祉・教育・労働等関係機関の特徴やできることを良く理解し、それぞれの強みを活かすチーム作りをしながら、しっかりと連絡調整を行い、地域の医療的ケア児支援体制整備をしていく役割があります。
- 子どもとその家族の支援を実施していくためには、医療的ケア児支援センターと市町村行政とのパートナーシップは必須となります。相談支援がスムーズに進むためには、行政各部署間の横連携も重要です。医療的ケア児支援センターは、都道府県および市町村との連携をしっかりともち、医療的ケア児支援の状況を把握するために行政間連携の推進を図りながら自治体が抱える医療的ケア児支援の課題の解決に協働して取り組みます。
- 医療的ケア児に関する支援は、その資源の少なさやすべての市町村において資源を満たすことが難しい現状があります。たとえば、緊急時の短期入所などは、必ずしも住んでいる市町村ごとに設置されているとは限りません。このように市町村をまたいで広域に資源を活用することが多いことも医療的ケア児支援の特徴といえるでしょう。市町村単独では解決できないことについて、圏域間で関係機関や行政との連絡調整を実施しながら、ライフステージに応じた支援体制整備作りという観点も医療的ケア児支援センター運営のなかで重要な視点となります。

医療的ケア児支援センターのこれから

　医療的ケア児支援センターが取り組む支援内容は、まだ前例のないものが多く、各都道府県において試行錯誤をしながら進められています。しかしそのなかでも、見えてきているものは、医療的ケア児支援の軸は医療的ケア児である前に子どもであるという視点をもち、子どもとしての発達を支援していく「子どもの最善の利益の保証」であり、小児版の包括支援システム構築の土台作りなのかもしれません。地域の支援者（医療的ケア児等コーディネーター等）は丁寧な個別支援から地域課題を抽出し、地域の強みを活かした必要とされる多様な支援の開発に取り組みます。そして医療的ケア児支援センターは、研修などを通しこのような個別支援（直接支援）ができる人材育成をしながら、地域の支援者とともに、自立支援協議会や協議の場を通して社会資源開発を行います。それと同時に、医療・福祉・保健・保育・教育等の多職種連携のプラットフォームを構築していくといった、「地域の体制つくり」を本業とした子どもとその家族、そして支援者や地域に対する「伴走型支援」が今後のセンターの在りかたではないかと考えます（図3）。

図3　医療的ケア児支援センターの2つの役割

出典：遠山裕湖作成（2023.1）. 医療的ケア児及びその家族に対する支援に関する法律施行から1年　宮城県医療的ケア児等相談支援センターにおける医療的ケア児及びその家族に対する支援のとりくみについて．宮城県医療的ケア児等相談支援センター「ちるふぁ」研修資料．

column

「ちるふぁ」が実践していること

　宮城県医療的ケア児等相談支援センター「ちるふぁ」は、子どもや家族、そして支援者や地域の「やってみたい」を支え、「つながり」を創り、「知りたい」に応えるために、県内35市町村に積極的に出向く「動く相談室」を目指しています。実際に訪問をさせていただくと、その土地にだからこそある「強み」が見えてきます。自分の町を愛する気持ちをもつ人や、土地の歴史を知っている人などとの出会いは、その市町村のなかで「おたがいさま」というやさしい言葉で医療的ケア児を包んでくれます。

　私たち自身も、もっともっと地元を好きになれる瞬間です。

　また、ちるふぁは専従常勤職員が3名います。「理学療法士・保育士」「社会福祉士・主任相談支援専門員」「看護師・保健師」で、さらに全員が相談支援専門員であり、医療的ケア児等コーディネーター資格を有しています。相談が入ると、それぞれが専門性を活かし連動した支援をしています。

　たとえば、保育所を利用したいという相談を社会福祉士が受け、保護者のニーズの傾聴と把握を行います。まず最初に、その子どもにどのような疾患や医療的ケアがあり、今どんな発達

引用・参考文献

1) 厚生労働省：一般社団法人 全国医療的ケア児者支援協議会．障害福祉サービス等報酬改定検討チーム．第8回（R2.7.9）ヒアリング資料1 令和3年度障害福祉サービス等報酬改定に関する意見等．
https://www.mhlw.go.jp/content/12401000/000647348.pdf（4月14日参照）

2) 厚生労働省：障害福祉課．令和3年度医療的ケア児の地域支援体制構築に係る担当者合同会議 2021年9月28日．資料1-1 令和3年度障害福祉サービス等の報酬改定及び医療的ケア児支援センター等について．
https://www.mhlw.go.jp/content/12204500/000836260.pdf（4月14日参照）

3) 厚生労働省：厚生労働省社会・援護局障害保健福祉部障害福祉課．医療的ケア児及びその家族に対する支援に関する法律の施行に係る医療的ケア児支援センター等の業務等について 令和3年8月31日事務連絡．

段階なのかをアセスメントするのが看護師や理学療法士の役割です。お子さんは、保育所に行ったらどんな遊びを楽しめそうかな？　どんな医療的ケアの調整があれば、保育所に通えそうかな？　と、身体機能や身体状態をみるフィジカルアセスメントを実施することは、何より保育所に行くことが子ども自身の発達を支え、笑顔で通えるためのとても大切な見立てとなります。その後、社会福祉士が資源の確認や調整を実施していきます。

　専従常勤職員の専門性を活かせるリレーションで、子どもと家族の願いを支えたいと思っています。

例えばどんな相談ができるの？

- もうすぐ退院なんだけれど、おうちに帰る時にどんな準備が必要なの？
- 地域の支援者で医療的ケア児者のことについて勉強会がしたいな
- 地域にどんな相談ができる人がいるのかな？
- そろそろお友達の中で育てたいな。療育の施設や保育所、学校ってどうやって行くの？
- おうちでの姿勢とか栄養管理とか、相談できる？
- 医療的ケアのあるお子さんの支援をしたいけれど、何から取り組めばいいんだろう？
- きょうだいのことが心配。きょうだいのことを相談したい

医療・保健・福祉（保育所など）・教育・労働などの関係機関と連携をしながら、チームで課題解決に向けて取り組みます。

https://www.mhlw.go.jp/content/11907000/000843242.pdf（4月14日参照）

4）厚生労働省．令和三年法律第八十一号 医療的ケア児及びその家族に対する支援に関する法律．
https://www.mhlw.go.jp/content/000801675.pdf（4月14日参照）

5）厚生労働省：社会・援護局 障害保健福祉部，障害福祉課 障害児・発達障害者支援室．医療的ケア児支援センター等の状況について 令和4年度 医療的ケア児の地域支援体制構築に係る担当者合同会議．
https://www.mhlw.go.jp/content/12204500/000995726.pdf（4月14日参照）

（遠山裕湖）

column

資源が少ない地域でどう小児を支えるか

　その答えの1つ、資源が少ないのならその資源を大切にしてつながるしかありません。ここでは、さまざまな患者さんとご家族を訪問するなかで、特に印象に残ったエピソードを4つ紹介します。

Episode 1　痰と腰痛との闘い 〜訪問看護さんとヘルパーさんとお母さんと〜

　20歳になるAさんは、5歳時の急性脳症から寝たきりとなり、10歳ごろから24時間人工呼吸器装着となりました。訪問診療を始めた15歳のころから、よく肺炎で熱を出しては自宅まで点滴をしに通いました。熱とともに黄色い痰が気管カニューレからあふれ出してきます。文字通り痰との闘いでした。

　気管支ファイバーでのぞいてみると、痰はいつも右肺の背中側の気管支から顔を出したり引っ込めたり。いつも仰向けなので、痰が背中にたまっているのです。「うつ伏せ、うつ伏せ〜」って口を酸っぱくして言っても、腰痛に悩まされていたお母さんにはつらい話でした。

　そこでがんばってくださったのが、訪問看護師さんとヘルパーさんでした。朝9時30分の訪問看護師さんがうつ伏せへ、昼の注入前のヘルパーさんが仰向けへ、毎日毎日ひっくり返すようになってから、点滴に通うことはなくなりました。腰痛のお母さんも、訪問看護師さんやヘルパーさんたちといっしょに掛け声を掛けてひっくり返す作業のなかで、腰を痛めないコツをつかんだようです。毎日「よいしょ、よいしょ」という掛け声が部屋に響きます。

Episode 2　成人期移行患者を受け止めてくださった在宅医

　1p36欠失症候群、てんかん、クローン病、慢性呼吸不全のBさんは24歳で、仙台から70km離れた町に住んでいます。これまでは仙台市内の小児病院に通っていましたが、成人期移行となり小児科主治医は内科の紹介先を探しました。しかし、遺伝子異常、てんかん、消化器疾患、呼吸器疾患をあわせ持ったBさんを引き受けてくださる病院内科主治医はなかなか見つかりませんでした。

　唯一、総合診療科医として活躍されている在宅訪問の先生が、「小児科医師との連携があれば」と月に2回の訪問診療を引き受けてくださることになりました。同じ訪問診療医としてうれしくて、2、3カ月ごとに私もお宅におじゃまして内服薬の相談や気管支ファイバー検査をさせてもらっています。その先生はいつもやさしくBさんに話し掛け、ご家族の介護の大変さをねぎらってくださいます。

　きっと、小児科専門の先生が急に高齢者医療を1人で任されたら同じように不安でいっぱいになりますよね。成人期移行の問題は、紹介状1つでは解決しません。その後もいっしょに並走することが大切です。地域にはこんなやさしい先生が待っていてくれるのですから。

Episode 3　最後に病院であいさつを

　訪問診療を始めて1年くらいが過ぎたころ、13トリソミー症候群のCちゃんの紹介を受けました。まだ3カ月の赤ちゃんでしたが、先天性心疾患の病態はすでに末期でした。実は、こんな小さなトリソミーのお子さんを診たことがなかった私は、どう治療してよいか手探りの状態でした。初診から2週間がすぎたある日、急にチアノーゼがひどくなったと連絡を受け、お宅へ急ぎました。どうしたらよいかわからない私は、「とりあえず病院へ行きましょう」と救急車にいっしょに乗って病院へ向かいました。

　病院では土曜日だったにもかかわらず、担当だった新生児科の先生と小児科の先生がちょうど当直でいらっしゃって、診察してくださいました。やはり心不全の最末期との診断で自宅へ戻り、翌日に自宅でお看取りとなりました。その日、大きな声で泣かれるお父さんとお母さんでしたが、少し満足そうな表情にも見えました。あとで聴いてみると、「昨日、担当の先生方に会えてよかった。きっとお別れのあいさつに行きたかったんだと思います」と。

最期までお宅で診きれなかった訪問診療医の不甲斐なさよりも、子どもの気持ちを大切にしてくれたご両親。その後、トリソミーのお子さんのお宅でのお看取りをするときは、いつもCちゃんとご両親のことを思い出します。そして、「在宅医も困ったら病院を頼っていい」、そう思うと私も気持ちが楽になりました。

Episode 4　災害があってもここで生き抜く

　ミトコンドリア病のDくんは中学3年生。仙台市内から30km離れた町で、24時間人工呼吸器管理を受けています。北海道胆振東部地震で、電源の重要性を悟ったお母さんは、災害時は30km離れた病院へ向かうよりは、この町で生き延びようと考えます。訪問看護さん、ヘルパーさん、相談支援専門員さん、訪問教育の先生、保健師さんを一同に集め、私を実技講師にして一人ひとりにバギングの練習をさせます。「蘇生バッグだからって、バグッバグッってしちゃだめ、バーグ…バーグって呼吸器と同じ間隔で同じ圧力で」と、横からお母さんの指導が入ります。「吸気時間はちゃんと1秒間をとって、次の人はとなりで素振りして準備、つかれたら次の人にバトンタッチよ」と熱が入ります。

　ヘルパーさんも担任の先生も一生懸命やっていて、職種は関係ないようです。「お母さん、ここで生き抜く気だ」と思いました。

　災害があったときは遠くの親戚よりも近くの他人、遠くの病院より近くの人垣。

（田中総一郎）

索引

＊ 欧文

HOT ················ 100, 106
MCRPU ············ 161, 190
NPPV ········ 085, 091, 094
SC ························· 045
SV ························· 045

＊ あ

愛着形成 ············ 016, 018
仰向け … 209, 215, 259, 285
足の変形 ···················· 283
足や骨盤のストレッチ······ 204
暴れる子ども ·············· 069
アラーム ······ 084, 090, 093
アレルゲン ················· 157

＊ い

胃残 ·················· 127, 145
異常の早期発見 ············ 020
胃食道逆流症 ······· 043, 134
移動の支援 ················· 268
遺糞症 ······················ 155
医療的ケア児支援センター
························· 326
医療的ケア児数 ············ 003
医療的ケア児及びその家族に
　対する支援に関する法律
························· 004
医療費 ······················ 198

衣類の工夫 ················· 236
胃瘻 ·················· 123, 130
胃瘻チューブの種類········ 131
インターフェイス
··············· 088, 090, 091
咽頭 ························· 041
咽頭受容体反射 ············ 041
咽頭扁桃 ···················· 041
インバーター ·············· 314

＊ う

うつ伏せ
… 209, 213, 215, 260, 287

＊ え

栄養チューブ挿入方法 … 124
栄養チューブの固定········ 129
栄養チューブのつまり予防
························· 129
液化酸素装置 ······· 101, 311
嚥下機能獲得不全··········· 119

＊ お

オイルマッサージ ········· 224
押しつぶし機能 ············ 116
押しつぶし機能獲得不全
························· 120

＊ か

ガーゼ交換 ················· 056

外出 ················· 172, 221
加温加湿 ············ 078, 086
加温加湿器 ········· 078, 085
かじり取り機能 ············ 116
家族への支援 ·············· 021
肩関節 ······················ 275
カテーテルの保管 ········· 074
カニューレ ················· 072
カニューレ交換 ············ 060
カニューレバンド交換······ 056
カニューレバンドの締め具合
························· 058
カニューレバンドの作りかた
························· 061
カニューレフリー ········· 234
過敏 ················· 249, 257
かぶりの洋服 ·············· 238
身体が柔らかい ············ 292
簡易浴槽 ············ 225, 227
感覚遊び ···················· 246
感情 ························· 016
関節の運動 ················· 274
感染 ··········· 019, 027, 063
乾電池アダプター ········· 255

＊ き

着替え ······················ 236
気管・気管支軟化症········ 042
気管支炎 ···················· 042
気管支肺異形成症 ········· 027

気管切開 ·········· 044, 049, 052, 235
気管切開孔 ················· 060
気管切開孔の観察 ········· 063
気管切開孔閉鎖 ············ 051
気管内吸引 ·················· 070
気道 ··························· 038
ギプス固定 ·················· 222
吸引圧 ·················· 066, 073
吸引カテーテル ············ 070
吸引器 ························· 312
吸引セット ·················· 074
救急外来 ····················· 084
緊張 ······ 240, 251, 271, 294
緊張が強い ·················· 218
筋肉のマッサージ ········· 274

＊く
靴選び ························· 283
グリセリン浣腸 ············ 176

＊け
経口準備不全 ··············· 118
経口摂取 ····················· 115
携帯型酸素濃縮装置 ····· 101
携帯用酸素ボンベ
 ················· 101, 106, 311
経鼻経管胃栄養法 ········· 122
経鼻経管十二指腸栄養法
 ································ 122
下剤の種類 ·················· 181

＊こ
口蓋扁桃 ····················· 041
口腔ケア ·············· 074, 241

口腔ネラトン法 ············ 123
抗重力姿勢 ·················· 200
口鼻腔内吸引 ··············· 065
後負荷 ························· 195
声掛け ························· 253
股関節 ·················· 223, 279
呼吸運動 ····················· 040
呼吸器機能障害 ············ 052
呼吸筋 ························· 040
子どもの権利 ··············· 020
コミュニケーション ····· 252
コミュニケーション支援
 ································ 269
固有受容覚 ·················· 202

＊さ
座位 ······ 262, 263, 289, 293
在宅酸素療法 ········ 100, 311
在宅酸素療法指導管理料
 ································ 100
在宅自己導尿指導管理料
 ································ 162
在宅（用）人工呼吸器
 ················· 077, 095, 310
在宅療養指導管理料
 ··············· 052, 054, 056, 129
座位保持支援 ··············· 264
坐薬 ···························· 178
酸素投与 ····················· 196
酸素濃縮装置
 ················· 101, 102, 311

＊し
自家発電機 ·················· 314
指関節 ························· 278

子宮内胎児発育遅延 ····· 025
歯垢 ···························· 243
自己膨張式バッグ ········· 081
事故防止 ····················· 019
自食機能 ····················· 116
自食機能獲得不全 ········· 121
姿勢 ··· 209, 215, 242, 252
姿勢援助 ····················· 284
歯石 ···························· 243
舌の汚れ ····················· 244
膝関節 ························· 280
指定避難所 ·················· 315
指定福祉避難所 ············ 315
児童発達支援 ··············· 321
児童福祉法 ············ 319, 321
手関節 ························· 277
手指消毒 ····················· 072
出血 ·················· 068, 174
障害者総合支援法 ··· 319, 320
障害福祉サービス ········· 319
消毒 ···························· 063
小児慢性特定疾病
 ··············· 052, 198, 318
小児慢性特定疾病児童等
 自立支援事業 ············ 318
食事の支援 ·················· 267
褥瘡 ···························· 092
触覚 ···························· 203
心機能 ························· 194
心筋症 ························· 193
人工呼吸器の回路 ········· 078
人工鼻 ············ 046, 073, 081
心臓病 ························· 193
心臓への影響 ··············· 029
腎臓への影響 ··············· 030

身体障害者手帳 ……………… 052
心拍数 …………………………… 195
心不全 …………………………… 196

*す

スイッチ ………………………… 254
水分摂取機能獲得不全 … 121
スキャモンの発達・発育曲線
………………………………………… 014
スキンケア……………………… 156
ステロイド外用薬 …………… 160
スピーチカニューレ ………… 044
スピーチバルブ ……………… 044
ズボンの着脱 ………………… 239
すりつぶし機能 ……………… 116
すりつぶし機能獲得不全
………………………………………… 120
座る姿勢………………………… 211

*せ

成人嚥下……………………… 114
成長の指標 …………… 012, 013
脊椎の彎曲 …………………… 043
摂食嚥下機能障害 ………… 118
舌扁桃 …………………………… 041
尖足 ……………………… 265, 283
前庭覚 …………………………… 202
先天性心疾患 ………………… 193
前負荷 …………………………… 194

*そ

早期療育 ……………………… 200
相互作用 ……………………… 016
早産児 …………………… 025, 026
相談支援専門員 …… 315, 322

ソールの調整 ………………… 307
足関節 …………………………… 281
反り返り ………………………… 251

*た

脱臼 ……………………………… 223
立つ姿勢……………… 211, 212
食べる機能 …………………… 114
痰 …048, 067, 069, 072, 299
短下肢装具 …………………… 305
ダンピング症候群 …………… 134

*ち

地域生活支援事業 … 052, 319
長下肢装具 …………………… 305
聴力 ……………………………… 256

*つ

つっぱりが強い子ども …… 291

*て

手遊び歌………………………… 253
低緊張 …………… 200, 219, 220
停電時 …………………… 310, 313
摘便 ……………………………… 180
手作りおもちゃ ……………… 249
電力 ……………………………… 084

*に

肉芽 ……………………… 043, 140
日常生活用具給付 … 052, 319
乳児嚥下 ……………………… 114
乳幼児健診 …………………… 019
入浴 …………………… 172, 205, 224
入浴補助用具 ………………… 227

*ね

寝返り …………………………… 215
ネブライザー療法 …………… 108
ネーザルハイフロー ………… 094

*の

嚢胞性脳室周囲白質軟化症
………………………………………… 032
脳(発達)への影響 ………… 032

*は

歯 ……………………… 013, 241
肺 ………………………………… 027
排泄ケア………………………… 206
排泄の支援 …………………… 267
排痰補助装置 ………………… 080
肺痰目的 ……………………… 111
排尿障害………………………… 154
発達 ……………………………… 200
発達検査 ……………………… 018
発達の基本原則 …………… 014
発達障害(児)
…………………… 019, 032, 270, 318
鼻カニューレの固定 ……… 103
鼻ピロー ………………………… 089
鼻プロング ……………………… 097
鼻マスク ………………………… 087
歯ブラシ選び ………………… 242
歯磨き …………………………… 243
パルスオキシメータ
………………………… 053, 104, 105
半固形流動食短時間摂取法
………………………………………… 141
半固形流動食注入 ………… 142

* ひ

- ヒーターワイヤあり ……… 080
- ヒーターワイヤなし ……… 080
- 肘関節 …………………… 276
- ビッグマック …………… 255
- 人見知り ………………… 253
- 避難行動要支援者 ……… 315
- 皮膚炎 …………………… 190
- 皮膚障害の治療的ケア … 190
- 皮膚障害の予防的ケア … 189
- 皮膚トラブル …………… 062
- 皮膚トラブルの予防……… 159
- 敏感 ……………… 256, 257

* ふ

- 福祉避難所 ……………… 315
- 不整脈 …………………… 193
- プラーク ………………… 243
- ブラッシング …………… 243
- 分泌物が多い子ども……… 068

* へ

- ヘルプカード …………… 316
- 扁桃腺 …………………… 041

- 偏平足 …………… 283, 307

* ほ

- 放課後等デイサービス ……………………………… 319
- 訪問看護………………… 036
- 歩行 ……………… 265, 302
- 歩行器 …………… 268, 305
- 歩行練習 ………………… 301
- ポジショニング ………… 214, 242, 260, 284
- 保湿 ……………………… 203
- 保湿剤 …………………… 229
- 保湿剤の量 ……………… 186
- 保湿剤の塗りかた ……… 186
- 保湿の方法 ……………… 186
- 捕食機能 ………………… 115
- 捕食機能獲得不全 ……… 119
- ポータブル電源 ………… 313
- 哺乳 ……………………… 114
- 哺乳障害 ………………… 118

* ま

- 前開きの洋服 …………… 237
- マッサージ ……… 203, 250

- 麻痺 ……………………… 252

* み

- ミキサー食 …… 130, 134, 142

* め

- 目が見えない …………… 257
- 滅菌 ……………………… 063

* よ

- 横向き … 210, 215, 267, 286
- 四つ這い ………… 260, 262
- 予防接種………………… 019

* り・れ

- リーク …………………… 083
- 立位姿勢保持 …………… 265
- 離乳食 …………… 205, 206
- リフト …………………… 228
- 療育 ……………………… 200
- 旅行 ……………… 077, 221
- リリーフバルブ ………… 082
- レスパイト……………… 206

監修・編著者紹介

田村正徳（たむら・まさのり）

埼玉医科大学総合医療センター名誉教授
佐久大学客員教授

【略歴】
1974年　東京大学医学部卒業、同大学小児科学教室入局
1982〜1985年
　The Hospital for Sick Children(カナダ Toronto市) 小児ICU部の
　chief clinical fellow および呼吸生理部の research fellow として勤務
　帰国後、国立小児病院(現国立成育医療センター)新生児科副医長就任
1989〜1993年　東京大学小児科学教室講師
1993〜2002年　新設の長野県立こども病院にて新生児科部長、総合周産期医療センター長、副院長を歴任
2002〜2016年　埼玉医科大学総合医療センター小児科主任教授
2016〜2018年　同 特任教授、総合周産期母子医療センター長、小児医療センター長
2018年〜　　　佐久大学客員教授
2020年　　　　埼玉医科大学総合医療センター名誉教授

【主な学会役員】
第四代日本周産期・新生児医学会理事長（現在名誉会員）
日本新生児成育医学会名誉会員
財団法人日本小児在宅医療支援研究会代表理事
日本小児科学会名誉会員
日本医師会小児在宅ケア検討委員会副委員長
一般財団法人日本助産評価機構 助産教育認証評価部 認証評価評議員　など

【主な政府役員、研究代表者】
障害福祉サービス等報酬改定検討チームアドバイザー

梶原厚子（かじわら・あつこ）

株式会社スペースなる代表
Tamaステーションなる 訪問看護事業 なるのおいす屋さん

【略歴】
1982年　済生会宇都宮病院付属栃木県救命救急センター勤務
1986年　独協医科大学越谷病院勤務
1989年　愛媛大学医学部付属病院勤務
1996年　（株）クロス・サービス福祉事業部ケアサポートまつやま入社
2000年　同法人にて訪問看護ステーションほのか開所
2009年　同法人にてほのかのおひさま児童デイサービス開所
2012年　NPO法人あおぞらネット訪問看護ステーションそら、子ども在宅クリニックあおぞら診療所墨田を経て
　　　　医療法人財団はるたか会あおぞら診療所新松戸、訪問看護ステーションあおぞら・そら統括看護管理者
2018年　現職

【主な学会役員】
財団法人日本小児在宅医療支援研究会評議員

本書は2017年小社刊行の書籍『在宅医療が必要な子どものための図解ケアテキスト』を改訂したものです。

改訂2版　在宅医療が必要な子どものためのケアテキストQ＆A
ー家族といっしょに読める！　豊富なイラストで、よくわかる！

2017年1月5日発行　第1版第1刷
2022年9月30日発行　第1版第9刷
2023年9月15日発行　第2版第1刷
2025年3月20日発行　第2版第2刷

監　修　田村　正徳
編　著　梶原　厚子
発行者　長谷川　翔
発行所　株式会社メディカ出版
　　　　〒532-8588
　　　　大阪市淀川区宮原3-4-30
　　　　ニッセイ新大阪ビル16F
　　　　https://www.medica.co.jp/
編集担当　二畠令子／利根川智恵
装幀・組版　伊藤まや（Isshiki）
イラスト　八代映子／渡辺恵美／浅野仁志
印刷・製本　株式会社シナノ パブリッシング プレス

Ⓒ Masanori TAMURA, 2023

本書の複製権・翻訳権・翻案権・上映権・譲渡権・公衆送信権（送信可能化権を含む）は、（株）メディカ出版が保有します。

ISBN978-4-8404-8144-1　　　　Printed and bound in Japan

当社出版物に関する各種お問い合わせ先（受付時間：平日9：00〜17：00）
●編集内容については、編集局 06-6398-5048
●ご注文・不良品（乱丁・落丁）については、お客様センター 0120-276-115